LE CHEMIN DE L'ÉPANOUISSEMENT

DU MÊME AUTEUR

Aux éditions du Levain
> *Psychologie comparée : garçon-fille* (1961)
> *De la mixité à l'amour précoce* (1963)
> *Sexualité et équilibre* (1965)
> *Pour une vie plus humaine* (1968)

Aux éditions foyer Notre-Dame (Bruxelles)
> *Qu'est-ce qu'un jeune homme ?* (1966)

HUBERT GUIOCHET

LE CHEMIN DE L'ÉPANOUISSEMENT

Équilibre

ÉDITIONS DU ROCHER
Jean-Paul Bertrand
Éditeur

© Éditions du Rocher, 1992

ISBN : 2-268-014-053

CHAPITRE 1

CE LIVRE
POUR QUOI ? POUR QUI ?

À déconseiller

- *Aux intellectualistes incurables.*
- *Aux dévots des écoles psychanalytiques.*
- *Aux idéalistes en quête du parfait.*
- *À ceux qui croient avoir tout mis au point par une analyse.*
- *Aux théoriciens qui veulent mettre l'homme en équations.*
- *À ceux qui proclament se bien connaître.*
- *À ceux qui savent...*
             et aux prophètes.

À conseiller

À tous les autres.

POURQUOI CE LIVRE ?

L'homme est un mystère pour l'homme. On peut dire aussi que chaque être humain, chaque individualité, est un mystère pour lui-même. Comment comprendre, en effet, qu'à l'intérieur d'une même communauté, certains êtres se vouent tout entiers au règne de la paix, au respect des droits de l'homme, alors que d'autres font acte de violence, de terrorisme, au mépris des autres ?

Comment expliquer que chez un même individu coexistent parfois de semblables contradictions. Un tel est calme et pacifiste à certains moments, violent et agressif à d'autres ? « Je fais le mal que je hais et ne fais pas le bien que j'aime », lit-on dans l'apôtre Paul.

De telles contradictions ne facilitent ni la compréhension des autres, ni, pour chacun, la connaissance de soi-même.

Cet ouvrage n'a pas la prétention de transformer ce mystère en clarté évidente. Il ne sera ni une argumentation, ni une théorie, ni un discours scientifique destiné aux intellectuels. Son objet n'est pas davantage de préconiser des règles de vie ou des principes d'ordre moral, mais d'apporter quelque lumière à la compréhension de ce que nous sommes et à la complexité de nos comportements.

La peur du « psy »

Le psychologue est souvent perçu comme un être trop curieux, qui cherche à tout expliquer et prétend savoir ce que vous ignorez ou cachez de vous-même. À ce titre, il est plutôt gênant, faisant obstacle à la prétendue spontanéité de nos gestes ou de nos paroles. Le psychiatre et le psychothérapeute font peur, leur image étant liée, le plus souvent, à celle du spécialiste des aliénés ou névrosés de toutes sortes. La psychothérapie comme la psychanalyse passent trop souvent pour des pratiques réservées aux initiés d'une chapelle qui ne peut être fréquentée par tout le monde. Certaines écoles peuvent parfois, il est vrai, susciter l'impression d'une secte ou d'un club privé.

Le « mental » à la une

Et pourtant personne ne peut prétendre se bien connaître, à lui seul, y compris et peut-être surtout ceux qui l'affirment. Personne n'est à l'abri, à un moment ou un autre, imprévisible, de son existence, d'une névrose plus ou moins mortifiante, engendrant soudain une vie plus ou moins marginale.

C'est chaque jour enfin que l'on fait état désormais de la réalité et de l'importance du « Mental », comme on dit maintenant, dans le comportement de l'être humain.

On a de plus en plus recours à la psychologie dont on reconnaît l'importance en de nombreux domaines : commercial, sportif, pédagogique, médical. Mais, si on devient convaincu que ce « mental » fait partie intégrante de l'être et conditionne sa réussite, on ne sait pas encore très bien comment l'atteindre et, plus encore, comment assurer son intégrité ou améliorer sa qualité.

D'autre part, l'homme, souvent plus par curiosité que par souci de mieux être, est attiré par une meilleure connaissance de lui-même. Il est rare que les conversations quotidiennes ne fassent pas état du comportement des voisins que l'on connaît ou de ceux dont parlent les journaux ou autres médias et que l'on ne connaît pas. Chacun y va de ses jugements, de ses certitudes, de ses intuitions. De la boutade à la calomnie, le chemin varie d'intensité mais est beaucoup moins jonché de fleurs que de critiques acerbes. « L'homme est un loup pour l'homme », écrivait Plaute.

10

Un langage compliqué

Si certains, préoccupés du mystère de l'homme, fréquente aisément les « voyants » offrant leurs services sur la connaissance des êtres et même de l'avenir ; si d'autres trouvent intérêt à se nourrir des travaux et publications de chercheurs en sciences humaines ; la plupart demeurent insatisfaits d'un langage encore trop flou chez les uns et trop complexe chez les autres. À lire certains articles ou à entendre certains discours de conférences, on peut en effet se demander à quoi et à qui sert ce vocabulaire et cette phraséologie nébuleuse où s'entassent néologismes et confusion littéraire, et qui trahissent en réalité les limites du savoir et une certaine prétention à parler de l'inconnaissable. Le contenu possède sans doute quelque sens pour les auteurs, qui reste difficilement accessible aux lecteurs ou aux auditeurs. Et quand ceux-ci pourtant s'en enthousiasment, on est souvent fort étonné de ce qu'ils affirment avoir compris.

Un intense désir de comprendre

Y a-t-il alors des choses compréhensibles que tout individu peut entendre et dont il peut tirer profit pour une meilleure connaissance de lui-même ? Non pas pour le seul plaisir intellectuel, mais en vue d'un « mieux vivre », d'un plus grand épanouissement de son être ? Car observer telle faiblesse ou tel comportement défaillant n'apporte aucune explication de la cause et, en conséquence, aucune perspective thérapeutique.

À quoi sert de découvrir tel défaut chez soi ou chez l'autre, en allant, par exemple, chercher son portrait au moyen d'un test ou d'une « voyance » psychologique ? Si c'est pour prétendre s'en défaire à grand renfort de volonté ou de « il n'y a qu'à », de résolutions ou de disciplines, il y a peu de chances d'aboutir.

Même s'il apparaît quelque résultat, il est fort à craindre que ce soit au prix d'un refoulement qui, un jour, explosera en manifestations violentes ou dans une réaction pire qu'elle n'était à l'origine. Observer qu'un sujet est :

- trouillard
- naïf
- puéril
- rigide
- autoritaire
- timide
- intolérant
- chicanier
- nerveux
- sans ponctualité...

- pessimiste
- violent
- sérieux
- velléitaire
- envahissant
- bavard
- hautain
- critique
- paresseux

(Cette énumération n'étant pas exhaustive) ; ou victime de somatisations comme l'impuissance, la frigidité, l'insomnie, la fragilité ou le mal chronique, certaines allergies, maux de dos, boulimie, anorexie, et affections plus graves au sujet desquelles le médecin honnête ne peut établir un diagnostic ni apporter des remèdes ; ou enfin couper court en parlant de nature, de tempérament, d'hérédité, de caractère, inclut un aveu d'impuissance à savoir et à corriger.

Psychologie et psychothérapie

C'est aussi là que se situe la séparation entre la psychologie et la psychothérapie. La première s'efforce de révéler au conscient ce que le sujet s'ingénie à ne pas voir, quand la seconde propose une aide à rechercher les causes pour se libérer de l'emprise de nos « manies ». C'est à cette entreprise, à la recherche de ces origines « profondes » que se livre le travail psychanalytique. Et c'est sans doute la complexité du monde souterrain et insolite où elle s'efforce de pénétrer qui explique la difficulté à trouver les mots pour en parler. Dans ce « noir » de chaque être, il est, en effet, fort difficile d'y voir clair ou même parfois d'y « voir quelque chose ».

Il faut beaucoup d'humilité dans la récolte des indices pour ne pas s'aventurer en – affirmations trop faciles ou trop rapides. Mais la difficulté à dire vient souvent moins de la complexité de l'objet que d'une insuffisante réceptivité du sujet. On ne parle bien que de ce que l'on vit et non de ce que l'on sait. Le rappel de Boileau à ce sujet doit toujours être présent à l'esprit : « Ce qui se conçoit bien s'énonce clairement et les mots pour le dire arrivent aisément. »

La confusion ou l'ambiguïté du langage, le manque de clarté dans l'expression verbale traduisent toujours un sentiment de doute ou d'incertitude sous-jacent. Il peut y avoir parfois une recherche en cours, mais la synthèse ou l'assimilation n'est pas encore vraiment intégrée.

Être mieux « dans sa peau »

Alors, n'existe-t-il pas un langage accessible à tous, permettant d'éviter les pires erreurs et de construire un plus grand bonheur, en un mot, de mieux vivre ? C'est en effet tout un éventail de questions, vitales pour chacun, qui fait, chaque jour, l'objet de nos préoccupations, de nos souffrances et de nos joies, comme :

● Mieux se comprendre soi-même pour être mieux « dans sa peau » et mieux comprendre les autres.

● Parvenir
  – à mieux s'accommoder des humeurs, contrariétés, déceptions, frustrations, échecs ;
  – à mieux se protéger des angoisses, des somatisations comme des « manies » de toutes sortes ;
  – à mieux gérer ses mutations et, en particulier, ce énième âge de la vie ;
  – à s'engager plus librement et personnellement dans les grands choix et décisions (profession, couple, maternité ou paternité, loisirs, responsabilités diverses) ;
  – à assumer son propre destin.

● Vivre au maximum de sa plénitude comme intégrer au mieux la mort.

Les constats d'une expérience

C'est à ces questions que l'expérience psychanalytique peut apporter sa part de réponses et dans cette perspective que, durant toute ma vie, se sont orientées mes préoccupations et mes activités. Une longue pratique de relations psychothérapeutiques avec des hommes et des femmes de tous âges me permet d'établir des constats, des observations applicables à tout le monde. Ce ne sont pas des hypothèses d'école ni des conclusions théoriques ou scientifiques, mais des faits. Ces constats sont en même temps des éclairages qui peuvent constituer une aide précieuse pour la vie de chacun de nous.

L'enrichissement que l'on peut tirer de ces constats se double avantageusement du concours des patients eux-mêmes. J'ai souvent été frappé par leur langage parfois plein de bon sens et de sagesse dans le laisser-aller d'une libre expression, sur le divan plus encore qu'en face à face, aussi bien chez les gens de modeste culture que chez ceux disposant de grandes connaissances.

Dans un vocabulaire accessible

Ce travail sera donc, du moins je m'y efforcerai, une œuvre de vulgarisation de ce que le contact avec les profondeurs des âmes et les lumières apportées par l'inconscient m'ont livré en cours de route.

Ce n'est pas un discours de sagesse et encore moins un discours philosophique, moraliste ou une profession de foi personnelle. L'objectif de cet ouvrage est d'offrir des éléments à tous ceux qui s'efforcent loyalement de parvenir à une meilleure connaissance de soi et à une gestion plus efficace de leur vie, comme on peut le faire pour sa maison, son patrimoine ou simplement son espace personnel.

C'est pourquoi j'éliminerai volontairement toute expression, tout vocabulaire de spécialiste et, en particulier, tout langage d'école psychanalytique, le plus souvent inaccessible à l'entendement humain. Je m'efforcerai aussi de ne pas me livrer à une distribution de conseils, laissant à chacun le

soin de tirer ses propres conclusions. Car les constats évoqués plus haut, relevés autant par d'autres professionnels que par moi-même, sont des messages de l'inconscient susceptibles d'expliquer comment réussir ou mener à bien :
- une naissance,
- un mariage ou une vie de couple,
- un métier ou une entreprise,
- une vie sociale,
- une vie de loisirs,
- une vie de retraité.

Pour beaucoup, certaines composantes de la réussite ou de l'échec appartiendront au passé, seront plus au moins irrémédiables. Ces messages constituent néanmoins un patrimoine détenu par chaque être humain pour participer à la réalisation d'une vie meilleure. Les « anciens » livrent aux plus jeunes le fruit de leur expérience où s'entremêlent succès et erreurs. Cet ensemble compose le véritable héritage de tout être. Ce qui est fini et irrémédiable pour moi peut être le germe d'une belle naissance chez l'autre, si je saisis l'occasion de lui en faire part, un peu comme les « anciens », autrefois surtout, rassemblaient les générations nouvelles pour leur transmettre les fruits de leur expérience et les bénéfices à en retirer pour mieux réussir leur propre vie.

Je laisserai de côté tout ce qui touche aux « cas » particuliers qui ont besoin d'un éclairage plus approfondi et spécifique, pour m'attacher uniquement à ce qui affecte tout être humain en général et dans le quotidien.

Dans un but pédagogique

Enfin, le lecteur trouvera peut-être parfois des redites, mais certaines idées essentielles me paraissent devoir être reprises, dans une optique pédagogique pour en renforcer l'importance et retenir plus l'attention. Comme on le découvrira, il est des messages qu'il nous faut souvent réentendre, notre refus inconscient de les recevoir fermant la porte à leur information. Celui qui dit « Je sais » ne peut pas nécessairement dire « Je sens ». Avant que l'objet de connaissance fasse partie de l'être intérieur, tout un chemin reste à parcourir. C'est pourquoi la répétition peut être parfois un défaut littéraire, mais s'avère souvent comme une nécessité psychologique si on veut rendre possible l'accueil d'une vérité qu'on se refuse à entendre. Cette expérience est quotidienne pour chacun d'entre nous.

POUR QUI ?

Ceux qui acceptent l'aventure

Car l'entreprise de la connaissance de soi en est une. Si psychothérapie, psychanalyse et même psychologie sont des mots qui peuvent faire peur, ils offrent souvent néanmoins l'occasion, parfois unique, de se sortir du « mal dans sa peau », de sa fragilité ou de ses somatisations. Et si la femme semble accepter plus facilement d'entreprendre une telle démarche, l'orgueil masculin a plus de mal à s'y engager. Toutefois on observe que la nouvelle génération est moins gênée par la perspective d'utiliser l'aide du psy, sans doute en raison d'une meilleure connaissance des sciences humaines acquise à l'université. Certains même n'hésitent pas à s'en servir dans le but de mettre toutes les chances de leur côté pour mieux réussir leur vie.

Mais le chemin de la connaissance de soi est exigeant et difficile, car tout a été mis en œuvre, le plus souvent, pour en rendre l'accès ou la pratique impossible. La réflexion ou suggestion de Jung est pleine d'enseignements.

Faites votre portrait

Jung explique, en effet, que « tout ce qui nous agace ou nous énerve reflète l'image de ce que nous sommes, mais que nous ne voulons pas voir ». Ainsi donc, poursuit-il, « si vous voulez découvrir ce que vous êtes, prenez un papier et un crayon et mettez noir sur blanc tout ce qui vous agace

16

ou vous énerve dans le comportement de l'autre et, quand vous aurez terminé, vous aurez fait votre portrait ». Voilà un moyen simple à utiliser pour une meilleure connaissance de soi, mais qui demande à lui seul un tel effort et un tel courage que très peu de sujets, à moins d'avoir déjà fait un long et fructueux parcours analytique, sont capables de faire. C'est pourquoi il est si difficile, voire impossible, de parvenir à la connaissance de soi sans l'aide d'un autre.

Avant de voir en quoi consiste éventuellement l'aide de cet autre, nous allons essayer d'apporter quelque lumière tout au long du chemin de cette connaissance. Car, si tout le monde ne peut s'engager dans une démarche psychanalytique, beaucoup peuvent tirer profit de l'expérience, désormais longue, qui en a été faite. Nous pensons que cette expérience peut servir à tous ceux qui désirent la connaître en vue d'un plus grand épanouissement et afin de mieux faire face aux circonstances de la vie qui interrogent, illusionnent ou malmènent. Ce sera, tout au long de cet ouvrage, une confrontation du langage de l'inconscient avec celui des hommes.

L'expérience livrée à travers ces pages est particulièrement large, c'est pourquoi nous avons été amenés à traiter de nombreux aspects de la vie quotidienne. C'est sur tout cela que chacun s'exprime habituellement au cours de son analyse et de tout cela que l'inconscient parle. Nous avons abordé les thèmes qui nous ont paru les plus importants, mais tout n'a pas été abordé et tout n'a pas été dit en chaque sujet.

Votre attention, s'il vous plaît : c'est un livre qu'il est préférable de ne pas lire trop vite...

CHAPITRE 2

NAISSANCE À LA VIE
ou
LES MYSTÈRES DE L'ORIGINE

Vos enfants ne sont pas vos enfants.
Ils sont les fils et filles de l'appel de
la vie à elle-même.
Ils viennent à travers vous mais non
de vous. Et bien qu'ils soient avec
vous, ils ne vous appartiennent pas.
Vous pouvez leur donner votre
amour, mais non point vos pensées,
car ils ont leurs propres pensées.
Vous pouvez accueillir leur corps,
mais pas leurs âmes, car leurs âmes
habitent la maison de demain, que
vous ne pouvez visiter, pas même
dans vos rêves.
Vous pouvez vous efforcer d'être
comme eux, mais ne tentez pas de
les faire comme vous.

K. Gibran, *Le Prophète*

LE CONSTAT

Le projet de la mère concernant son enfant engendre en celui-ci une structure souvent définitive. Bien sûr, l'intention du père n'est pas sans effet. C'est ainsi qu'on peut voir réapparaître, tout au long de la vie, la marque de ce qui s'est passé le jour où, au deuxième mois de la grossesse par exemple, la femme se découvrant enceinte en fait part à son mari. L'enfant qu'elle porte en elle est déjà témoin de ce que ressent la mère et des réactions du père à son sujet. Mais la position de la mère est privilégiée, d'abord en raison de sa fonction génératrice ; ensuite de par son rôle important, voire exclusif, davantage attribué par l'entourage ou la culture qu'exigé par le bien de l'enfant.

Quoi qu'il en soit, une première observation fait apparaître l'importance capitale des motivations qui président au départ de notre existence dans l'esprit des parents et principalement de la mère. Comme en tout projet est inscrite l'intention initiale de son créateur, on constate en chaque être humain l'empreinte décisive de l'intention maternelle. Toute la vie de l'être qui naîtra sera marquée du projet personnel de la mère, et, le plus souvent, de manière indélébile.

Avant même l'acte procréateur accompli, comme durant toute la période de gestation, la mère ne saurait imaginer l'impact déterminant de toute la rêverie qu'elle entretient à plaisir au sujet de son futur enfant : son physique, son comportement, ses entreprises, ses « manières d'être ». C'est déjà et aussi une véritable programmation qui se met en place et dont l'individu ne pourra se défaire sans un travail difficile entrepris par lui-même, éventuellement à l'intérieur d'une psychothérapie ou d'une psychanalyse. La mère tenait absolument à « avoir un garçon » et c'est une fille (ou inversement). Cette fille aura d'autant plus de difficultés à s'accepter comme fille, et même comme être ayant droit à l'existence, que la volonté de la mère aura été plus attachée au désir de faire un garçon.

Françoise Giroud illustre très bien cet exemple en montrant comment le fait de n'avoir pas été le garçon espéré a marqué et influencé toute sa vie : « Mon père voulait un fils. En me voyant il a dit : "Quel malheur !" et il m'a repoussée... Je ne m'en suis jamais remise... Je n'ai jamais cessé de demander pardon, autour et alentour, de n'être pas un garçon. Je n'ai cessé de vouloir faire la preuve qu'une fille, c'était aussi bien [1]. »

Pour jeter quelque clarté sur différents cas, nous commencerons par nous interroger sur ce qui a motivé, chez les parents, le projet de faire naître un enfant. Pourquoi avoir un enfant ? Quel motif va animer cette décision ? Et principalement, quelle va être l'intention porteuse et génératrice de la mère ? Sur quel terrain la vie de cet enfant va-t-elle surgir et s'implanter ?

AVANT DE NAÎTRE

L'enfant pour quoi ?

Une grande partie d'entre nous compose déjà la tribu des enfants du devoir. Pour beaucoup de parents, en effet, avoir un ou des enfants répond à un devoir dicté par une voix politique, religieuse ou familiale. Ce seront les enfants de la patrie ou des cotisations retraite, les enfants de l'Église ou fils de Dieu, les enfants du clan familial, dignes fils de la lignée et sauveurs de la race. Il n'est pas rare de voir ces enfants entrer, du même coup, dans une compétition avec ceux d'autres patries, d'autres églises et d'autres familles.

---

1. *Leçons particulières*, Fayard, p. 106.

On a pu entendre des catholiques militants d'un pays voisin à majorité protestante déclarer : « Nous avons calculé qu'en vingt ans nous serions les plus nombreux, parce que ce sont les catholiques qui ont le plus d'enfants. » Pour ceux-là, l'enfant devient bien un devoir, comme pour ceux qui doivent participer à une expansion démographique du pays ou à une structure économique chargée d'assurer la retraite des aînés. Ces parents ont accompli leur devoir. Selon les époques, on établira même un chiffre à partir duquel les parents accèdent à la vertu avec éloges, prix, médailles, et récompenses à la clé.

Mais il y a aussi l'enfant label ou symbole de puissance, celui qui atteste, par son existence, du pouvoir fécondant du père et de la mère comme de la qualité reproductrice du couple. C'est l'enfant carte de visite, tant il est vrai que, pour l'homme comme pour la femme, l'impuissance ou la stérilité sont vécues comme des tares. Tels sont, en effet, les modèles imposés par la société pour être un homme ou une femme à part entière, il faut être aptes à faire des enfants. Ces enfants du pouvoir, apportant la preuve de la fécondabilité de chacun, offrent le label de normalité et de puissance. Ils pourront même entrer en lice pour être comparés aux autres et être inscrits au palmarès des « producteurs » d'enfants les plus beaux et les plus doués.

C'est dans cet esprit qu'a pu se propager un certain nationalisme, ou un certain racisme. L'enfant du pouvoir répond d'abord à l'exigence de se montrer capable de faire « comme tout le monde », mais peut aussi devenir, dans un esprit de surpuissance, l'ambition de faire « mieux que tout le monde ».

Une autre motivation fait apparaître l'enfant du rapport, celui qui donne des avantages principalement matériels et financiers. Ils furent très recherchés au début des allocations familiales. Certains discours politiques, aujourd'hui, insistent sur la nécessité d'une démographie suffisante pour assurer la retraite de demain. C'est l'enfant de la capitalisation, de l'assurance-vie, et du confort des vieux jours. L'enfant du rapport appartient d'abord à un système économique vital pour le bien-être matériel des aînés. Hier, c'était autant de « bras pour la ferme » ou de « main-d'œuvre à bon marché », voire « la garantie d'une armée plus puissante », aujourd'hui, c'est le placement nécessaire pour une meilleure rente. La Chine, actuellement, impose une démographie à priorité masculine pour répondre aux exigences de son économie.

Mais l'enfant « pour quoi » peut entrer en conflit avec celui du « pourquoi pas ». Comme il arrive parfois, dans la détermination d'un projet, on est conduit à changer d'avis en cours de réflexion, on pèse le pour et le contre, on ne sait pas trop. C'est l'enfant de l'indécision. Un exemple qui n'est pas rare est celui de la femme engagée dans une activité professionnelle et pour qui, en certains cas, une option semble s'imposer : ou l'enfant et la cessation de travail, ou le maintien au travail et le refus de l'enfant. L'hésitation peut alors se prolonger ainsi durant les premiers mois de grossesse et aboutir parfois à une fausse couche, la décision basculant d'une option à une autre. L'enfant n'a pas été « accroché ».

Reste l'enfant qui naît sans être décidé, l'intrus non inscrit au programme, l'enfant accident, nécessairement accidenté. Il appartenait, jusqu'à ces dernières années, à la catégorie sans doute la plus nombreuse. Beaucoup d'entre nous en font encore partie et ils sont toujours majoritaires dans les pays dits « sous-développés ». L'arrivée de la pilule dans les pays les plus riches a transformé totalement et heureusement cette situation psychologique éprouvante. Il est en effet plus réconfortant de vivre en ayant été voulu plutôt qu'en enfant-accident ou en être indésirable. Ces enfants-accidents ont souvent été le fruit, dans le passé, de l'application de la méthode ogino ou des températures.

Il y a enfin celui qui est « en plus », le jumeau qu'on n'attendait pas et qui peut devenir « l'enfant tant pis » ou « l'enfant en trop », voire l'enfant catastrophe ou voulu par l'un et exclu par l'autre. À ces malentendus par le nombre s'ajoutent ceux qui ne sont pas conformes au projet initial des parents quant au sexe ou à la morphologie, les « arrivés » trop tôt ou trop tard.

Quelle que soit la motivation du « pour quoi », celle-ci est déjà une indication et se retrouvera dans les composantes constitutives de la particularité psychologique de l'enfant. On y reconnaîtra nécessairement l'enfant du devoir, du pouvoir, du label, du rapport, l'enfant mal décidé ou l'enfant accident.

Mais à la motivation du « pour quoi » il importe d'ajouter celle du « pour qui ». Cet enfant décidé l'est-il pour lui-même ou pour ceux qui le font ? De cette intention va dépendre une importante différence dans la structure psychologique de l'enfant.

L'enfant pour qui ?

L'enfant pour lui-même est reconnu comme un être « unique », destiné à remplir une mission qui lui est propre et que lui seul peut découvrir. Cet enfant, en effet, est un être inconnu, dont la personnalité est un mystère dès le départ. Le véritable amour de l'enfant consiste alors exclusivement à lui donner sa place, à lui permettre d'être lui-même, conforme à ce qui doit être sa personnalité. L'homme naît avec le droit à la réalisation de son destin. Personne, autour de lui, ne peut prétendre le connaître ni, par conséquent, lui imposer un modèle ou lui dicter un discours. C'est cela, essentiellement, le droit de l'homme. Tout autre projet est une usurpation, une expropriation. Malheureusement, l'enfant a souvent tendance à servir d'objet de compensation à tout ce qui manque dans la vie de ses géniteurs et de sa mère en particulier, pour les motifs énoncés plus haut. Il risque de voir son projet personnel céder la place au projet maternel ou paternel, celui que ses parents n'ont pu réaliser ou celui qui est imposé comme modèle idéal proclamé par la société ou l'entourage. Il devient alors le terrain sur lequel risquent de se prolonger les problèmes de ses parents. L'enfant pour lui-même est devenu enfant-objet, l'enfant pour soi, l'enfant pour réaliser le projet d'un autre. Avant même l'acte de façonnage, ce qu'on a l'habitude d'appeler l'éducation, le petit être décidé et conçu baigne déjà dans ce projet entretenu et rêvé par la mère. Celle-ci commence déjà à vouloir de son enfant ce qu'elle regrette de n'avoir pu accomplir elle-même : études, profession et peut-être mariage. Il sera celui dont on pourra être fier dans la famille ou l'entourage, parfois avec un destin précis : homme public ou personne admirée. Le modèle de référence est établi, le moule est préparé et l'enfant, tel un matériau malléable à merci, sera sculpté à cette image. On peut dire que la femme possède en elle, à travers sa fonction génératrice, une responsabilité et une arme redoutable, celle de marquer de ses propres empreintes l'être qu'elle fabrique dans son corps. Celui-ci, avant même de naître, porte déjà en lui les marques d'une destinée, le projet à être et à vivre d'une certaine manière. Dans cet enfant « pour soi », il n'est pas rare de trouver une sorte de double de la mère quand celle-ci est elle-même restée fixée à sa propre mère et à l'angoisse d'en être séparée.

Mais la mère peut aussi décider d'avoir un enfant pour satisfaire au désir d'un autre. Tout le pouvoir est entre ses mains puisque rien ne pourra se faire sans elle, en elle. Or, en dehors de l'enfant qui est le fruit d'une décision commune, situation la plus souhaitable, le projet d'une naissance peut émaner du père. Ce sera alors l'enfant du père, de la famille ou d'un autre demandeur, faisant d'elle avant tout une mère porteuse. Celle-ci alors sert de génitrice, porteuse du projet du père et elle enfantera pour faire plaisir au père ou pour remplir un devoir inhérent à la consolidation d'une famille, d'un nom ou à son engagement d'épouse. La décision, en tout cas, lui appartient et contiendra la motivation de son accord : le « oui » au père. En de telles conditions, si le mari constitue l'image de l'homme admiré par la mère, elle rêvera alors d'un enfant qui reproduira le plus fidèlement le modèle du père, du père héros. Elle aura « donné » un enfant à son mari et ce sera toujours « grâce à elle ».

Il reste une situation beaucoup plus complexe où l'enfant n'est l'objet d'aucune appartenance. C'est l'enfant d'un « violeur ». La femme se découvre porteuse d'un enfant, malgré elle. On lui a fait un enfant dont elle ne voulait pas. En dépit de sa décision exprimée d'arrêter là son activité maternelle, on n'a pas tenu compte de sa volonté et des « précautions » que le père aurait dû prendre. Elle a peine alors à ne pas se sentir violée, trompée par le mâle et elle recevra de l'homme l'image de l'agresseur qui ne manquera pas de laisser des traces en l'enfant qui naîtra. Dans l'hypothèse, la plus courante, où le père ne souhaitait pas davantage cet enfant « en plus », celui-ci devient alors l'enfant de personne. On ne saurait alors « décrypter » le drame qui se déroule durant les premiers jours d'existence de ce petit intrus indésirable.

Déjà objet de discorde, témoin des conflits exprimés et vécus à travers le couple parental, ballotté peut-être entre la perspective d'être accepté, et celle d'être condamné à mort et jeté au-dehors, il fait connaissance avec l'angoisse et la peur de vivre. Il se vit déjà tel une cause de malheurs et de conflits, intégrant la cohorte de tous ceux qui crieront plus tard : « Nous n'avons pas demandé à vivre. » L'enfant non désiré au départ se débat dans un drame, dès la vie intra-utérine et durant les mois de gestation, et risque, pendant toute sa vie, d'être en quête de reconnaissance. Car ce qui est important, pour chaque être naissant en ce monde, c'est d'y être accueilli, en ce sens qu'il y trouve sa place, une place qu'on lui donne avec plaisir, qu'on lui a préparée. Rien n'est plus générateur d'angoisses pour lui qu'un sentiment, parfois plus ou moins confus mais réel et profond, de n'avoir pas été désiré et voulu pour lui-même. Toute sa vie peut alors être animée par ce besoin de conquérir l'amour initialement refusé ou tout au moins absent.

En tout cas, force nous est de constater que seul un enfant désiré pour lui-même, indépendamment de son sexe, ou d'aspirations particulières, sera une naissance réussie et qu'un enfant voulu pour soi et la réalisation de son projet personnel sera une naissance ratée. À la différence de l'enfant-objet, l'enfant pour lui-même est celui à qui on reconnaît un Moi qui, par définition, impose le respect.

Sans entrer dans les définitions du Moi propres à chaque école psychanalytique, nous utiliserons ici ce mot pour exprimer ce pour quoi l'individu existe, la fonction à laquelle il est destiné au milieu des hommes et de leur histoire, distincte de celle qu'on a décidé de lui faire jouer. La signification de ce mot, dans cet ouvrage, est assez proche de celle du mot personne ou personnalité propre, mais la personnalité originelle et non pas celle qu'on aurait construite en lui.

APRÈS LA NAISSANCE

« Lorsque l'enfant paraît... », il est déjà profondément marqué par tout ce que les parents ont conçu en pensant à lui. Le mot « conception » est donc, ici, riche d'un important contenu. Lorsque l'enfant pointe le nez à la fenêtre qui ouvre sur le monde, en sortant de sa mère, il vit, dans le prolongement des mois qui précèdent, un sentiment de joie ou d'angoisse, d'appétit de vivre ou d'appréhension. Il entre dans le terrain des travaux pratiques pour réaliser son Moi et dispose pour cela d'une énergie propre, destinée à l'accomplissement de son projet. Mais ce projet va se trouver face à celui de la mère, du père, et se heurter parfois à un important tir de barrage.

Nous sommes très souvent devant un conflit de pouvoirs mais avec, évidemment, des forces inégales en présence. Tout va se jouer au cours des deux ou trois années qui suivront et aboutiront à la constitution d'une structure psychologique décisive. Car, si l'on a pu dire qu'à l'âge de cinq ans « les jeux sont faits », on s'accorde désormais à reconnaître, depuis une ou deux décennies, une plus grande précocité. Les résultats de l'« éducation » reçue sont le plus souvent irréversibles et définitifs au début de la troisième année d'existence. Passée cette étape, seules quelques individualités seront susceptibles de récupérer leur vrai Moi.

On peut déjà parler des années d'achèvement, dont le résultat sera fonction de l'action parentale, mais surtout, sinon essentiellement, de celle de la mère. C'est le pouvoir de celle-ci qui, le plus souvent, va constituer le premier obstacle à cette évolution.

D'abord une mise au point : le concept de mère

Que recouvre le concept de mère dont on parle ? Certaines remarques trop brutales des « psy » ont pu exacerber les bonnes volontés maternelles et engendrer de la méfiance envers toute mise en cause de leur influence éducative. On ne serait plus loin alors de considérer que, par définition, le concept de mère est négatif et destructeur. Pour éviter de telles déviations, il importe d'établir deux éléments de base essentiels.

Il y a, d'une part, la bonne et la mauvaise mère pour reprendre un langage très usuel. La mère ayant le privilège d'être celle qui possède le rôle principal dans le don de la vie, la fonction maternelle ne peut être, en elle-même, nocive. Toute fonction possède la qualité de l'intention qui l'anime. De par sa condition humaine, condition essentiellement limitée, la femme ne sera jamais totalement et parfaitement une bonne mère, mais elle pourra l'être assez pour que son enfant puisse réaliser au mieux sa personnalité. Comme en toute entreprise, les réussites se mêleront aux échecs en des proportions très différentes selon les cas.

D'autre part, le concept de mère en psychanalyse répond plus à un symbole qu'à une identification à la femme. Nous le verrons à la fin de ce chapitre, la notion dépasse de beaucoup la personne de la propre mère de l'enfant, pour atteindre et englober tout ce qui constitue l'action maternelle sur un enfant. Celle-ci peut aussi bien appartenir au père, à l'entourage, à la société, à l'héritage des cultures antérieures.

C'est tout cela la mère. Ainsi, l'origine de la déviance observée chez la mauvaise mère, avec sa volonté de puissance, sa possessivité ou sa dévoration, n'est pas toujours facile à discerner. Il ne s'agit donc pas de faire le procès de la mère, mais d'examiner et de comprendre ce qui se passe.

Les débordements d'un pouvoir

L'importance du pouvoir attaché à l'image de la mère s'inscrit dans une longue histoire. Toute femme en est imprégnée dès sa naissance et vit sous l'emprise de ce pouvoir durant son enfance. Quand son âge et sa responsabilité d'adulte l'y amènent, elle prend le relais. Devenant mère à son tour, elle investit sa fonction en s'attribuant le même statut de domination, de surprotection. Possédant en elle une image de l'enfant assujetti au pouvoir maternel, elle ne sait pas faire d'enfant qui ne soit dépendant de sa mère, et qui reste enfant. Un signe, entre autres, qui ne trompe pas, c'est la manière dont la petite fille joue à la maman, comment elle exprime son autorité et son pouvoir sur son enfant de poupée. On en sait déjà long sur ce qu'il adviendra de sa relation à l'enfant qu'elle aura plus tard.

Parallèlement, un enfant trop enveloppé dans cette emprise peut arriver à ne se trouver bien que dans cette protection maternelle et ne plus vouloir en sortir. La situation devient alors insoluble.

L'héritage ancestral de cette image de la mère manque fondamentalement d'objectivité pour une fonction pédagogique constructive. On a parlé à la femme de son énorme pouvoir, on n'a pas suffisamment parlé de ce qu'était vraiment l'enfant. On a mal dit, ou de façon très incomplète, comment se constituait un homme : ce qu'est un être humain, son développement et les véritables responsabilités de ceux qui président à son existence et à son évolution. On a beaucoup insisté sur l'influence des qualités personnelles et pédagogiques de la mère dans le pouvoir qu'elle détient de faire des « enfants bien élevés », sur la nécessité de se référer à un modèle, à des principes, de savoir imposer des idées et des comportements. Mais on a omis de lui dire que chaque individu, fût-il son enfant, est unique. Il possède son identité propre et ne ressemble à personne d'autre que ce soit à sa mère, son père, un sage ou un héros inconnu. Plus que cela encore, et cet élément de base est essentiel, nul ne peut prétendre connaître cette identité et son destin.

Vouloir faire appel à certaines explications d'hérédité ou d'atavisme, parental ou racial, est une aventure hasardeuse.

En revanche, des études scientifiques – en génétique notamment – semblent confirmer de plus en plus que la cellule initiale contient déjà des prédispositions à être, à recevoir et à se comporter d'une manière très personnelle plus ou moins éloignée du projet maternel et, de toute manière, différente.

De ce fait, le pouvoir et les responsabilités réels de la mère s'inscrivent dans une fonction, un rôle essentiel et exclusif : se mettre à l'écoute des manifestations de cet être unique, sans jamais présumer de leur contenu, pour en découvrir l'originalité. C'est un devoir d'accompagnement et non de direction qui lui incombe, animé d'un sentiment de respect et de crainte. La mère le vit alors avec attention et émotion, car l'enjeu est grave pour l'enfant dans son devenir et la réussite de sa vie. Tout est inscrit en lui pour accomplir le projet de sa place et de sa mission dans la société des hommes et personne, répétons-le encore, ne saurait prétendre le connaître. L'enfant doit le découvrir lui-même, mais ne peut y parvenir seul. C'est là qu'interviennent l'aide et l'encouragement de la mère en premier lieu, comme ceux du père et de l'entourage immédiat durant les toutes premières années de son évolution. On ne fabrique pas un homme ou une femme, on l'aide dans la découverte et la réalisation de sa personnalité propre.

Face à l'identification

Avec la naissance débute l'entreprise d'autonomisation, l'apprentissage de l'indépendance et de sa propre prise en charge. Certaines grossesses prolongées ou certains accouchements difficiles peuvent trouver leur explication dans la réserve inconsciente de ces mères qui ont du mal à laisser leur enfant sortir d'elles-mêmes. On retrouvera l'écho de ce comportement dans des phrases semblables à celle-ci, deux ans plus tard : « C'est si mignon à cet âge, il ne faudrait pas que ça grandisse. » Cette complaisance fait alors surgir la menace d'une certaine stagnation dans l'infantilisme ou la puérilité aux mille facettes et comportements. En maintenant son enfant dans un blocage de maturation, la mère, souvent, retrouve l'état dans lequel elle est restée elle-même, enfermée dans sa propre mère. Elle aime alors se rencontrer en son enfant jusqu'à s'identifier à lui.

C'est pourquoi la maturation peut faire peur, apparaître comme une voleuse d'enfant, parce qu'elle conduit à la prise en charge de soi-même, à une séparation inéluctable, la fameuse « coupure du cordon »... psychique celui-là.

C'est pourtant durant ces deux premières années de vie que doit s'effectuer cet apprentissage, tant pour la mère que pour l'enfant, et l'un ne pourra pas le faire sans l'autre. La maturation de la mère et celle de l'enfant seront ensemble réussies ou ratées. Ainsi, nombreux sont ceux qui ne pourront jamais vivre indépendants, capables de se prendre en charge eux-mêmes. Partout où ils vivront, ils auront besoin d'une mère. Nombreuses aussi les mères qui ne pourront se passer de « couver » des enfants, d'en « posséder » jusqu'à la fin de leur vie.

C'est dans le résultat d'une semblable projection que s'établit telle ou telle relation privilégiée et qui fera de tel enfant le « préféré ». Car la qualité de la relation que la mère entretient à l'égard de son enfant n'est jamais identique à celle réservée à tous ses autres enfants, même si elle s'en défend. Chaque relation, par définition, est particulière, et l'éducateur, plus tard y sera lui-même confronté.

Il n'est pas rare alors de recevoir plus tard dans un cabinet de psy une mère affectée par un certain désarroi. Progressivement ou subitement témoin d'un enfant qui refuse « de grandir », bloqué à un stade de plus ou moins grande immaturité et qui ne parvient pas à se détacher de sa mère, celle-ci prend conscience du drame auquel le « petit » est confronté. Si certaines mères, en particulier d'enfant unique, se satisfont aveuglément de cet état de fait, beaucoup parviennent à s'en rendre compte et se désespèrent de voir ce « grand garçon » ou « cette grande fille » toujours accroché à la protection affective, voire matérielle, des parents. On peut parler alors d'accouchement sans fin où l'enfant se refuse à sortir de la mère, car, dehors, tout est insécurisant, voire agressant.

On accompagne l'enfant dans sa maturation, on ne la lui impose pas. Projet inverse de celui qui fixe dans l'infantilisme, mais qui fait autant de ravage : l'identification, qui veut transformer trop rapidement l'enfant en adulte. Appelons cela de l'« adultisme ». Nous sommes alors proches de l'ambition d'avoir engendré un surdoué, un petit génie, quelqu'un « pas comme les autres » et « qui fait plus mûr que son âge ». Autant le petit qu'on ne voudrait pas voir grandir renvoie peut-être plus à la génération de parents précédente, autant les nouveaux parents ont plutôt tendance à vouloir des enfants trop adultes. L'échec est alors de même portée car un enfant à qui on « fait sauter » des années d'enfance en souffrira toute sa vie. Entrant dans la catégorie de ceux qui présentent un air trop sérieux, une expression d'adulte, il lui manquera toujours de n'avoir pas été assez enfant.

Face à l'emprise du rachat

Bien que le cas soit aujourd'hui moins fréquent, il existe encore des femmes enceintes malgré elles, qui se trouvent, de ce fait, affectées d'une responsabilité qu'elles n'ont pas voulue. En certains cas même, cette « tuile » tombe sur elles sans qu'elles se sentent capables de la porter : santé déficiente, budget insuffisant, enfants déjà trop nombreux. L'enfant qui survient est alors reçu en intrus, en semeur de misères, au pire en agresseur. De nos jours, le discours sur l'avortement se fait plus libéral, mais cette perspective est si fortement porteuse de culpabilisation, avec son vocabulaire où la notion d'assassinat est toujours sous-jacente, que la plupart des femmes, même quand elles affectent un esprit libéré, se refusent à cette solution. Il n'est pas rare, alors, de constater un processus qui, inconsciemment, s'engage dans une entreprise de rachat. Au terme de quelques semaines ou quelques mois, pendant la grossesse ou peu après la naissance, comme pour se racheter de la pensée coupable qui les a envahies de qualifier l'enfant d'indésirable, voire de d'interrompre sa vie, la mère enclenche un programme de réparation. Elle s'engage sur la route du sacrifice et de la réhabilitation. Elle veut arriver à aimer cet enfant et s'investit alors dans une dépense d'énergie et d'efforts pour que cet enfant paraisse être aimé davantage et lui être plus cher que les autres. L'acceptation d'une situation non désirée au départ se fait au nom du devoir ou par esprit de sacrifice et peut même basculer jusqu'à un attachement particulier, plus intense, comme pour demander pardon. Le lien qui fixera alors la mère à l'enfant sera accompagné d'exigences le plus souvent insupportables pour l'enfant et souvent à vie. Ce type de comportement ne sera pas développé ici, cependant il illustre l'usage excessif et déviant de la sacralisation dans la fonction maternelle dont nous parlerons plus loin.

Nous rapporterons toutefois le témoignage de Françoise Giroud : « J'attendais un enfant... j'avais tout essayé pour m'en débarrasser... Ce petit garçon m'a déconstruite. Je me détestais de ne pas l'aimer. Plus tard je l'ai trop aimé. Je ne l'ai jamais bien aimé... Il ne faut pas avoir une mère qui a pleuré notre naissance [1]... »

Mais si le danger d'un pouvoir excessif, d'un besoin d'identification ou de possessivité menace le développement de la personnalité de l'enfant, il importe de faire ressortir ce qui va constituer le nœud du problème pour permettre à un homme de devenir lui-même et non quelqu'un d'autre.

Comment l'enfant, à partir du premier instant de son existence, et principalement pendant les deux premières années, va-t-il pouvoir entrer en possession de son Moi, commencer à intégrer sa vraie personnalité ? Quels obstacles va-t-il rencontrer sur sa route pouvant aboutir à l'expropriation même de cette personnalité ? Une éducation, plus proche du dressage, et visant à imposer une structure de pensée, une discipline de comportement, des choix dans les options principales de la vie en fonction d'un modèle préétabli conduira à l'échec. Ce n'est plus le Moi de l'enfant qui est respecté, mais celui des parents et principalement de la mère qui est honoré. Cette entreprise engendre fatalement

---

1. *Leçons particulières*, *op. cit.*, p. 117.

le « mal dans sa peau ». Elle implique de vivre à la manière de... De cette étape qui conduit à l'état adulte, il sortira avec sa véritable personnalité ou enfoui dans la peau d'un personnage ; dans sa propre peau ou la peau d'un autre ; dans son Moi ou celui de la mère.

Il importe de bien retenir l'explication qui va suivre car nous y reviendrons tout au long de cet ouvrage. Ces pages vont s'efforcer de démonter le mécanisme qui a introduit en chacun de nous le personnage qui s'est substitué à notre Moi et qui est, pratiquement, à la base de tous nos problèmes.

LA CONSTRUCTION DU PERSONNAGE

Comment se déroule cette entreprise établie dans le projet maternel, qu'il s'agisse du modèle auquel la mère se réfère par identification à ce qu'elle aurait voulu être elle-même ou qu'il s'agisse de l'accomplissement d'un projet idéal ou de la conformité à un modèle social ou ancestral ?

Ce plan, ce projet, elle va essayer de le réaliser à travers cet enfant qu'elle a fait naître. Elle va mettre en application la leçon apprise sans tenir compte du Moi personnel de l'enfant. Le personnage de celui-ci, objet des soucis quotidiens, encombrera demain sa vie.

Le mécanisme que nous allons décrire est d'ailleurs utilisé aujourd'hui dans les techniques psychologiques et enseigné en particulier dans les méthodes de vente ou de militantisme.

Séduire

Le premier objectif est de séduire en présentant l'objet. On ne cessera donc, dès le départ, de présenter un modèle précis de l'homme ou de la femme à reproduire. Ce modèle servira de référence : une manière de penser, une manière d'être, de se comporter. Seule cette idée est bonne, seul ce comportement est juste et estimable.

L'un des moyens pour convaincre est la disqualification du concurrent ou de l'adversaire pour assurer au modèle l'exclusivité. Tout autre choix est mauvais, pernicieux, indigne et mérite le mépris. D'un côté la fierté, de l'autre la honte. C'est alors l'interdit de fréquenter certaines classes ou d'acquérir certaines mentalités, l'éloge du « bon milieu » du « bon genre », parfois circonscrit à la seule famille quand elle se double d'un esprit de clan.

Pour s'assurer un meilleur résultat, on n'hésitera pas à faire appel au chantage affectif : « Tu feras cela pour me faire plaisir... » Ou : « En étant, ou en agissant ainsi tu me fais de la peine... » Ce genre de discours est le plus souvent nourri des meilleures intentions conscientes et raisonnées, mais jette le désordre à l'intérieur d'un être fragile qui se sent, confusément mais réellement, fait pour autre chose et, de toute manière, différent du personnage qu'on veut lui imposer. Son unicité, qualité propre à chaque individu, est alors contrariée, car, bientôt, il n'aura plus le choix et ce sera la tragédie du conflit intérieur. On est en train de le sortir de « sa peau ».

Le jugement des autres

Est alors utilisé comme critère de base. L'important, c'est d'avoir l'air, c'est l'image que l'on donne. On introduit ainsi comme priorité la considération des autres, ce qu'ils peuvent penser ou dire de nous. Tout est sacrifié à la nécessité d'« être bien vu » et pour cela, au camouflage de tout ce qu'on ne voudrait pas que les autres sachent de nous. Mais pas n'importe quels autres, seulement ceux qui sont qualifiés pour émettre un jugement de valeur, c'est-à-dire ceux qui pensent et vivent en conformité avec le modèle parental. En établissant en priorité le jugement et la considération des autres, le pouvoir maternel se ménage ainsi les meilleures garanties de respect. C'est l'appel à ce respect que nous allons retrouver dans la mise en œuvre de

36

ce que l'on pourrait appeler véritablement un culte. C'est l'établissement de la sacralisation.

Sacraliser

Le culte est souvent sollicité pour exploiter l'énergie de l'enfant ou de l'homme-enfant. Il assure une plus grande fidélité : « Qui m'aime me suive. » Il fait appel à la volonté, au sens généreux de l'effort, au mérite du surpassement et du sacrifice. Au service d'un idéal extérieur, on détourne l'énergie par des motivations du genre : « Je sais mieux que toi ce qui te convient... » « Sois digne de... » et les sempiternelles réflexions : « Que penseront les autres de toi, si tu... Prends donc modèle sur... », ou : « ce n'est pas moi qui t'ai enseigné cela ».

On parvient ainsi à dévier de son cours normal le flux d'énergie d'un enfant dont l'accomplissement et le destin sont inconnus de tous et que, pourtant, son entourage prétend déterminer à sa place. Il y a bien expropriation, par l'usurpation de l'énergie propre à chacun au profit d'un personnage à construire.

Le culte va de la sympathie à la dévotion : rituels, gestes symboliques, « respects », sacrifices, offrandes ou cadeaux, certains rites quotidiens de conventions et de convenances, des observations strictes de certaines fêtes. C'est le rituel ou le coutumier du « bon genre », qui peut devenir son opposé, l'absence, par principe, de toutes contraintes ou délicatesses, jusqu'à la destruction.

Ils ne sont pas rares les cultes de la mère, du père, de la famille, utilisés pour amplifier l'adhésion de l'esprit par des engagements affectifs. Ce sont autant de contraintes qui accroissent la dépendance de la personnalité, entraînant reconnaissance ou excommunication. Fidèle ou hérétique, c'est la règle du culte. C'est pourquoi on a utilisé, souvent avec succès, et surtout dans le passé, la religion ou plus exactement, on s'est servi d'elle et de tout ce qui, de l'extérieur, pouvait favoriser une mobilisation affective, la crainte du mal et de ses sanctions. On fait appel à tout ce qui peut sacraliser le modèle, toutes ces idéologies religieu-

ses, philosophiques, pédagogiques, politiques, que caracté-
rise la terminologie en « isme ». Ces « ismes » évoquant
souvent une structure d'église ou de parti, font dire à Régis
Debray, sans doute par expérience, qu'ils sont « une
mystification et ne donnent qu'une apparence d'unité ».

Mais le culte, en sacralisant, ouvre toute grande la porte
à un troisième élément de construction du personnage : la
culpabilisation.

Culpabiliser

Le manque de respect à l'égard de ce qui est sacré
constitue une faute grave. Ainsi toute action, voire toute
déclaration contraire au projet maternel devient rapidement un outrage. Entendez là aussi : pas seulement la mère
personnelle, mais tout ce qui fait fonction de mère. Ce
procédé, qui a toujours fait partie des armes des faibles,
obtient du fidèle de ne pas s'engager dans une autre voie,
de ne pas choisir de vivre autrement. Et c'est alors toute la
panoplie des angoisses ou des terreurs : le devoir, le mal, la
punition, le remords, la réparation et toujours l'humiliation. Aux soumis, en revanche, la récompense, le bien, le
mérite.

Pour éviter la faute, ne pas être coupable, il faut donc se
soumettre à la volonté de l'autre et à rien d'autre. Paradoxalement, on fait appel à l'amour là où, en réalité, il est
le plus absent.

La possessivité, en effet, est tout le contraire de l'amour,
mais c'est ainsi qu'au nom de celui-ci on peut étouffer,
écraser, réduire à l'impersonnalité, robotiser le comportement, imposer les pires souffrances et même le sacrifice de
sa propre vie comme de son propre Moi, sous peine de
faute, de manquer au devoir, de mériter la honte et l'op-
probre, d'encourir la punition et la nécessité de l'expiation.
L'aspect le plus inconséquent, sans doute, est de sublimer
alors l'amour de la mère et de dénoncer et mépriser le
véritable amour de l'enfant : « C'est parce que je t'aime que
je t'oblige à cela... », et « c'est parce que tu ne m'aimes pas,
petit égoïste, que tu ne t'y soumets pas. » Ainsi s'exprimait

38

Carmen l'Andalouse. Nous retrouvons là les retombées du culte de la mère sacralisée. Qui a été nourri de ce breuvage saura certainement s'en servir plus tard, à son tour, dans la relation de couple.

Conséquences

Avec la culpabilisation, le verrouillage pour protéger de toute intrusion étrangère, présente ou future, sera plus efficace. Le sujet ainsi ne pourra accepter ni un autre discours ni un autre modèle. Le succès, nous le verrons, est enfin assuré quand on parvient à qualifier de naturels la pensée, les désirs, les choix et les comportements ainsi fabriqués, en un mot, à assimiler le personnage de la mère au Moi de l'enfant.

Mais si façonner un esprit en inculquant des idées est pernicieux, si façonner un comportement, des attitudes, est plus de l'ordre du domptage que de l'éducation, façonner le sentiment, la manière d'aimer est le comble de la destruction. C'est l'âme que l'on atteint avec ses propriétés de désir, d'envie, de plaisir, ces facteurs vitaux du dynamisme psychique. C'est de cette énergie vitalisante qu'il est question dans le concept de « libido » si souvent utilisé en psychanalyse. On aura fabriqué un pantin, pas un homme. Le personnage a envahi tout le Moi. Voyons comment cela se passe.

Le plaisir

Dans l'utilisation qui est faite de la culpabilisation, le poids de la faute et la peur de la sanction sont devenus tellement insupportables pour l'enfant que celui-ci va chercher à se convaincre que le projet de la mère s'accorde bien avec son désir. Cet effort va donc tout à fait dans le sens de l'objectif maternel. Ainsi, il n'y aura plus de problèmes, plus de conflits, plus de désaccords et de risques de rupture. Il peut même, pour atteindre la plus grande sécurité, parvenir à désirer vraiment le projet maternel et à le faire sien. On aura réussi à faire aimer l'objet et à dégoûter de son contraire.

Cela commence avec la première cuillerée de soupe présentée comme un régal. Tout cela bien sûr pour le bien de l'enfant. On veut lui faire aimer le piano, on le décrira comme une activité profondément épanouissante. On veut l'écarter de la moto, on ne cessera donc de n'en montrer que les aspects négatifs. Et souvent, là aussi, viendra s'ajouter la touche affective : « Tu me ferais plaisir si... » Vous connaissez cette expression : « J'ai tout essayé pour le décider à... » Dans ce « tout » réducteur, il y a le désir de conformer au modèle personnel, l'amplification du bon côté de son choix. Il y a la promesse de récompense et la menace de rétorsion. À l'image de ce que pratique le père de l'enfant qui se suicidera dans le film *Le Cercle des poètes disparus*. Un enfant qui adopte régulièrement les choix, idées et comportements maternels, comme celui d'ailleurs qui se détermine systématiquement dans un choix contraire, révèle le plus souvent le résultat de la pression que nous venons d'évoquer. Le pouvoir maternel éprouve alors de la satisfaction ou un sentiment d'échec, ignorant de toute manière la perspective du désastre.

Tout est au point pour déboucher sur du solide et, fréquemment hélas, sur du définitif. Les conséquences aboutissent, malheureusement, aux dommages les plus irréversibles, et le plus souvent les deux parties en cause, mère et enfant, sont perdantes.

L'immaturation

Arrivé à l'âge adulte, en effet, l'enfant, alors plus ou moins profondément structuré selon le modèle qu'on a voulu construire en lui, continue inconsciemment à s'y référer, par crainte ou par dévotion, sous la menace intérieure de la culpabilisation ou de l'isolement affectif. Alors que la prise en charge effective de soi par lui-même a sonné, il n'en sera pas capable, parce que, jusqu'ici, on a décidé pour lui et, plus encore, on a trop souvent fait à sa place ou on l'a contraint à faire. Il aura peut-être vécu jusqu'alors dans une sécurité essentiellement apportée de l'extérieur, par la mère en particulier, mais il sera désormais obligé de chercher partout, dans ses cadres de vie, un substitut maternel qui le protège et qui réponde à sa demande de reconnaissance affective, de considération, d'approbation. Tout se passe comme s'il obéissait fatalement à un mécanisme bien mis en place, sans qu'il lui soit possible d'en changer.

Mais il y a aussi ceux pour qui on a décidé de ne rien décider, de ne rien suggérer, de laisser faire de peur d'influencer, au nom d'un contre-principe. Ce nihilisme, du type « soixante-huitard » le plus souvent, n'aide pas davantage l'enfant à découvrir et à réaliser son propre Moi. Le modèle ici s'appelle anarchie. Son comportement est souvent capricieux mais manque de « vertèbres ».

Touche pas à la mère

Ce n'est pas sans risques que nous avons dénoncé cette « fabrique » de personnage, le résultat du pouvoir excessif de la mère. La sacralisation dont nous avons parlé implique de ne pas y toucher. C'est pourquoi s'y aventurer déclenche souvent les foudres de certains et le refus d'entendre des autres. Pourtant, l'importance et la noblesse de la fonction maternelle ne sont pas mises en cause, mais son objet et sa compréhension. La mère n'est pas en accusation mais la méconnaissance de ce qu'est, en réalité, l'enfant, et l'être humain lui-même.

En vouloir, comme certains se plaisent à le faire, à Freud et à la psychanalyse d'accabler ainsi la pauvre mère de tous les maux et malheurs de son enfant, nous détourne dangereusement du sujet. Il n'est pas question de procès ni de transformer en sacrilège une fonction sacrée, mais de revaloriser une fonction. L'image sacrée de la mère, comme on s'est plu à la répandre, contient, en effet, une ambiguïté. Comme pour toute responsabilité et tout pouvoir, aucune fonction n'est sacrée en elle-même et elle sacralise encore moins celui qui la remplit. C'est son usage qui la rend sacrée ou sacrilège. Le danger d'identifier cette fonction avec le pouvoir a souvent abouti à écraser l'homme, à mépriser sa vocation personnelle et sa liberté. Cette identification, en effet, à vite fait d'arroger au bénéficiaire une puissance, une capacité, par définition, exemptes de tout échec ou défaillance. On n'a plus le droit de ne pas pouvoir. On en a fait alors tantôt un « droit divin », tantôt une plus ou moins grande infaillibilité, une plus ou moins grande perfection, qui devra camoufler habilement toute faiblesse et, à plus forte raison, toute perversité. Et si, par erreur ou par malheur, cette faiblesse surgit au grand jour, tout sera mis en œuvre pour l'attribuer à un bouc émissaire, l'intrus diabolique, semeur de désordre ou ennemi maléfique.

Désacralisation

Rendre sacré, c'est accorder une qualité, un privilège réservé à Dieu. C'est attribuer l'honneur d'un culte. Du même coup, c'est intégrer dans l'ordre de la perfection et interdire au consacré toute image d'imperfection. Au nom de cette sacralisation, on a pu voir ainsi des pouvoirs transformés en toute-puissance ne supportant pas la critique, ni le reproche de faiblesse ou d'imperfections. Malheur à celui qui ose s'y identifier et malheur aux sujets qui en seront les victimes.

En ce qui concerne le pouvoir de la mère, cette situation apparaît dans l'anathème porté contre toute tentative d'ingérence d'un pouvoir étranger, en particulier en matière d'éducation, d'enseignement.

Attention à tous ceux qui partagent avec elle une influence sur l'enfant, que ce soit en milieu scolaire ou dans une institution de loisirs. Son impuissance à en faire un génie, un élève « qui apprend bien » aura vite fait d'être attribuée à l'incompétence du professeur ou de l'éducateur. Car le pouvoir doit être invulnérable, omniscient et tout-puissant, même devant l'obstacle de l'irrationnel, du hasard, de la fatalité, de la maladie et surtout de la mort. L'impuissance à en faire un génie s'ajoute, en effet, à celle de ne pouvoir guérir la maladie ou, plus encore, à sauver de la mort. En cas d'échec, ce sera souvent « la faute de l'autre », médecin ou infirmière. Ces derniers, à leur tour, nantis également d'un pouvoir qui ne supporte pas l'échec, devront parfois se battre pour échapper à toute accusation de « bavure ». À trop sacraliser la fonction maternelle, on a chargé les épaules de la mère d'un poids écrasant et fait deux victimes : l'enfant et la mère elle-même.

Le discours sacralisant sur la maternité, outre qu'il occulte la donnée objective de sa fonction, a introduit, par voie de conséquence, tout un mécanisme de culpabilisation. Nombre de mères, peu satisfaites, voire déçues ou humiliées du résultat de leurs efforts, se sentent plus ou moins intensément coupables. Leur entourage, leurs enfants parfois les premiers, ne se gênent pas pour mettre la mère en accusation. Elle a beau répéter : « J'ai fait ce que j'ai pu », ou « je croyais bien faire », elle ne peut éviter l'écho meurtrissant d'un regret ou d'un remords : « Si j'avais su », ou... « c'est ma faute [1] ».

LA VÉRITÉ DE LA MÈRE

Si la mission de la mère peut être décrite en termes ou en images admirables, ce qui lui est demandé alors est bien au-dessus de ses capacités de femme. Seule une mise en lumière de la réalité peut permettre à la femme d'aimer être mère et, partant, d'y réussir.

Quelle est donc cette réalité ?

L'idéalisme fait miroiter le succès d'un être riche en qualités, proche de la perfection et rejette trop aisément et parfois avec mépris les insuffisances ou les erreurs qui y font obstacle.

Or, la réalité est autre : en l'être humain réside un potentiel de réussites et d'échecs, de vertus et de tares, et donc de qualités et de défauts.

---

1. Géraldine Jouin et Gisèle Boue dans *Le Taureau*, éd. Mercure de France, coll. « Douze clefs pour l'inconscient ».

La naissance s'inscrit dans un temps plus ou moins défini, et non pas précis et limité. Nous sommes déjà alors cet être programmé par ce que nous sommes au premier instant et ensuite par qui nous fait et nous projette dans l'existence. C'est la loi de la vie, de la procréation, de la « génération ». Dans l'immédiat, la mère est elle-même le produit d'une autre mère, laquelle est le résultat de sa mère, etc. Tout se passe comme si chaque être humain était fait pour participer, avec ses moyens personnels et limités, mais efficaces, à une œuvre immense qui tendra toujours à construire du meilleur et à s'approcher davantage du parfait, en acceptant toutefois de ne jamais l'atteindre. Mais nous ferons toujours ce que nous sommes et seulement ce que nous sommes.

Une vertu s'impose donc à tout projet d'enfant, celle de l'humilité. C'est, en effet, à cette seule condition qu'une mère peut éviter à son enfant le sentiment, plus ou moins inconscient, d'être l'enfant du devoir, l'enfant « carte de visite », le double de la mère, le cadeau au père, le non-désiré ou le mal désiré, l'enfant du rachat, l'enfant coupable d'être en trop ou non conforme, l'enfant du père destiné à reproduire un modèle ou l'enfant du viol, du désaccord, dont toute la vie reste marquée. Cette réalité invite à beaucoup de circonspection et de prudence dans ce que j'appellerais le « toucher psychologique » de toute entreprise pédagogique. Le projet maternel devra donc en tenir compte, car son empreinte demeure inéluctable dans la personnalité de son enfant, trop d'ambition et de prétention pourrait devenir une agression ou une blessure irréparable.

On connaît cette épisode rapporté dans la vie de Freud, à une mère venant lui demander comment faire pour bien élever son enfant, il répond : « Comme vous voulez, de toute façon, ce sera mal. » Je ne sais s'il faut attribuer à Freud un affreux pessimisme, mais cette réflexion peut aussi ramener à une réalité profonde : vous n'aimerez ce que vous faites que si vous n'en exigez pas la perfection. La souffrance de Michel-Ange, frappant à coups de marteau son Moïse, qu'il trouvait si réussi qu'il aurait voulu l'entendre parler, illustre l'insatisfaction de l'artiste prétendant à la perfection. « Vous les voulez trop purs les hommes que vous faites. »

Soyons plutôt attentifs à l'œil et aux sourires de l'enfant qui parvient à tracer un trait, réaliser un dessin ou une construction boiteuse et fragile. Il est heureux parce qu'il a créé quelque chose. Aider un enfant à parler, à marcher, à découvrir, à sentir, c'est aussi créer, c'est participer au développement d'un être. Il y aura, bien sûr, des erreurs plus ou moins rattrapables, mais aucun résultat ne sera sans défaut ; c'est peut-être ce que voulait dire Freud.

ET LE PÈRE EN TOUT CELA ?

Bien sûr, si son rôle a pu être important dans la décision initiale du projet enfant, sa fonction proprement génératrice a été fort limitée. Avec la fécondation débute un processus biopsychique ou psychophysiologique qui est principalement lié à la mère. La communication entre ses sentiments et l'être en devenir n'existe qu'en elle et constitue la relation essentielle dont l'enfant se nourrit, relation totale dans l'espace et le temps, relation corps-esprit, et tout ce que la mère va vivre à partir de la conception, l'enfant en recevra l'écho. Un enfant pourra se faire sans père, excepté l'apport matériel de sa semence, de la fécondation. Ce rappel n'est pas sans importance, car il n'est pas rare de rencontrer des femmes éprises de maternité sans attachement à un homme dans une relation de couple. « Je voudrais avoir un enfant avec n'importe quel homme », n'importe lequel, puisqu'il en faut un. Même, et parfois surtout, en fermant les yeux, car il n'y a pas désir de le connaître. « Ce sera un enfant à moi, rien que pour moi... » L'homme est alors reçu comme un géniteur, non comme un père, car, en dehors de sa semence, elle n'a pas besoin de lui pour « faire » son enfant. Elle assumera tout le reste. Pour certaines, leur vœu serait comblé si cet enfant pouvait se faire en elle sans l'intervention d'un homme.

Mais si cet exemple se rencontre surtout chez la femme

célibataire, il est fréquent d'observer des situations semblables à l'intérieur d'un couple même marié. La mère, dans le passé, était trop souvent celle qui faisait et élevait les enfants pendant que le mari partait au travail. Ainsi s'effectuait le plus souvent la répartition des rôles et des terrains d'action. La mère passait parfois le relais à l'âge où l'enfant devient « difficile », se réservant toutefois une responsabilité prolongée auprès de ses filles. Si ce schéma a plus ou moins évolué depuis quelques décennies, le rôle du père étant plus étendu et participant, ce rôle reste encore insuffisant durant la période qui, pour l'instant, nous intéresse, celle qui précède la naissance. Il ne faut pas pour autant en conclure à un rôle second, même si tel est, depuis longtemps, celui qu'on lui attribue ou qu'on lui laisse. C'est pourquoi, en dépit de l'importance que la participation du père pourrait et même devrait avoir, tout semble devoir passer par la mère. Le bon vouloir de celle-ci demeure la condition première et fondamentale.

L'action du père apparaît, en effet, de peu de poids durant la vie intra-utérine, en dehors du cas idéal d'une relation de couple de qualité. Même après la naissance, il ne pourra prendre sa place, pourtant nécessaire, sans le laisser-passer de la mère. Un proverbe corse dit : « Si le père se sert du couteau pour couper le pain, c'est la mère qui sort le couteau du tiroir où elle le garde. » Il est certain que cette absence ou cet escamotage du père a des conséquences dans la structuration psychologique et l'évolution de l'enfant, comme il arrive aussi que l'image de ce père pèse trop lourdement et prenne trop de place dans le développement de l'enfant, quand tel est le dessein de la mère.

On aurait tort cependant de conclure à l'absence ou à l'inertie totale du père dans le développement de l'enfant, sans tenir compte de l'apport initial du père. Et cet apport initial, à travers le spermatozoïde, est riche d'une réalité, d'une personnalité qui lui est propre et spécifique. Quelque chose de cet homme générateur, qui est de lui et seulement à lui, compose quelque chose de l'enfant qui en naîtra. On observe de plus en plus que ce quelque chose du père en l'enfant appelle le père et demande une communication avec lui. On l'en privera peut-être. Cette demande restera peut-être sans réponse, mais elle existe et se manifeste. Elle fait partie de la totalité dont l'enfant a besoin pour évoluer normalement. Sans cette réponse du père, il y aura toujours un manque. Cette observation montre que l'enfant dans le ventre de la mère ne peut être la propriété exclusive de celle-ci. Même si, matériellement et dans le comportement, cela peut se passer ainsi, psychologiquement, cet être en formation est, depuis le départ, « branché » sur les deux.

LA MÈRE TOTALE

Doit-on conclure, après tout ce qui vient d'être dit, à un pouvoir exorbitant de la mère ? La mère personnelle porte-t-elle tout le poids des résultats inscrits dans l'enfant qui sortira d'elle ? Bien que ce pouvoir soit grand et ne doive être, en aucun cas, sous-estimé, il ne semble pas, comme nous l'évoquions au début, qu'on puisse systématiquement lui attribuer une responsabilité totale.

Tout d'abord la fonction maternelle, avec son virus du pouvoir dominateur, possessif et dévorant, peut aussi bien se trouver dans le comportement d'un homme, comme le père par exemple. Nous le verrons dans le chapitre sur le couple, il existe dans l'homme un être féminin dont l'importance peut parfois atteindre la dimension d'une fonction maternelle. Ces pères-mères, ces hommes-mères, voire hypermaternels, peuvent jouer leur rôle jusqu'à se substituer à l'action de la femme-mère et y mettre l'embargo.

Il arrive assez souvent de constater que l'image de la mère qui a pesé le plus sur l'histoire d'un enfant est contenue dans le père, un frère ou un autre homme du proche entourage. De la même manière, l'usurpation du pouvoir maternel peut être faite par une grand-mère, une sœur aînée, une tante. Une mère faible, enfin, peut aussi se dégager inconsciemment du poids de ses responsabilités en déléguant son autorité à tel ou tel autre.

Mais, précédant l'entrée en scène de ces acteurs, une influence extérieure au Moi de l'enfant est déjà mise en place avant même sa naissance. En effet, l'apport des découvertes scientifiques de certains chercheurs, à l'exemple de Hubert Reeves, paraît confirmer l'observation qu'il nous est donné de faire dans un travail analytique. Cet apport mentionne l'existence d'une mémoire des civilisations antérieures, inscrite dans la cellule initiale de tout être humain. Celle-ci serait donc déjà porteuse des premiers éléments constitutifs de notre Moi, qui seraient alors présents avant toute influence extérieure, donc maternelle. Ce qui est donc en place peut être comparé à une infrastructure qui contient tous les matériaux devant servir à l'élaboration de la personnalité : les tendances, les forces et faiblesses individuelles, les fragilités physiques et psychiques propres à la spécificité de l'être. D'aucuns émettent même l'hypothèse de l'existence de certaines structures génétiques dont un chromosome à vocation indésirable, celui par exemple qui destine l'homme à être un assassin, qui échapperait ainsi à toute modification ultérieure. Peut-être parle-t-on de ces prédispositions quand on fait état des tendances innées ou de terrains psychologiques auxquels se réfèrent parfois les expressions : « C'est plus fort que moi... Quelque chose me pousse à... »

La psychologie jungienne accorde une importance capitale à l'observation de cette présence antérieure, mystérieuse et puissante. Toutes les cultures ancestrales qui ont précédé la mère sont concentrées en elle et la mère est aussi tout cela. Avant même de naître, notre histoire est déjà commencée. En ce qui nous concerne, thérapeutes et analystes, s'il nous est impossible d'apporter une explication rationnelle ou scientifique, force nous est de constater cette réalité dont les manifestations sont permanentes. Ce constat suffit et doit être pris en considération dans la constitution du Moi, mais il oblige, en même temps, à donner à l'image de la mère une extension qui dépasse la seule influence de la femme qui met au monde, la mère personnelle. Pour clarifier cette distinction, Jung emploie le terme de « Grande mère ».

La mère totale, c'est aussi la société où nous vivons, sa tradition et sa culture, avec sa conception de l'être humain et de son modèle, et l'importance accordée au culte de la mère. Sur ce dernier point, il est étonnant de découvrir à travers les villes du Guatemala, par exemple, l'hommage quasi religieux rendu à la terre-mère, représentée par une statue de femme sur la place principale.

C'est, en tout cas, avec la réalité de cet héritage archaïque que la mère personnelle va devoir compter dans son projet d'enfant. Le terrain, au départ, n'est pas vierge et elle ne pourra pas tout mettre en place. D'autres composants, d'autres influences ont déjà pris la place pour s'immiscer dans le projet maternel. Ne parle-t-on pas de la mère « Patrie », de la mère « Église »... Un certain nombre de puissances s'arrogent ainsi un droit de propriété sur l'être, rendant ainsi plus difficile à chacun la conquête de son Moi. La présence en tout individu, et dès le premier instant, de ces éléments inconnus avec lesquels il va falloir composer ajoute encore à la complexité de son être. Tous les pouvoirs de l'environnement participent à cette expropriation du Moi : les pédagogues, enseignants, éducateurs, les médias, l'entourage familial, social et politique. Leur pesanteur sera d'autant plus forte qu'ils se serviront de la touche affective qui rend alors l'enfant plus vulnérable parce que plus sensible. La mère est aussi tout cela.

Et, comme l'écrit Pierre Marty : « Si l'on doit se référer, en psychosomatique, à l'économie propre de l'individu, inséparable cependant de son entourage immédiat, on ne saurait oublier le poids des organisations sociales qui, par l'intermédiaire de la mère, déterminent cet individu dans une grande mesure. Nous voulons donc souligner ici le rôle considérable de la "fonction maternelle" dans la communication à l'enfant, de notions telles que celles de femme, de père, de patrimoine culturel. La dépendance de l'enfant vis-à-vis de sa mère préfigure, de plus, les dépendances familiales et sociales... Le passage d'un ensemble culturel à un autre ne peut s'effectuer sans la médiatisation de la mère [1]. »

C'est pourquoi dans ces pages quand il est fait mention

---

1. *Les Mouvements individuels de la vie ou de mort*, p. 98 éd. Payot, coll. « Petite bibliothèque Payot ».

de l'ordre maternel, de l'influence de la mère, nous devons entendre tous les éléments antérieurs et présents qui, avec la mère personnelle, composent la mère totale et non pas seulement la maman de l'enfant qui est, en définitive, participante à la mère totale. La mère personnelle, en effet, ne porte pas tout le poids du résultat, mais participe à un « engendrement » dont l'origine contient déjà des éléments de facture. Cette participation néanmoins est de première importance, en particulier à travers la relation qu'elle entretient avec l'enfant durant la grossesse, d'abord, puis dans les premières années qui suivront, parce qu'elle est naturelle et instinctuelle.

Il est aisé pour chaque femme qui l'expérimente, et sans doute depuis l'origine, de sentir l'importance de ce dialogue. « Aujourd'hui encore, chez les descendants des Mayas, une mère qui va donner le jour à un enfant, se lève avant l'aube et se promène dans la campagne à son éveil. Elle parle alors à son enfant de tout ce qu'elle observe, lui apprend le nom des arbres et des plantes, lui fait découvrir le paysage, lui exprime ses craintes et ses rêves. Lorsqu'il naîtra, il sera prêt à affronter sa nouvelle existence [1]. »

Quand parviendra-t-on à pouvoir faire cohabiter la mère et l'enfant dans une authentique relation, c'est-à-dire sans qu'il y ait possessivité ou dépendance ? On aurait ainsi résolu, en grande partie, le problème de la présence et même de la cohabitation entre l'enfant et la mère, ou la grand-mère, terminant sa vie en compagnie de ses enfants.

Mais le problème est d'autant plus complexe que les composantes de l'« ordre maternel » révèlent une double facette.

La double facette

En effet, celles ou ceux qui ont à faire avec la fragilité suscitée par le manque d'autonomie envers la mère, se

---

1. Benoît Charlemagne dans *Le petit prince était un galopin*, éd. Payot.

comportent à la fois en protecteur et en protégé. Ils veulent, en même temps, assurer leur pouvoir sur l'autre et être protégés par lui. La manifestation de ce double comportement nous est sans doute familière, particulièrement exploitée par la femme. On peut voir, en effet, successivement une démonstration éclatante de forte possessivité et une demande affective intense sollicitant les câlineries de l'autre. Ce comportement n'est pas contradictoire. La dépendance à l'égard de la mère, en effet, est double : comme la mère puissante et dominatrice, j'affirme mon pouvoir ; comme l'enfant que je suis resté, je veux me rassurer sur l'affection et la protection de la mère. C'est pourquoi il n'est pas rare de percevoir, sous des dehors sévères, bourrus et autoritaires, quelques « oublis » ou demandes de tendresse. Celles-ci semblent en outre devenir de plus en plus fréquentes à mesure qu'avancent les faiblesses du dernier âge. On attribue souvent à celui-ci la tendance fréquente à « retomber en enfance ». Réapparaît alors l'enfant qui recherche la mère, enfant qui ne l'a jamais quittée même si les apparences, hier, étaient autres. Cette dépendance est une autre forme de pouvoir, mais la manifestation est différente. L'imbroglio mère-enfant mérite bien alors le terme de complexité.

Seule une révolution culturelle semble susceptible d'introduire un autre visage de la mère, du père, de l'enfant, en même temps qu'une autre conception de l'être humain et de sa place dans le monde.

CHAPITRE 3

LA VOIE DE L'ÉPANOUISSEMENT
ou
LA ROUTE DU MOI

*Un individu ne peut prétendre de-
venir un homme s'il n'a, pour sa
part, réduit sa comédie.*

A. Malraux

LE CONSTAT

Toute recherche du Moi, toute conquête de la personnalité passe par la prise de conscience.

Comme le laisse entendre l'expression elle-même, cela consiste à faire monter au conscient ce qui n'y a pas eu encore accès, parce qu'enfoui dans l'inconscient. Seule la prise de conscience permettra donc le détachement du projet maternel pour récupérer le projet personnel. C'est par cette opération que pourra se faire alors « la coupure du cordon » et la marche vers l'autonomie.

L'accès à l'être

La personnalité, c'est l'être ; le personnage, c'est le paraître, c'est avoir l'air. Distinguer cette différence constitue les premiers pas nécessaires à la réalisation du Moi et à la délivrance de tout ce qui l'en détourne.

L'être est ce pour quoi j'existe, ce pour quoi je suis programmé ; le paraître est ce que l'extérieur a fabriqué, a voulu faire de moi. Le programme personnel invite à la construction du Moi, véritable schéma de la personnalité ; le programme imposé de l'extérieur aboutit à l'édification du personnage « hors du Moi ».

Le refus ou l'incapacité de voir cette différence au fond de nous-mêmes engendre un état pathologique ou l'aveuglement sur ce que nous sommes en vérité. L'état névrotique est d'autant plus profond que la divergence est plus grande entre le projet personnel et celui de la mère. Plus la pression a été intense pour imposer des comportements, des idées et même des désirs, plus il est difficile, voire impossible parfois, de retrouver sa route. Il faudra, en effet, une énergie d'autant plus exigeante pour démasquer, par la suite, cette simulation et se mettre à jour avec soi-même, ce qui constitue la base de toute psychothérapie et récupération du Moi.

L'aptitude à choisir

Le préalable à toute entreprise de prise de conscience est de la vouloir et de la désirer fortement. Une prise de conscience n'est, en effet, possible que s'il reste encore assez d'aptitude à sentir qu'on n'est pas soi, qu'on nous fait jouer un rôle, qu'on est le résultat d'un autre projet. En un mot, on nous a fait devenir et non pas être, en nous maintenant dans l'ignorance de nos aspirations profondes. On a substitué au parcours du désir celui du devoir, le plus souvent en les opposant. Il faut être capable de découvrir cela pour être en mesure de faire le choix de s'engager dans une prise de conscience.

Or, le conscient a utilisé une forte argumentation et une rationalisation abondante pour parvenir à forger la conviction inculquée par la mère. Cette construction rationnelle devient le plus souvent indiscutable et il sera difficile de prétendre y toucher. C'est ce qui rendra si ardu un travail de prise de conscience.

Beaucoup n'y parviendront que parce que « les nerfs ont lâché », alertés en cours de route par des symptômes qui, nous le verrons, sont autant d'avertissements à reconsidérer le bien-fondé du projet où ils sont engagés : échecs, dépressions, accidents ou maladies en constituent souvent les signes. On a tant voulu nous convaincre que nous étions ce personnage en vérité, qu'il faut souvent attendre, hélas, de telles alarmes pour être motivé.

La motivation

Être motivé, c'est éprouver le besoin d'« autre chose », d'une autre manière de vivre, en acceptant tous les deuils qui vont nécessairement s'ensuivre. Être motivé, c'est avoir acquis la conviction que la route de chacun est unique, que personne ne l'a déjà faite et donc ne la connaît. C'est être assuré que ceux qui ont prétendu la connaître à notre place, et même parfois mieux que nous, nous ont engagés sur leur propre route et dans un parcours établi par eux.

Cette conviction devra engendrer un profond désir, doublé d'un certain courage, car, à force d'« avoir l'air » on finit par s'identifier au rôle que nous jouons, on parvient à « s'y croire » et à refouler dans la nuit de l'ignorance l'image de notre vraie personnalité.

S'engager dans une prise de conscience est d'autant plus difficile que tout a été soigneusement mis en place pour nous enlever toute velléité d'aller chercher ailleurs et pour nous conformer à un seul et unique modèle. Comme dans les rayons d'un magasin où l'on présente bien en vue, au client, la marchandise qu'on veut l'exhorter à acheter, laissant au fond, dans l'ombre d'une étagère ou de l'entrepôt, les produits concurrentiels. Comment pourrais-je alors désirer ces derniers si je ne puis jamais les connaître, et si l'objet de la vitrine est présenté comme le meilleur ?

La voix de la mère

Transformée en prophète, la voix de la mère a exigé d'être la seule crédible : « Tu es fait pour... Tu as des dons pour... Tu te connais mal... Tu n'es pas capable de... Tu n'es pas fait pour cela... Tu vaux mieux que... Cela n'est pas digne de toi... »

Toute une sécurité a été établie sur la stricte observance de ce catéchisme maternel. S'en détacher, c'est risquer le rejet, l'abandon, la malédiction. Tout a été fait pour créer cette fameuse « seconde nature » que l'on a attribuée à l'habitude. On ne s'en dégage pas impunément. C'est tout un esprit, une mentalité qui ont été installés – ce que nous expliquerons plus loin en parlant de la culture – et qui vont devoir être changés. On a tant souffert pour en arriver là, « pour avoir la paix ». Ainsi Robert d'Harcourt écrit-il qu'« on anémie et on stérilise à la longue en élevant dans la religion exclusive de la sécurité. « La sécurité, ajoute-t-il, est un bien, elle ne doit pas devenir un autel. Le mot "paix" n'a pas le droit à la majuscule des absolus [1]. »

Toute tentative de prise de conscience va donc se heurter à cet obstacle. Elle ne deviendra possible que s'il reste encore une place pour laisser s'infiltrer le doute dans le discours maternel et un minimum d'accueil au « je ne sais pas qui je suis et personne ne le sait ». Alors seulement, je pourrai me mettre à l'écoute de moi-même par-delà les vacarmes des discours extérieurs, les jugements et les déclarations de « ceux qui savent ». Si l'on peut franchir ce seuil nécessaire, la partie n'est pas gagnée pour autant, mais le chemin est ouvert.

Les attachés

Parallèlement à ceux qui rencontrent des difficultés pour accéder à cette voie, il y a ceux qui trouvent leur compte dans cette emprise du projet maternel et l'enjeu payant. Ce sont ceux à qui tout sourit dans leur ambition, favorisés par les circonstances, satisfaits d'une apparente réussite professionnelle, sociale et même familiale. Pourquoi alors changeraient-ils ? Ils marchent le plus souvent sans en être conscients sur un fil de rasoir et certains même peuvent ainsi mener leur vie jusqu'à son terme sans avatars trop sérieux. Que ceux-ci nous somment alors de les laisser tranquilles, ils n'ont peut-être pas tort. C'est le choix du risque. Mais ils ne constituent qu'un tout petit groupe, contrairement à ce que l'apparence tendrait à faire croire. Bien plus nombreux, hélas, ceux qui, un jour, paient la note d'un basculement dans une névrose ou une somatisation douloureuse, voire fatale.

La prise de conscience, on le voit, n'est pas une détermination facile. D'exigeantes conditions sont nécessaires et l'on ne peut être étonné que son évocation déclenche de vives résistances et même des imprécations. On observe réguliè-

---

1. Robert d'Harcourt, *L'Évangile de la force*, éd. Plon.

rement le refus d'entendre le plus simple et le plus facile à comprendre. Parallèlement, surgit un débordement de rationalisation du conscient avec un refus de voir l'image criante de ses propres rêves, en particulier dans un travail psychanalytique.

LA PRISE DE CONSCIENCE

Une fois évoqué le préalable d'un désir et d'une volonté suffisante, comment peut-on parvenir à la prise de conscience ? Dans un souci de clarté, nous la décomposerons en trois étapes : la prise de connaissance, l'acceptation dynamique et l'intégration.

La prise de connaissance

La construction du personnage n'a pu se réaliser qu'au prix d'un important effort dont l'objectif principal consistait à fermer les yeux et les oreilles sur notre projet personnel et y substituer le projet maternel. Le projet personnel est donc resté dans l'ombre, dans la nuit. Sa vision même gênait d'autant plus que son image était susceptible de s'opposer au projet de la mère. La démarche est donc à engager en sens inverse, car le chemin qui conduit à la saisie de notre personnalité exige d'abord le déblayage du personnage qui en masque et en interdit l'accès. Là réside toute la recherche entreprise par la prise de connaissance.

Il est facile de présumer combien l'entreprise va s'avérer difficile, car il s'agit du franchissement d'un interdit, de l'affrontement du « parti » de la mère, de sa réprobation sinon de son rejet. C'est le premier pas vers un certain isolement affectif toujours difficile à accepter, même s'il est nécessaire à tout apprentissage de l'indépendance ou de la prise en charge de soi-même, en un mot, à l'évolution.

La prise de connaissance, c'est donc accepter de voir ce

qu'on évitait soigneusement de rencontrer en face, accepter donc de se « re-connaître », de faire demi-tour en vue de découvrir sa propre route. On pourra découvrir aussi qu'une action en apparence généreuse est, en réalité, conduite dans un esprit de possessivité ou dans une recherche de considération. On sera peut-être éclairé sur notre amour pour l'autre, proclamé à grands renforts de promesses et de rêveries, dans une relation de couple par exemple, et qui cachait en réalité une recherche de substitut maternel pour l'homme ou un intense besoin de materner pour la femme. C'est tout un ensemble de corrections, réajustements et mises au point qu'il faut nous apprêter à recevoir et à entendre.

Nombreux sont ceux qui sont attirés par la connaissance de soi. Or il ne s'agit pas, le plus souvent, de la connaissance du Moi, de la personnalité, mais de la connaissance du personnage. Certaines démarches auprès de « voyants », et même de psychologues, peuvent aboutir à une description plus ou moins objective du comportement, mais ce portrait ne dira jamais il s'agit de la personnalité ou du personnage, du Moi du sujet ou de celui de sa mère, par exemple. Cette recherche n'a rien de comparable avec le travail évoqué ici. Tout juste peut-on émettre l'hypothèse que cet attrait pour la voyance trouve, en partie du moins, son explication dans un doute éprouvé sur la vérité de son être. La prise de connaissance est une étape à laquelle certains déjà s'arrêteront, sans aller plus loin. Pour les autres, l'étape suivante n'est pas la plus facile.

L'acceptation dynamique de soi

Prendre connaissance n'entraîne pas nécessairement qu'on tienne compte de ce que l'on apprend. Si ce que je découvre ne me plaît pas, je peux m'empresser de l'oublier ou d'en amoindrir la valeur par toutes sortes de justifications. Les fumeurs, par exemple, savent bien qu'il n'est pas suffisant de connaître les méfaits du tabac pour parvenir à s'en passer. Quand « c'est trop dur », on « cale » facilement.

Prendre connaissance de son personnage n'est jamais

chose agréable. C'est, en effet, découvrir que l'on triche, que l'on n'est pas ce qu'on est en vérité et que l'on ne possède pas ce que l'on a. Ce n'est qu'un air, un faux-semblant, qui trompe d'ailleurs beaucoup plus le sujet que son entourage social. Parce qu'on peut faire « comme si ça n'existait pas », la seule prise de connaissance est, à elle seule, insuffisante et, de ce fait, thérapeutiquement inopérante. Il arrive d'entendre le patient déclarer : « Je sais. » Quand cette réponse est immédiate et fréquente, elle révèle le plus souvent un système de défense et un refus d'aller plus loin.

« Je ne suis que... »

Toute prise de connaissance m'amène à constater que je ne suis pas tout ce que je voudrais être et donc que « je ne suis que [1] ». Accepter de n'être que... cela consiste d'abord à se reconnaître tel qu'on se découvre, à admettre notre propre vérité, notre être avec ses limites et ses insuffisances. Cela m'amène à me convaincre que je suis bien ce que je ne voulais pas être et que ce dont j'ai l'air n'est pas ce que je suis. Cette opération provoquera un véritable chamboulement des valeurs, non sans sacrifices ni renoncements.

Mais cette acceptation, pour être efficace, doit être dynamique, à la différence de l'acceptation passive qui amène à subir et engendre un état plus ou moins dépressif, enfermé dans le regret de ne pas être mieux, de ne pas être plus. L'accomplissement de l'étape d'acceptation doit m'amener à prendre en charge ma naissance et à m'aimer tel que je suis en vérité.

La dynamique de l'acceptation de soi est donc faite d'humilité et d'amour : je ne suis que et je m'aime ainsi. Il ne peut, d'ailleurs, y avoir d'amour sans humilité. Prétendre aimer ce qui n'existe pas dans la réalité appartient à l'illusion ou à la rêverie et rêver n'est pas vivre. La réalité peut brusquement s'imposer et engendrer un choc cruel.

---

1. C'est Jung, promoteur de la « psychologie analytique », qui se répétait au début de chaque journée : « Je ne suis que... »

C'est en s'enfermant dans cet irréel que surgit le délire. Être heureux en « n'étant que » paraîtra, au regard des « grands de ce monde », proche du masochisme ou de la débilité, mais sera pour les autres une véritable libération face au poids des exigences habituellement requises par le maintien du personnage. La plupart des stars doivent payer cher leur soif de considération et donc leur dépendance de l'admition des autres, le plus souvent au prix de leur liberté.

C'est pourquoi l'acceptation dynamique de soi ne pourra se faire sans douleur car il y a, en chacun de nous, un désir plus ou moins excessif d'atteindre l'être parfait. Pour accomplir cette étape il faudra donc être capable de s'aimer humblement, tel qu'on est, être heureux de n'être qu'un homme. Mais cet objectif ne peut être atteint sans être accompagné en permanence par l'indispensable sourire de l'humilité, « la qualité » que Georges Simenon appelait « la plus précieuse chez l'être humain ». Elle seule, en effet, peut engendrer l'humour[1], si nécessaire à l'acceptation et à l'intégration de soi.

L'humilité

L'humilité, vision objective et acceptation de soi-même, ne doit jamais être confondue avec l'humiliation. On entretient souvent la confusion entre les deux termes pour disqualifier la première. L'humilité est objective, l'humiliation amoindrit. L'humilité libère et fortifie, l'humiliation écrase et engendre la honte. L'humilité seule permet de reconnaître ses limites et de les accepter jusqu'à rire de soi, cette arme si nécessaire au succès de cette deuxième étape.

Le plus grand obstacle à l'accueil de l'humilité est, évidemment, la « volonté de puissance », expression désormais passée dans le langage courant et drainant avec elle des valeurs contraires. Adler construit sa thérapeutique sur le postulat que tout homme possède en lui, dès l'origine, le

---

1. À ne pas confondre avec l'ironie faite d'agression, de rejet et de destruction.

désir de pouvoir. Dans le langage analytique, « la volonté de puissance » possède un contenu négatif et signifie un désir de domination et de possessivité, le plus souvent accompagné d'un certain mépris pour les autres ou d'une suffisance susceptible et facilement agressive. L'objectif est alors de parvenir au plus haut d'un pouvoir, animé toujours d'un besoin de considération, de notoriété et d'honneurs.

On a vite fait, pour justifier cette dynamique-là et la transformer en vertu, de lui attribuer la richesse d'une « grande ambition », d'un courage qui aime se battre, d'une capacité plus ou moins hors du commun, d'une force enfin qui suscite la considération et le respect. Quand il y a, en plus, dévouement, don de soi, performance et réussite, la puissance devient digne d'admiration et s'érige aisément en modèle. On dit parfois qu'un tel éblouissement rend aveugle et il est vrai, en effet, qu'on a fort tendance à ne pas voir tout l'aspect naïf et ridicule, allant parfois jusqu'au grotesque, qui jalonne régulièrement la démarche ou le discours. Le progrès technique des médias, avec des images qui pardonnent de moins en moins les défauts, nous en rendent témoins chaque jour ; et les humoristes, imitateurs et chansonniers peuvent s'en donner à cœur joie. Il en faut pourtant des hommes de pouvoir, ou qui, tout du moins, acceptent d'assumer celui-ci à travers des fonctions de toutes sortes, jusqu'au pouvoir supérieur d'un État. Comme pour toute autre fonction ou comportement, le pouvoir n'est pas mauvais en soi. Il peut être bon et noble, mais aussi, hélas, utilisé pour satisfaire une envie dominatrice et possessive, une enflure ou un culte du moi au mépris des faibles. Le pouvoir est une arme dangereuse entre les mains de celui qui ne vit pas d'humilité. Il ne sert à rien, sinon à engendrer la souffrance chez les sujets, s'il n'est pas animé par un réel amour. Le pouvoir dépourvu de cette vertu n'échappera pas, un jour ou l'autre, à la déchéance et à la condamnation de l'Histoire. Beaucoup en paient la note avant même de terminer leur vie. Les autres ne sont pas à l'abri d'être déboulonnés de leur socle ou d'être brûlés en effigie.

Que quelqu'un se déclare persuadé d'une « mission à

accomplir » n'est pas pour autant rassurant. C'est s'arroger une lucidité qui n'est donnée, en fait, qu'à ceux qui doutent de leur vérité. L'humilité n'est pas sûre de la vérité. Se tenir toujours prêt à accepter de se tromper et se réjouir qu'il en soit ainsi permet d'aimer et de vivre. Cette conquête de l'amour de soi dans sa vérité est un enjeu capital, car l'amour de soi demeure la condition essentielle de tout épanouissement personnel et d'une bonne qualité dans les relations aux autres. Il importe de ne jamais oublier ce postulat : qui ne peut s'accepter n'acceptera jamais les autres.

Horizon fermé

Il existe, hélas, des cas où tout espoir de parvenir à l'acceptation de soi est impossible. Quand l'exclusion, l'intolérance, le refus de tout autre discours, manière d'agir ou de penser s'est infiltré dans le système d'éducation, l'enfant qui en est la victime se trouve bien désarmé pour réussir cette acceptation dynamique de soi. La porte ouverte à un autre modèle est quasi inexistante ou si étroite qu'il y a peu de chance de pouvoir l'accueillir. Comme pour la drogue, l'habitude acquise ne permet plus de mettre en doute ou de voir autrement. Le « façonnage » de l'« éducation » est si réussi qu'il n'y a plus rien à espérer. Le résultat résistera à toute thérapeutique. Nous sommes entrés dans la zone de la psychose.

Heureux donc celui, qui comme Georges Simenon à la fin de sa vie, peut proclamer avec force : « Je préfère être détesté pour ce que je suis plutôt qu'être aimé pour ce que je ne suis pas. » L'acceptation dynamique de soi est le cheminement vers une nouvelle naissance et la disponibilité à ne pas savoir encore tout ce que nous sommes. Car on n'a jamais épuisé le champ de connaissance de notre être.

À la fin de cette étape, on aura découvert qu'on ne construit pas un homme comme on construit une maison et que la réalisation de la personnalité se distingue de la reproduction d'un modèle. Mais, en même temps, on découvre que telle est l'aventure de la condition humaine :

se faufiler au milieu des pièges de diversion pour essayer de conquérir sa personnalité. C'est cela aimer vivre. On est alors prêt à entreprendre la dernière étape, celle de l'intégration. On sort de l'emprise des possessions pour entrer en possession de soi. On va enfin pouvoir s'aimer activement.

L'intégration

L'intégration doit nous permettre de vivre avec ce que nous sommes et d'entreprendre, si possible, son projet personnel au milieu du fatras qui a tenté de l'escamoter et qui, de toutes manières, laissera des traces. Par la prise de connaissance et l'acceptation de soi, l'ouverture est faite pour parvenir à être en abandonnant le paraître. Si je m'aime comme je suis, je ferai avec et au mieux, au plus. Je ne m'investis plus dans le factice ou l'illusion, dans le jeu ou le rôle d'un autre. Ma vie devient une entreprise qui est mienne. C'est en moi que je vais chercher la lumière, les idées, la détermination, la motivation et l'appréciation de mon action. Bien sûr, je cherche autour de moi tout ce qui peut enrichir mon patrimoine mais je suis libre dans mon choix et mes initiatives. Intérieurement, je ne dépends que de moi-même.

L'entrée en possession de mon Moi me conduit – mieux vaut tard que jamais – à expérimenter mes capacités et mes limites, à découvrir mon propre rythme, ce que je peux ou ne peux pas faire, ce qui m'épanouit, me fait vivre. L'intégration consiste à exploiter au mieux mon potentiel sans perdre mon temps et mon énergie à construire autre chose que moi-même.

Vivre avec

Quelle est la dynamique de cette ultime étape de la prise de conscience ? Son atout majeur se situe dans la récupération d'une énergie jusqu'alors détournée de son objet pour en disposer au service de sa propre personnalité, ce pour quoi cette énergie existe. C'est le potentiel de ce dynamisme qui permettra la cohabitation du Moi avec les blessures ou les soubresauts de notre personnage. Car il s'agit de vivre avec et non pas vivre contre.

Vivre contre engendre l'illusion. Nous avons à faire avec une stratégie, une sorte de négociation qui exige parfois mesure et habileté. En effet, les structures du personnage établies en nous par notre entourage ne disparaîtront pas totalement au point de nous permettre de récupérer notre personnalité d'origine, comme si rien ne s'était passé. Des habitudes, des réflexes, des « manies » ont été installées par les contraintes extérieures. Toute cette construction constitue une force vivante dont certaines racines plongent dans l'infini de notre être, la Grande Mère dont nous avons fait état. Il ne faut pas, sous peine de manquer de réalisme, sous-estimer cette force négative qui s'est plus ou moins emparée de nous. La pire erreur serait, en outre, de tenter de la détruire, car nous nous heurterions à plus puissant que nous. Intégrer notre Moi, c'est aussi, et peut-être surtout, vivre avec cela. La vie, c'est l'épanouissement de l'handicapé. Nous devons renoncer à vouloir faire disparaître nos fragilités profondes, car nous y serons toujours confrontés, nous aurons donc à nous en accommoder. Nous pouvons éventuellement nous débarrasser d'un handicap extérieur à nous-mêmes – et nous serons souvent amenés à le faire – mais jamais du handicap qui fait partie de notre ère. Vivre avec, ce n'est pas seulement vivre avec ses richesses mais aussi avec ses insuffisances et ses limites, les faiblesses propres au Moi et à la condition humaine.

Quel est, en effet, l'homme heureux et épanoui ? Celui qui vit avec et malgré son rhume ou celui qui se lamente tout au long de sa journée en entretenant de son « malheur » le voisinage ? Quel est celui qui a le plus de chances de pouvoir bien vivre et apprécier chaque jour, le handicapé qui vit avec ou malgré son handicap ou celui qui gémit du matin au soir sur son état ? Je peux souvent me libérer du barrage rencontré sur ma route, mais je ne me ferai pas pousser la jambe qui me manque. Je peux m'éloigner du bruit qui m'empêche d'entendre, mais je ne puis me fabriquer une capacité auditive si une malformation incurable a fait de moi un malentendant. Or, il en est du psychisme

déo-chrétienne sert souvent d'appui ou de référence[1]. En offensant la mère – en d'autres circonstances, le pouvoir – c'est Dieu qui est offensé. Ce culte du perfectionnisme est tel qu'on est parvenu à la manie – car c'en est une, au sens pathologique du mot – de vouloir toujours, face à un échec, une erreur ou une malfaçon, dénoncer une faute et trouver un coupable, le plus souvent en vue de le punir, ou, en tout cas, de l'humilier. Cette manie n'affecte pas seulement la capacité d'une prise de conscience, mais le principe élémentaire des droits de l'homme, ce droit à être reconnu comme homme, c'est-à-dire imparfait. Appelons faute, si l'on veut, l'erreur ou l'insuffisance, la maladresse ou la réaction mal contrôlée, mais alors quel homme est sans fautes ? Qui peut prétendre à être parfait ? La véritable faute est de ne pas s'accepter limité, imparfait, capable d'erreur et donc de refuser la condition humaine. L'acceptation de cette limite ne signifie pas indifférence ou lâcheté mais ignore la condamnation à la honte, au mépris ou à la destruction. « Vous êtes bons dans d'innombrables chemins, écrit Gibran, et vous n'êtes pas nécessairement mauvais lorsque vous n'êtes pas bons[2]. » C'est cette prétention au perfectionnisme qui suscite souvent les stress et les affects.

Nous ne trouvons pas ce langage culpabilisant dans le discours de l'inconscient. La voix de l'inconscient, en effet, n'amoindrit jamais. Elle éclaire et souvent corrige, mais ne s'impose pas et nous laisse libres de l'entendre. Le travail analytique, à travers les images des rêves qui servent au langage de l'inconscient, révèle qu'il n'y a pas de place pour le jugement de valeur culpabilisant ni pour la condamnation. Mais, toujours fidèle à sa fonction, cette voix intervient pour nous proposer une vision plus claire et plus objective sur ce qui se passe en nous, ce que nous avons tendance à maintenir dans l'ignorance. Son message peut se résumer ainsi : « Ne te crois pas autre que tu n'es. Vois ce que tu es et cherche ton projet personnel. Ne te fais pas dieu et accepte tes limites. »

---

1. Sur ce sujet : Eugen Drewermann, *La Peur et la Faute*, éd. du Cerf.
2. *Le Prophète*, éd. Casterman, p. 76.

Le devoir

Jamais le mot devoir ne prend, dans le langage de l'inconscient, le sens donné par les hommes à l'intérieur d'une loi morale ou d'une loi tout court. Le discours analytique ne se reconnaît donc pas dans les déclarations péremptoires, sermons ou conseils, assortis ou non de références ou de raisonnements. Qui a pouvoir, parmi les hommes, de déclarer à l'un de ses semblables, que là est son devoir ? À plus forte raison, qui a pouvoir pour décréter que tel homme est coupable de faire ou ne pas faire ? Cela ne veut pas dire que le devoir n'existe pas, mais c'est au sujet lui-même de découvrir le sien et de le proclamer.

Le devoir ne peut être que propriété de chacun. Il peut, bien sûr, reconnaître un devoir proposé par l'extérieur mais il devra alors se l'approprier, sentir qu'il correspond à ce qu'il déciderait lui-même ou accepter de participer à une action commune. Imposer une action sans apporter les explications qui permettent au sujet de la faire sienne, cela revient à imposer une corvée. Agir sans comprendre est inhumain et le pouvoir qui y oblige, méprisable.

Nous verrons dans le chapitre sur « la vie sociale » toutes les retombées néfastes, parfois dramatiques, que contient le recours institutionnel à la puissance culpabilisatrice. Nous côtoyons, en tout cas, en permanence cette angoisse de la faute, qui a suggéré l'expression « complexe de culpabilité », dans la mise en place et l'intégration du vivre avec. Or, la culpabilité n'est pas, par définition, un complexe ou un mal. La lucidité et l'humilité amènent le sujet à se reconnaître défaillant, responsable d'une erreur et donc à pouvoir sentir et dire : « C'est ma faute, je suis coupable. » Le complexe et le mal ne résident pas dans le fait de « se sentir coupable », mais dans celui de ne pas l'accepter et d'en éprouver honte et humiliation. La prise de conscience ne nie pas l'existence de la faute, mais la dissocie de l'avilissement et de la condamnation qu'on veut y attacher.

Il nous faudra revenir souvent sur ce chapitre et sur le remède nécessaire à toute amélioration de notre épanouissement, à toute progression dans la vie.

L'INCONNU

Qui fera ou pourra faire cette route de « rééducation » ? La capacité de chacun sera fonction du poids de la « fabrication » – c'est-à-dire de la pression qui aura été utilisée pour le convaincre et le séduire –, de la quantité des interdits, en même temps que de la vulnérabilité du « terrain » qui les reçoit.

Ce « terrain » possède, en outre, une aptitude plus ou moins grande à recevoir les images des situations ou des événements et le message qu'elles contiennent. Il est important de préciser que le travail de prise de conscience n'exige pas une capacité intellectuelle au-dessus de la moyenne. La prise de conscience (connaissance, acceptation, intégration) n'est pas, à proprement parler, un acte intellectuel, une concentration de l'esprit, une réflexion dont l'intensité épuise si elle est trop prolongée, mais une ouverture intérieure, une perception au moyen de tout son être qui relève surtout de la sensibilité.

On sent plus qu'on ne comprend, au point qu'on ne saura pas toujours dire aisément ce qu'on ressent. On reçoit corps et âme, « dans le vif » ; vivre n'est pas une idée abstraite. S'arrêter pour comprendre, analyser, expliquer ce qui se passe ne sert à rien si on ne sent pas. C'est souvent par l'utilisation de la fonction rationnelle que l'on parvient à étouffer la voix du sentiment qui, lui, dans la plupart des cas, est irrationnel. De même, il n'est pas rare que le discours idéologique sur l'événement arrive à défigurer l'objectivité de celui-ci. Il en résulte – et c'est aussi un constat – que la prise de conscience ne sera pas plus facile pour les intellectuels, bien au contraire, tant il est vrai que ce que l'on sent, dans la complexité de l'être psychique, échappe souvent à une argumentation dialectique. L'intellectualisme constitue une entreprise souvent compensatoire, dont beaucoup se servent pour refouler une vie instinctuelle naturelle. « Ça leur monte à la tête »... et provoque, entre autres, bien des migraines. Enfin, l'humilité est souvent, pour eux, un objectif de conquête plus éprouvant.

Les privilégiés du sentiment bénéficient plus que d'autres d'un être intérieur qui fonctionne, d'une qualité de perception plus sensible. Or, ce sont ces conditions qui engendrent une faculté de résister à l'influence extérieure et un attachement aigu à la personnalité. En même temps, ils s'enrichissent d'un dynamisme et d'une force qui créent en l'être le désir de s'en sortir.

Enfin, on observe, sans pouvoir l'expliquer rationnellement, que certains possèdent ce qu'on pourrait appeler le sens analytique et d'autres pas du tout. Les premiers évoluent avec une sensibilité particulière, reçoivent et expriment ce qui se passe en eux comme s'ils possédaient de manière innée l'expérience de ce travail ; plus encore, comme s'ils reprenaient un travail qu'ils auraient commencé autrefois et abandonné depuis leur naissance.

Cette différence explique pourquoi certains ne feront qu'une partie de cette route, mais celle-ci, le plus souvent, s'avérera utile pour atteindre une plus grande libération. C'est pourquoi tout éclairage venant combler l'ignorance ou l'illusion sur la vie psychique offre un avantage à tous ceux qui auront la chance d'en tirer profit. C'est l'objectif de cet ouvrage.

CHAPITRE 4

LA RELATION DE COUPLE
ou
LE TEMPLE DE L'AMOUR

L'amour de l'autre sera fonction de l'amour de soi.
Le couple parental est déterminant dans l'apprentissage de la vie de couple.

Il n'y a jamais eu que le couple.

J. Giraudoux

LE CONSTAT

Peu de couples parviennent à une relation épanouissante pour chacun et qui rend heureux d'être ensemble. Même si beaucoup proclament leur bonheur, peu le vivent vraiment en réalité. Au nombre des divorcés, il convient d'ajouter celui des « toujours mariés » par devoir ou par peur du pire, de l'isolement, d'une certaine image de la marginalité et, pour beaucoup de femmes, de la crainte d'une insuffisance budgétaire. Que se passe-t-il donc pour qu'il en soit ainsi ? Aucun projet d'amour d'un autre ne peut aboutir sans que soit d'abord acquise une suffisante expérience d'amour de soi. La fréquente absence de cette expérience explique la fragilité des couples qui se forment et les véritables motivations dépourvues d'amour vrai dans la décision de « vivre ensemble ».

Nous venons d'évoquer à plusieurs reprises l'importance de l'amour de soi. *A priori*, cette évocation peut paraître une évidence et un langage bien étrange. Il s'agit, en réalité, d'une évidence plus intellectuelle qu'expérimentale. Il n'est pas facile d'affirmer l'amour de soi comme la vertu principale de la vie, la pièce maîtresse de tout épanouissement, sans déclencher l'ombre d'une force sournoise et destructrice qui mettra tout en œuvre pour en défigurer la valeur, y jeter la confusion en l'assimilant à un comportement méprisable. De même que l'humilité prend souvent le sens d'humiliation, l'amour de soi devient facilement synonyme d'égoïsme.

Ces perturbations expliquent pourquoi l'intégration de ces valeurs est si ardue, et pourquoi les couples sans véritable amour semblent, hélas, les plus nombreux. La fidélité, en effet, n'est pas nécessairement un signe d'amour.

On peut dire de l'amour comme de l'homme pour Diogène : on en parle partout et on le cherche en vain. Probablement parce que son visage est si souvent maquillé qu'il devient de plus en plus difficile de le reconnaître ; ses apparences sont tellement contradictoires qu'on ne sait plus ce qu'elles recouvrent. C'est pourquoi il est si important que soit mis en place, dès le premier âge, tout ce qui permet de découvrir ce qu'est l'amour et de pouvoir en acquérir l'expérience. Bien qu'il n'y ait pas, à vrai dire, d'évolution séparée dans la conquête de l'amour et dans l'acquisition des qualités sociales et professionnelles – l'expérience de l'amour devant servir à développer toutes les qualités de l'être –, la réussite sociale et professionnelle s'obtient plus facilement que la réussite conjugale. En ce domaine comme dans les autres, l'apprentissage exige le témoignage vivant du couple parental, car, pas plus que les autres valeurs, l'amour ne peut s'apprendre seul.

Ce qui manque le plus aux jeunes, à partir de cette naissance à l'amour qui semble entrer dans leur vie avec la puberté, c'est de pouvoir « en parler » et de pouvoir entendre l'expérience des adultes. Or, sur ce point, comme sur celui de la sexualité qui l'accompagne, les adultes, donc les parents, savent mal s'exprimer. Faut-il répéter ici qu'on ne parle bien que de ce qu'on vit... bien ? Or, les vrais témoins de l'amour sont rares. Nous allons essayer de voir pourquoi.

ÉCLAIRAGE SUR L'AMOUR

Puisque tout ne peut commencer qu'avec l'amour de soi, de quoi celui-ci est-il fait ?

Nous ne pouvons aimer n'importe quoi..., ni n'importe qui. En outre, le sentiment que nous éprouvons à l'égard de l'autre, d'une personne ou d'un objet, est-il vraiment un sentiment d'amour ? Comment déceler la différence de contenu entre une émotion ressentie dans l'amour et celle qui parle de tout autre chose que de ce qui est bon pour soi ?

Deux éléments de base semblent nécessaires à la mise en marche d'une dynamique d'amour : tout d'abord, ce que je suis est bon à vivre. En dépit de mes imperfections, j'ai plaisir à être, à trouver ma place dans le monde et à y remplir ma mission. Mais, en même temps, il m'est agréable d'enrichir mon existence, ma vie, de ce qui peut me rendre plus complet, plus proche de la plénitude.

Ces deux composantes me permettent d'aimer ce que je suis et ce que je peux être. Elles impliquent une découverte : tout ce que je suis est bon malgré mes insuffisances ; et une expérience : la joie de l'évolution et de l'enrichissement personnel. C'est pourquoi j'aime ce que je suis, j'aime ce qui m'entoure et ce pour quoi je suis fait. Cette étape alors me conduit à prétendre et à pouvoir aimer un autre être que moi.

La totalité de l'objet

À quelles conditions l'homme peut-il s'aimer ? La réponse, simple en apparence, semble pourtant bien exhaustive : c'est de pouvoir s'accepter tel qu'il est. Or, cette acceptation de soi exclut toute tricherie : il ne s'agit pas de s'accepter avec ses seules qualités, mais de s'accueillir dans sa totalité et dans sa vérité. Peut-on dire que l'on aime une personne si c'est au prix d'une dissection : j'aime en elle telles qualités, mais je ne peux pas la voir avec tels défauts. Ce n'est plus la personne que je retiens alors dans mon amour, mais l'image des qualités qui me plaisent, auxquelles j'ai plaisir à m'identifier.

Bien sûr, les degrés ou l'intensité d'un sentiment d'amour sont très variés, partant de la simple estime pour atteindre l'apogée qui est l'union, proche de la fusion, avec l'objet d'amour. Mais je ne pourrai jamais prétendre aimer un être si je ne l'accepte pas dans sa totalité. Or, ses seules qualités ne composent pas sa totalité. C'est précisément face à ses défauts que l'amour va pouvoir se manifester, s'exercer. Où est donc la vertu dans celui qui prétend n'aimer que la perfection, cette denrée introuvable dans le monde des hommes ? Il faut de l'imperfection pour que l'on puisse aimer. La perfection peut susciter de l'admiration, mais ne peut engendrer l'amour actif. La dynamique de l'amour, en effet, est faite de partage, s'exprime dans le donner comme dans le recevoir mutuels et permanents de sa totalité.

La totalité, c'est l'être physique et psychique, tant dans son présent que dans son devenir. Si j'aime le héros ou la notoriété dans l'autre, que restera-t-il de cet amour quand l'anonymat ou l'échec arrivera ?

Le sentiment

À moins d'un aveuglement exceptionnel, il est aisé de reconnaître intellectuellement les limites de l'être humain. Mais l'acceptation de soi dont il est question est moins du ressort de l'intellect que de celui du sentiment. En effet, accepter intellectuellement n'inclut pas nécessairement une adhésion intérieure profonde. C'est ainsi que je peux adhérer intellectuellement à une idée, avoir une opinion, « être pour », sans pour autant me sentir capable ou désireux d'en vivre moi-même. Je peux fort bien concevoir les méfaits du tabac sans pour autant le sentir suffisamment au point d'en perdre l'attrait. D'une manière plus générale : « Je trouve cela complètement idiot, mais, c'est plus fort que moi, je ne puis m'en empêcher... » Il y a donc désaccord, désunion, entre la raison et le sentiment : « Je fais le mal que je déteste et ne fais pas le bien que j'aime. »

Jamais, peut-être, un mot n'a contenu autant d'ambiguïté que le mot « amour », au point de signifier des contraires. La pauvreté de notre langue, comparativement à d'autres, oblige à utiliser le même mot pour des objets aussi variés et différents que son mari, son enfant, son chien, sa voiture, son pastis, sa cigarette. La confusion est telle qu'on ne sait pas bien expliquer le sens du mot aimer. En voici quelques illustrations :

78

Première confusion

C'est là que se situe la différence entre l'amour de raison et l'amour du sentiment. On peut déclarer son amour pour un objet ou une personne qui séduit l'intelligence ou provoque l'adhésion de l'esprit, sans que cela soit perçu au plus profond du « senti ». On peut dire que l'un est reçu avec le cerveau et l'autre avec les « tripes ». La séduction intellectuelle est raisonnée, on peut lui demander pourquoi l'objet est aimé ; le senti est éprouvé, ressenti, sans que l'on puisse en expliquer la cause. L'amour intellectuel n'a pas de peine alors à être exprimé, on éprouve même le besoin de le faire. La différence est grande avec ce qui s'empare de tout l'être. C'est sans doute ce que l'on entend dans le quinzième hexagramme du Yi-King : « L'amour est un absolu et, comme tout absolu, il perd sa signification dès qu'on en parle. L'amour est infini, mais dès qu'il est nommé, ses limites apparaissent. Lorsque des amoureux parlent de leur amour, ils ne le vivent plus. Dès l'instant où ils réfléchissent sur l'amour, ils se considèrent comme des "amoureux" et non plus comme des êtres réels. Dans une certaine mesure, cette situation est inévitable. Mais ne perdez pas votre temps à réfléchir sur l'amour, vivez le pleinement sans vous poser de questions [1]. »

Deuxième confusion

Ce senti qui échappe à l'ordre rationnel, s'accompagne toujours d'un attrait, d'une indifférence ou d'une répulsion, mais il n'est pas facile de savoir quelle en est la cause et la motivation profonde. Ce n'est pas la personne ou l'objet en soi qui est aimable ou détestable, sinon tout le monde aimerait et détesterait la même chose. Mais quelque chose en moi est attiré par cet objet ou cette personne, ou, au contraire, quelque chose en moi « ne peut le sentir ». Et là, toute explication rationnelle est vouée à l'échec.

---

1. *Le Yi-King*, de Sam Reifler, éd. Retz.

Mais ce que l'expérience quotidienne nous révèle, c'est que ce « quelque chose en soi », propre à chacun, est le résultat d'une construction qui a été faite en nous. En réalité, le plus souvent, je ne sais pas non plus si ce que je rejette est mauvais pour moi ou pour cet autre construit en moi. D'où les étranges confusions qui nous font découvrir, en cours de route, que ce que l'on croyait aimer est un leurre, de même qu'on se surprend à sentir aujourd'hui de l'amour pour ce qu'on détestait hier. Combien de déclarations d'amour, jolies dans leur littérature, émouvantes dans leurs gestes, se sont avérées par la suite des manifestations trompeuses, pour les auteurs comme pour les témoins. « Je croyais l'aimer... On aurait pourtant juré qu'ils s'aimaient... » Et pourtant, chacun est, le plus souvent, de bonne foi et les aveux sont sincères, mais c'est sur soi-même que l'on s'est trompé et sur le contenu de son propre sentiment. La confusion porte sur la vérité de ce que j'éprouve. Ce que je sens vient-il vraiment de moi ou l'a-t-on construit en moi ? Est-ce que je l'aime vraiment ou me l'a-t-on fait aimer ?

C'est sur cette construction que s'appuie, entre autres, la dynamique de la publicité. L'objectif de celle-ci, en effet, consiste à faire aimer en suscitant des attraits, en rendant l'objet séduisant.

Les spécialistes des techniques de vente savent bien ce que cela signifie, eux dont la profession a pour but de faire aimer leur produit et rejeter celui du concurrent. Le snobisme et les lois du marché font le reste. De même, là où sévit le prosélytisme, on enseigne aux militants comment convaincre, faire croire, comment rendre une idée attrayante et l'idée adverse vaine, voire méprisable. L'art de la réussite publicitaire ou de la conquête militante est de savoir toucher, sensibiliser. Car l'homme a besoin d'aimer, mais malheur à lui si ce besoin vient à être exploité au profit d'un autre ou d'autre chose que lui-même. Cela explique pour une part pourquoi cette confusion attribue si aisément à l'excitation émotionnelle ou sexuelle le signe d'un sentiment amoureux. Sentiment amoureux oui, mais lequel, celui du Moi ou celui du personnage, celui de la mère... en Moi ?

Troisième confusion

De l'attrait que l'homme éprouve va surgir une décision. Tout ne s'arrête pas, en effet, à l'émotion du senti. Le senti contient une énergie qui appelle une action. On n'aime pas seulement parce qu'on est ému, touché, parce qu'on éprouve de la joie ou de la peine. Il importe de ne pas confondre les « palpitations cardiaques » avec l'amour. Les « coups de foudre » ne sont pas toujours des indications d'amour vrai.

L'amour, en effet, est plus qu'une perception, c'est aussi une réponse, un engagement, un élan, une action, un projet, une manière de vivre. Si donc la confusion est possible dans le sentiment, elle pourra se retrouver dans l'entreprise qui en résultera. Ce que je vais faire de cet objet, de cette personne, que je pense sincèrement aimer, peut aussi bien contenir des intentions contraires à l'amour, comme la satisfaction de soi ou le plaisir de posséder, de dominer. Ce que j'admire en lui m'apporte-t-il quelque chose qui m'enrichit vraiment ou répond-il à un désir qui flatte mon personnage ? Est-ce l'image de mon complément ou du héros que j'aimerais être ? Il peut se produire, en effet, que ne m'acceptant pas tel que je suis, je rêve d'être cet autre : musicien, vedette, champion sportif, homme ou femme de pouvoir. Leur image rencontre alors en moi un sentiment nostalgique souvent accompagné d'un désir d'identification. L'usage du mot « idole » traduit bien alors l'inflation ou l'utopie engendrée par l'émotion qu'elle provoque.

L'admirateur ou le fan entre dans une dynamique de dévotion, de culte. Mais sous son aspect votif, cette action est dépourvue d'un amour constructif. La dévotion est un amour de dépendance et non de création. Cette entreprise de déification explique pourquoi les fidèles ou les supporters pardonnent difficilement les faiblesses de leur modèle et pourquoi le déclin de celui-ci entraîne son rejet dans l'oubli. C'est une particularité de ce genre d'amour où l'on « craque » et l'on « explose », avec tous les débordements, jusqu'à l'hystérie, dont s'emplissent les stades ou les manifestations de tout ordre. Certes, l'amour n'est pas insensible à l'exploit, mais ne s'en nourrit pas pour entretenir la nostalgie d'une perfection absente de la personnalité.

Au-delà de cette dévotion, le comportement actif de l'amour de soi débouche sur une action créatrice. La dévotion rend un culte, l'amour de soi crée et enrichit la qualité de l'être personnel du Moi. On peut dire que la dévotion est une identification passive et l'amour un dynamisme constructif. Paradoxalement, la première apparaît souvent comme une vertu et le second comme une monstruosité, portant ainsi la confusion à son comble. On croit s'aimer et c'est un autre qu'on aime en soi.

Quatrième confusion

Le discours religieux, philosophique ou politique a eu trop tendance à opposer l'amour de soi à l'amour des autres, confondant souvent par là même ce dernier, appelé humanisme, avec le piège du paternalisme, du protectionnisme, de la recherche de considération ou de la récompense en retour, tous ces ersatz de la possessivité et du besoin d'un pouvoir reconnu.

Il est frappant d'entendre la proclamation quasi universelle du premier commandement divin : « Aimez-vous les uns les autres. Aimez votre prochain comme vous-même », sans que l'on explique et, probablement, sans que l'on sache ce que signifie s'aimer soi-même. Si l'énoncé de cette condition préalable est si difficile à recevoir, c'est sans doute parce qu'elle est porteuse d'exigences redoutables. En revanche, on qualifie facilement d'égoïstes ceux qui ne répondent pas aux appels dits de charité.

Comme pour l'humiliation et l'humilité, l'homme parvient mal à distinguer nettement l'égoïsme de l'amour, tant il est vrai que dans le comportement, la confusion est souvent grande. Il n'est pas rare, en effet, qu'un apparent égoïsme cache un véritable amour ou qu'un amour proclamé serve de couverture à un égoïsme fieffé. Ainsi ce témoignage que l'on m'a confié : « Les pauvres à secourir nous rendent un grand service en nous permettant, par nos dons, de soulager notre conscience. » « La générosité est le plus dangereux visage de l'erreur », écrit Robert d'Harcourt[1].

Bien sûr, l'égoïsme existe, en particulier quand il se manifeste par la complaisance à l'égard de son propre personnage ou par le culte entretenu pour flatter son image. Mais cette complaisance et ce culte sont totalement étrangers et contraires à l'amour authentique de soi-même. L'égoïsme s'apparente à l'autosuffisance et l'amour à l'enrichissement mutuel. Agir au nom de l'amour n'est pas nécessairement agir par amour.

Comme nous l'avons déjà observé, s'entendre dire « c'est parce que je t'aime que... » n'est pas pour autant rassurant sur la qualité du sentiment invoqué. Quand celui-ci est sincère et objectif, éprouve-t-on vraiment le besoin de le proclamer ? En revanche, ne parle-t-on pas de l'amour possessif, jaloux, dévorant, aveugle, insensé... ? L'amour vrai n'est rien de tout cela. C'est cette confusion qui faisait écrire Katherine Mansfield[2] dans son journal : « Si l'on pouvait seulement distinguer l'amour vrai du faux, comme on distingue les bons champignons des mauvais[3] ! »

La condition nécessaire

On ne peut offrir à l'autre que ce qu'on possède en soi-même, c'est-à-dire ce qu'on est. Si j'ai peu à donner, je ne pourrai aimer plus. Et il ne s'agit nullement d'un don matériel, mais de quelque chose d'intérieur qui participe à l'épanouissement de l'être. Le don matériel n'est qu'un symbole qui peut aussi bien traduire un sentiment de possession qu'un sentiment d'amour. Et si « la manière de donner a plus de valeur que ce que l'on donne », c'est plus vers la main qui offre que vers son contenu qu'il faut aller chercher la qualité d'amour.

Nous ne décidons pas de ce que nous donnons à l'autre dans la relation d'amour, car nous ne pouvons donner que

---

1. *L'Évangile de la force, op. cit..*
2. 1888-1923.
3. Éd. Stock, coll. « Bibliothèque cosmopolite ».

ce que nous sommes et nous ne savons pas vraiment ce que nous sommes. Nous ne savons pas non plus en quoi notre personnalité peut enrichir l'autre ou pas, mais nous pouvons sentir un apport réciproque et cela suffit. Là se situe la complémentarité. Donner à l'autre, ne s'inscrit dans un acte d'amour que si ce don répond à un désir ou à un besoin réel de l'autre. Visiter un malade peut apporter à celui-ci de l'ennui ou de la fatigue. On ne peut imposer un don à l'autre.

C'est pourquoi aimer quelqu'un ou lui procurer une aide nécessite en premier lieu d'être capable de sentir – pour savoir – ce que l'autre désire ou attend et, ce qui est encore plus difficile, si son objet de désir est bon pour lui. Le rationnel ou une argumentation soi-disant scientifique n'est en l'occurrence d'aucune aide. Ce que le pauvre, le malade, le souffrant ou celui qu'on croit aimer attend, c'est qu'on puisse, comme il le formule souvent, « se mettre à sa place ». Quiconque ne peut y parvenir, au moins partiellement, risque d'être plus agresseur qu'aide ou ami. Pour accéder au territoire de cette « place de l'autre », il importe d'abord de ne pas chercher à l'occuper de force, mais de répondre à une invitation discrètement exprimée. La première démarche consiste donc à obtenir ou à quérir cette information, et non pas à venir s'acquitter d'une « b.a. » ou d'un acte prétendu vertueux, d'un devoir.

Les « chasseurs » de malades ou de pauvres, comme les « distributeurs » de cadeaux, répondent plus parfois à un besoin personnel de possessivité ou de rachat qu'à un sentiment gratuit. Ils ont besoin d'une clientèle à protéger (malade, pauvre). On les entend d'ailleurs trop souvent parler de leurs malades, leurs pauvres, leur être aimé. La différence est grande parfois, et du même coup la confusion, entre ce qu'on prévoit ou décide pour l'autre, ce que l'on croit être son bien ou son bonheur, et une véritable disponibilité ou un accueil à sa demande d'abord. L'acte d'aimer peut ainsi se transformer en véritable intrusion et en viol de la personne. Cette intrusion est du même ordre que celle qui, sous prétexte d'aide ou d'affection, provoque ou extorque les secrets ou confidences de l'autre accablé par la douleur ou un sentiment dépressif.

Complémentarité et non-possessivité

La relation d'amour, même concrétisée par une vie de couple officialisée, s'exprime dans la complémentarité et non dans la possessivité. On l'a trop souvent enfermée dans un carcan de droits et de devoirs, engendrant ainsi la pire des confusions. Personne, même dans une relation d'amour, ne possède de droits sur quelqu'un, comme personne ne peut exiger de l'autre des devoirs. L'organisation de la société nécessite un code de droits et de devoirs pour le « bon ordre » et le meilleur fonctionnement, mais l'individu ne saurait, lui, prétendre à ce pouvoir.

Ainsi, à l'intérieur d'un couple, un comportement obligé par un prétendu devoir, et donc dépourvu de spontanéité et de sentiment, n'est ni sain ni épanouissant pour les partenaires comme pour les témoins. De quel droit, par exemple, l'un d'eux peut-il exiger de l'autre qu'il lui « dise tout » et ne « cache rien » ? Quel droit attribue à l'un de s'immiscer, de « fouiller dans les affaires » de l'autre ? Il importe de ne pas confondre complémentarité avec abandon de la personnalité, ni amour avec tyrannie. C'est tout le contraire. Le véritable amour implique le respect de l'autre et exige même parfois de se retirer et de se taire. De même vivre ensemble n'entraîne pas de tout faire ensemble ni d'« être toujours ensemble ». Aimer n'est pas envahir le territoire de l'autre, mais demeurer disponible et « la porte ouverte ». En définitive, de quoi est faite la capacité d'aimer ?

D'abord de l'aptitude à m'accepter moi-même, tel que je suis, pour pouvoir accepter l'autre tel qu'il est. Ensuite, de la dynamique à construire avec l'autre un enrichissement mutuel qui favorise l'épanouissement de chacun.

La vie de couple est une marche vers l'unité et la totalité de l'être. Ces deux dispositions rendent l'être indulgent, compréhensif et aimant à l'égard de tout autre, quel qu'il soit. Elles dynamisent chacun dans sa volonté de plénitude de la vie, sa recherche de complémentarité avec l'autre sexe et d'enrichissement apporté par celui ou celle qui est différent de soi. C'est après avoir ressenti ses manques et son désir d'une vie pleine que l'individu est le mieux préparé à rechercher et accueillir son complément. C'est la découverte de cette complémentarité qui permet d'accéder à la totalité de l'être. C'est aussi dans cette complémentarité que se construit le projet de la réalisation du couple. Le couple n'existera que par cette prise de conscience. Il s'effondrera dès que s'étiolera la dynamique de la complémentarité, dès que l'un ne sentira plus la complémentarité de l'autre.

LES ÉTAPES DE L'AMOUR

À la découverte de l'autre

Si l'épanouissement de l'être humain, qui constitue l'essentiel de notre objectif, passe nécessairement par l'amour de soi, et si la même condition est requise pour prétendre à une vie de couple réussie, il nous faut donc connaître tout ce que nous sommes. Or, pour découvrir la totalité de son être, chacun doit entendre une vérité qui ne manquera pas de lui paraître pour le moins mystérieuse, sinon comme une affaire d'intellectuels, celle de la bisexualisation. Qui n'a pas déjà lu ou entendu, un jour ou l'autre, que tout être humain est bisexué ? Depuis la génétique qui nous explique l'indifférenciation à l'origine de l'être sexué, jusqu'à la psychologie qui nous affirme que tout homme contient un être féminin et toute femme un être masculin, il est bien difficile de comprendre ce que cela signifie. Tenter d'en fournir une explication plus concrète et accessible à tous est peut-être une gageure. Mais sans doute est-il possible d'en donner un aperçu suffisant pour ce qu'il nous est si important de comprendre. Cette explication n'est pas destinée, bien sûr, aux scientifiques ou aux intellectuels qui voudraient satisfaire leur esprit. Il s'agit moins d'acquérir une connaissance qu'une expérience. Mais là commence l'expérience de la complémentarité.

86

Où aller chercher ce féminin dans l'homme et ce masculin dans la femme et qu'est-ce que cela signifie ? Nous sommes déjà capables d'en découvrir l'existence, dès lors qu'il nous arrive d'observer des aspects féminins dans le comportement de certains hommes, comme des aspects masculins dans celui de certaines femmes. On accepte encore facilement que cette différence sexuelle puisse être plus ou moins confondue durant les premières années de l'existence, au risque de prendre un bébé garçon pour une fille ou inversement.

C'est intérieurement que l'intégration de l'autre sexe doit se faire. Bien sûr, les comportements que nous venons de souligner font état de ce manque d'intégration, mais il n'apparaissent pas toujours. Une femme d'apparence très féminine, un homme d'aspect très masculin ne traduisent pas forcément l'accomplissement de cette intégration. Personne n'atteindra cette capacité avant d'avoir au moins commencé à assumer sa sexualisation. Les jalons doivent d'abord être posés pour permettre au garçon de s'accepter comme homme et à la fille de s'accepter comme femme en vue de parvenir, au terme de leur adolescence, à ce que l'on pourrait appeler leur autonomie sexuelle.

Cela commence dès le premier instant et se met définitivement en place dans les premières années de la vie. La confusion, en revanche, sera inévitable si l'on s'acharne à donner au petit garçon l'apparence d'une fille, ou inversement, entretenant ainsi le regret d'avoir mis au monde un enfant de sexe non conforme à son projet.

La découverte et l'acceptation de soi comme homme pour un garçon et comme femme pour une fille dépendront de l'image de l'homme proposée, parfois imposée, au garçon par le père ou un substitut ; de l'image de la femme proposée, ou parfois imposée à la fille par la mère ou son substitut. La fille intégrera son être féminin, sera heureuse d'être une femme proportionnellement à l'envie que sa mère lui en aura donnée et le garçon assumera sa qualité d'homme en fonction de l'image qu'il en aura reçue de son père. L'image du père et de la mère se présente donc à l'enfant comme celle des premiers témoins qui lui serviront de référence. Mais le masculin de la mère peut venir usurper l'image du père, surtout si elle fait partie de ces femmes qui « portent la culotte ». Le féminin du père peut, de son côté, interférer dans le regard de la fille sur sa mère.

Quand cette base de la découverte de soi est mise en place, il restera, pour chacun, à partir à la découverte de l'autre en soi. Car la qualité de relation à l'autre dans le couple sera fonction de la qualité de relation à l'autre en soi : la femme par rapport à son masculin, l'homme par rapport à son féminin. Cette relation intérieure est elle-même conditionnée par l'image qu'offre le couple parental et ensuite les couples de l'entourage. C'est d'abord aux parents qu'il appartient d'aider le garçon à découvrir ce qu'est la femme dans sa spécificité féminine et à la fille de reconnaître ce qu'est l'homme dans sa spécificité masculine. La difficulté pour un homme à distinguer ce qu'est l'être féminin et pour une femme à expliquer ce qu'est l'être masculin tend à montrer que cet apprentissage est complexe. On a le plus souvent l'impression, quand on demande à chacun d'exprimer sa différence, de lui poser une « colle ». Si, pour beaucoup, la différence est, somme toute, d'ordre génital : être femme, c'est avoir des seins et un vagin, être homme, c'est avoir un pénis – en dehors des boutades plus ou moins superficielles ou gauloises –, la réponse la plus courante est que « c'est compliqué ». En tout cas, enfermer la différence et la complémentarité sur le plan physiologique et externe conduit à ne retenir qu'une composante d'une totalité où l'essentiel est d'ordre psychologique et intérieur.

Certains aspects peuvent être facilement observés dans ce qui distingue l'un de l'autre, par exemple au niveau de la sensibilité et de l'intuition, comme dans la fonction intellectuelle ou l'insécurité par rapport à l'avenir, plus aiguës chez la femme. La relation à la réalité est aussi différente : l'homme se sent plus à l'aise dans le concret et le réel, et la femme est plus familière avec l'imagination et l'irréel. L'homme parle plus par les gestes que par les mots. Les subtilités et les contours du féminin font face aux maladresses et aux expressions massues du masculin. Et si la complexité de cette différence entre l'homme et la femme remontait à l'histoire de la « faute originelle » ? On y trouve déjà, en effet, la description de ce qui distingue les comportements psychologiques.

Pour la femme, comme Ève, connaître c'est expérimenter, goûter, sentir, sans tenir compte de l'interdit ou d'un pouvoir supérieur que l'on veut s'arroger. Elle sait alors compromettre l'autre, Adam. L'homme, de son côté, fera endosser à la femme la responsabilité d'une entreprise engagée ou qui a échoué, en pesant de toute son influence. « C'est elle qui m'a poussé... » L'erreur commune est d'avoir voulu « se faire l'égal de Dieu », nous dit le catéchisme, autrement dit de ne pas s'accepter tels qu'on est. L'enfant aura donc à faire face, dès sa naissance, à cette complexité.

Quoi qu'il en soit pour l'enfant, là aussi, l'image présentée par les parents va, le plus souvent, servir de modèle. Il aura deux références : chez le père, l'image de l'homme pour la sexualisation du garçon et l'intégration du masculin pour la fille ; chez la mère, l'image de la femme pour la sexualisation de la fille et l'intégration du féminin pour le garçon. Chaque personne ne pourra offrir que ce qu'elle a vu ou ce qu'elle est, et assumera valablement la responsabilité de son comportement à l'intérieur de l'entreprise du couple dans la mesure où elle aura pu construire sa propre autonomie sexuelle.

Le père ne présentera rien de plus que l'homme qu'il est. La mère ne proposera rien d'autre que la femme qu'elle est. L'un et l'autre constitueront la première référence dans le projet d'amour de leur enfant. La relation amoureuse, pour ce dernier, partira de l'image que lui auront offerte ses parents dans leur relation affective, avec ses élans spontanés ou son expression réservée, ses gestes et ses discours, ses excès et ses interdits. Faut-il donc composer une image de perfection et cacher les échecs ? On ne trompe jamais totalement le sentiment éprouvé par celui qu'on veut berner. L'enfant a besoin de découvrir que si l'homme et la femme sont destinés à vivre ensemble, à se compléter et à s'enrichir mutuellement, cette entreprise ne se fera pas sans accrocs. À travers le témoignage des maladresses et des manques, il pourra découvrir les balbutiements et les ratés de l'amour autant que par l'exemple des rattrapages, des compréhensions et acceptations de l'autre. L'essentiel est de sentir que ces deux êtres ne sont pas l'un pour l'autre un associé, une aide ou une compétence nécessaire, mais sont deux êtres distincts qui se complètent et qui s'aiment dans une union génératrice de plénitude et d'épanouissement. En tout cas, l'image du couple parental servira de base au projet de couple de l'enfant : accueillir l'autre, pour pouvoir vivre avec, ou se servir de l'autre pour faire porter ses problèmes. Ce sera pour reproduire ce qu'il a vécu ou pour s'y opposer, mais toujours à partir du témoignage des parents. Si, au terme de son expérience, il n'a pas découvert la complémentarité à l'intérieur du couple, tout restera à faire. La rencontre des générations est nécessaire pour l'enrichissement de ceux qui prennent la relève et pour la transmission de la mission qui est le chantier et l'évolution de la communauté des hommes. Si cette communication et cet échange n'ont pas lieu, il y a un manque dans la responsabilité des premiers et le besoin des seconds. Dans le monde de l'amour, c'est du témoignage des adultes, et des parents d'abord, que les jeunes attendent les réponses aux nombreuses questions qui les assaillent.

L'attrait de l'autre

Mais quelle que soit la qualité de l'image de l'autre inscrite en soi durant les années de petite enfance, la nature n'attend pas. Bientôt, l'heure va sonner de la naissance de l'attrait réciproque.

Progressivement, à l'approche de l'adolescence, un sentiment mystérieux commence à naître avec la vision ou la rencontre de l'autre. L'émotion éprouvée ira grandissante – c'est son cours naturel – à moins qu'une opposition extérieure ne vienne y faire barrage. En réalité, une dynamique nouvelle s'est mise en marche, destinée à favoriser l'éclosion d'une plus grande autonomie ou capacité de prise en charge de soi-même. Elle est au service de l'être pour le faire entrer dans sa vie adulte et le conduire à son achèvement.

Jusqu'alors son engagement personnel dans l'acte d'aimer était dépendant de la mère. Désormais il doit se sentir capable d'exercer ses propres forces dans cette entreprise et de percevoir un grand désir d'agir monter en lui. Il est plus apte à se sentir, à éprouver émotions et sentiments, à faire l'expérience de la relation étroite entre la vie du corps et la vie intérieure. Il peut participer activement à l'amour de lui-même. De toute manière, quel que soit le degré de préparation ou de maturation, l'attrait et le désir de l'autre, à moins de perturbations que nous ne développerons pas ici, est installé en cet être qui grandit. L'expérience de celui-ci est incomplète et ne comble pas une certaine solitude. Il sent plus qu'il ne sait le besoin qu'il a de l'autre, cet être complémentaire, pour lequel vibrent à la fois son être physique et son être psychique. Tout est donc prêt pour introduire la rencontre et faire l'apprentissage d'une connaissance mutuelle.

Ce parcours d'environ une dizaine d'années est imposé par une structure naturelle facile à suivre dans le développement progressif et spectaculaire du corps. Ce qui est moins visible, mais tout aussi profond et merveilleux, c'est l'évolution intérieure, la maturation de l'être psychique sollicitée pour accompagner l'achèvement physique. C'est, en tout cas, une énergie intense qui envahit tout l'être. Mais qui va s'emparer de cette énergie ? Le Moi ou quelque intrus de l'extérieur ? Un projet pour soi ou l'accomplissement d'un plan maternel ? Une marche vers une unité féconde ou l'esclavagisme d'une dépendance, l'assujettissement au pouvoir de l'autre ? Ce moment de la vie est d'une importance insigne et comporte l'enjeu, le plus souvent, d'un achèvement ou d'une infirmité affective. C'est un carrefour où s'opposent deux directions : la voie de la réalisation de soi ou l'effondrement dans ce qu'on pourrait appeler la dévoration maternelle.

Il est surprenant de constater combien d'individus demeurent bloqués à tel ou tel palier de cette progression. Le corps ira jusqu'au bout de sa totalité physique, du moins dans la plupart des cas, mais si l'être psychique n'a pas suivi, nous sommes en face d'un handicapé. Tout au long de la vie, les signaux clignoteront pour rappeler qu'une partie de l'individu est restée en rade et attend toujours qu'on aille la récupérer. Le corps lui-même, servant de compagnon à cet être psychique bloqué dans sa maturation affective pourra souffrir de ce déséquilibre dont les symptômes les plus fréquents se révéleront dans la vie sexuelle. On ne peut s'en sortir sans revenir au point de blocage, là où le véhicule est resté embourbé.

On éprouve alors fortement le besoin, même à quarante ans ou plus, de vivre cette expérience inachevée, stoppée par quelque interdit ou détournement à douze, quinze ou dix-huit ans. Certains maintiendront ce blocage à coups de refoulements, avec des risques permanents ou jusqu'à l'arrêt implacable.

Si tout se passe bien, ou suffisamment bien, cet apprentissage à la rencontre de l'autre ne se fera pas sans l'expérience d'une participation active et concrète à un projet commun avec les partenaires de l'autre sexe. Ainsi se prépare l'aptitude à la vie de couple, cette complémentarité active qui ouvre l'accès à la plénitude et à la plus grande unité de l'être. Chacun y trouvera les données nécessaires à cet accomplissement, proposant une action permanente à l'union des âmes et des corps. Ce n'est plus seulement le « vivre avec » de l'intégration, mais le « vivre ensemble » avec toutes les exigences contenues dans cette expression. Ce parcours se déroule rarement de façon idyllique, et il faudra, là aussi, s'en accommoder. Notre objectif ici est moins de proposer un modèle que d'indiquer une direction.

L'expérience de la mixité

Si l'exemple des adultes, celui des parents en particulier, constitue l'assise indispensable à la découverte et à la reconnaissance de l'autre, l'expérience est, parallèlement, nécessaire. Or, l'expérience de la vie en mixité est un fait nouveau qui n'a pas encore droit de cité partout. Là où il est admis, il n'est pas pour autant bien intégré.

Le chemin parcouru n'est toutefois pas une mince avancée. Il n'est pas encore très éloigné le temps où rencontrer, seul à seul, le ou la partenaire était aussitôt suspecté des intentions les plus douteuses. Le scandale était souvent proche. Tout se passait comme si la relation homme-femme ne pouvait s'enrichir d'autre chose que d'une « aventure » sexuelle. C'est pourquoi la mise en garde contre ce démon de l'amour était déjà en place dès les premières années de vie, les structures scolaires et les loisirs. Avec l'approche de l'adolescence, le danger devenait plus grand, jusqu'à l'enfermement plus ou moins méthodique de la jeune vierge devenue d'ailleurs le plus souvent effarouchée.

Depuis 1968, cette ascèse janséniste a éclaté et la mixité est quasiment devenue institutionnelle. Si elle est encore hésitante et maladroite, c'est parce qu'elle doit faire son apprentissage et se dégager des séquelles archaïques encore gorgées de tabous tenaces ou de réactions excessives nourries de provocations. Maintenant, dès qu'on se rencontre, on s'embrasse plutôt quatre fois que deux. On partage de plus en plus d'activités, on fait de plus en plus de choses ensemble sans craindre le scandale ou la condamnation du puritain. Le chemin est donc ouvert pour un apprentissage à une meilleure connaissance de l'autre.

Mais féminisme ou misogynie, machisme ou égalitarisme ne sont pas des dénonciations ou des procès suffisants pour susciter l'ouverture nécessaire à la découverte de l'autre. De même, celui qui n'a vécu « qu'au milieu des femmes » ou celle qui n'a vécu « qu'au milieu des hommes » ne connaît pas l'autre pour autant. Vivre ensemble, faire quelque chose ensemble n'enrichit chacun que lorsque celui-ci, délivré des préjugés, parvient à une démarche spontanée et à un accueil ouvert. Ce qui est alors nécessaire au sentiment de la complémentarité de l'autre rendra possible cet ensemble. Mais pour cela il ne suffit pas de les « mettre ensemble ».

Les obstacles, en effet, sont nombreux et nous allons voir ce qui se passe quand chacun, ou l'un des deux, doit poursuivre son processus d'autonomisation dans une situation qui, normalement, suppose cette autonomie déjà acquise.

DE LA COHABITATION À L'UNION

Les motivations qui président à l'entreprise du couple sont multiples et engendrent souvent des erreurs de perspectives.

La voie de la « libération »

Telle est, pour certains, la solution qu'offre la vie de couple au désir de libération de l'emprise parentale. On va pouvoir enfin s'organiser, décider et vivre librement sans être assujetti au gouvernement matriarcal ou patriarcal. Le mariage va enfin accorder la permission de se libérer de l'emprise familiale.

Celui qui se détermine ainsi ignore qu'on ne résout pas un problème en le fuyant. S'il n'a pu jusqu'ici se défaire d'une dépendance, c'est qu'il ne peut s'en passer. Nous le retrouverons alors matériellement, physiquement, à l'écart de la maison familiale originelle, mais en train de reconstituer inconsciemment les structures qui le sécurisaient hier, parce que désormais devenues vitales. Le plus souvent, il a été victime d'un attrait pour un ou une partenaire qui lui a renvoyé l'image de la mère dont il n'a pas encore pu se détacher, ou de l'autorité d'un père qui décide de tout ou impose l'image héroïque de sa présence. Combien se retrouvent ainsi reliés à leur mère dans la personne de l'autre qui a pris le relais – c'est le cas le plus fréquent – ou réunis à leur père par la présence de l'autre qui en produit le reflet.

On a changé d'acteurs, mais la pièce est la même. La situation est alors précaire et nul ne saurait dire jusqu'à quand cette relation enfant-mère ou enfant-père pourra durer, avec les multiples retombées qui vont en résulter. Au mieux, cela pourra rester en l'état jusqu'à la fin de la vie : si chacun s'est figé dans son rôle et est parvenu à s'y trouver bien. Mais il n'est pas rare qu'on ressente en cours de route une erreur de parcours et qu'on décide d'avoir des aventures ou de transformer la relation en changeant de partenaire.

L'accomplissement d'un devoir

Il en est pour qui le mariage est perçu comme un devoir à remplir, doublé évidemment de celui procréer. Cela se fait parce que cela doit se faire. On le rencontre, en particulier, dans les familles dont la structure soigneusement établie se donne le devoir de reproduire l'exemple de la mère ou du père. Il sera bien difficile d'y rencontrer l'amour, mais une organisation bien gérée où chacun, à sa place, remplit une fonction définie : il pourra dire qu'il « a fait son devoir ». C'est le couple institution dont l'objectif, souvent, est de perpétuer un nom, d'assurer le maintien d'une lignée, peut-être d'un patrimoine, de rester fidèle à un clan aux règles strictes et précises. C'est à l'intérieur de cette catégorie qu'apparaissent encore des critères de choix du ou de la partenaire, plus ou moins imposés par la famille, et que le rejet d'une prétendue mésalliance fait abstraction de l'attrait personnel et se rapproche d'une sorte de racisme social.

La carte de visite

Pour beaucoup, sinon pour la plupart, la décision du couple découle d'un tracé inéluctable qui s'inscrit dans la vie d'un être dit normal. Le mariage devient alors la composante indispensable d'un bon statut social. L'être humain accompli doit être capable de « fonder un foyer », s'il veut être considéré comme adulte. L'inaptitude a remplir cette responsabilité revient à donner de soi l'image d'un être incomplet, immature. Il doit apporter la preuve de sa capacité à engendrer, la stérilité étant la marque d'une tare, d'un égoïsme ou d'une impuissance qui le diminuerait aux yeux de la société. Il s'agit de montrer qu'on est capable de construire une famille comme on est capable d'avoir un métier, d'être un homme ou une femme, à part entière, en un mot de « faire comme tout le monde ».

Là aussi, l'amour est souvent absent, et le couple court le risque de s'user en connaissant l'ennui et tous les méfaits de la routine. La même carence guette les couples où le choix de l'autre se réfère à des critères de beauté physique ou de qualités spécifiques. C'est la carte de visite de luxe où l'autre devient l'objet à montrer. On s'attribue alors une valeur de « bon goût » ou, plus souvent, le pouvoir d'avoir séduit un être que tout le monde ne peut s'offrir. Cet exemple de la partenaire « femme (ou homme) à montrer » découle souvent du contrat engagé par la relation fusionnelle à la mère, à la déesse-mère, la plus belle entre toutes les femmes, (ou au père-héros).

Ceux-là projettent encore dans la vie du couple légitimée et sacralisée par la mairie et l'Église la solution exonérant de la faute ou le déshonneur d'être un parent célibataire ou de vivre conjugalement. Par le mariage, la satisfaction du plaisir sexuel devient alors permise et se transforme en vertu quand elle est assortie de procréations. Là aussi, il n'est pas facile de rencontrer l'amour. Le couple est vécu comme une issue moraliste à une pulsion considérée comme une faiblesse insurmontable, une infirmité dérivée d'une condition animale dégradante. Cette conception peut rejoindre l'idée de ceux qui préconisent la guerre comme remède au besoin d'agressivité dont tant d'hommes sont pénétrés. Mais légitimer n'est pas guérir.

La satisfaction du désir de maternité

Enfin, il existe, pour la femme en particulier, le besoin de passer par le couple pour satisfaire à son désir de maternité. Se marier signifie donc entrer dans la fonction de mère : on veut d'abord et essentiellement avoir des enfants. Comme il a été évoqué précédemment, il n'est pas rare d'entendre certaines jeunes filles exprimer cette perspective du mariage comme une nécessité inévitable dont elles se passeraient bien, s'il leur été possible d'avoir un enfant sans père.

Puisque matériellement il faut un homme, elles se contenteraient d'en recevoir un pour « le besoin de la cause », mais sans avoir à prolonger ce « passage » dans une relation permanente. Cette solution s'avérant difficile ne serait-ce que par le jugement de la société, on « passera par » le mariage.

96

Résultats

Ces différentes motivations font des couples, mais l'amour en est plus ou moins absent ou la qualité de cet amour est trop fragile pour résister à l'épreuve du temps, du quotidien. On s'étonne de la proportion des séparations ou des divorces, mais le pourcentage habituellement énoncé est objectivement en dessous du nombre réel des couples sans âme et qui, au nom du devoir ou autre contrainte, subissent une situation et se figent dans la souffrance.

Quelles sont, en effet, ces figures de couples ? Dans le couple relation mère-enfant, où l'un possède l'autre, c'est un statut de dépendance atteignant parfois la fusion. Il n'y a pas deux personnalités, mais un puissant et un assujetti. Et quand la dépendance atteint son paroxysme, elle bascule dans la fusion : il n'y a plus qu'un seul être en deux parties. La mère a dévoré l'enfant.

Dans le couple produit du devoir, nous aurons affaire à un statut de cohabitation qui va de la juxtaposition à l'association. On se contentera alors de la bonne entente. On y retrouvera parfois une organisation de communauté où la vertu de chacun sera d'être un « bon pratiquant », soucieux d'observer les règles établies. Et si l'amour est absent, le « faux air » ou l'hypocrisie en prend souvent la place.

Le couple « carte de visite » s'applique à être conforme au modèle, à l'image du couple fidèle à ce qui amène la considération, la qualification. Il a choisi d'être « normal », c'est-à-dire de s'appliquer les normes du moment. Le souci viendra du programme à établir, du vestiaire et de l'équipement, du mode de vacances, des choses « à voir » ou « à faire » pour paraître « dans le coup ». On s'ennuie souvent dans ce couple. Il peut aussi appartenir à ce type de relation établi sur un rapport de forces, de pouvoirs. On est rarement ensemble, et surtout très peu présents, disponibles et réceptifs à l'autre, on se rencontre « au passage ». On souffre, dans tous les cas, d'un certain isolement.

Il y a enfin les couples où la relation s'inscrit dans l'amitié, ce degré qui ne va pas jusqu'à l'amour, en dehors de la relation physique, souvent parce qu'on en a peur. Combien de fois entendons-nous cette plainte : « Jamais il ne me dit : je t'aime », ou cette déception devant la réponse : « À quoi bon. C'est évident, tu le sais bien... » Cette relation pourra rester alors celle de compagnons de jeu ou le remède à la solitude : on s'ennuie moins à deux et on fait plus facilement face aux difficultés de la vie. On retrouve cela dans des formulations du genre : « Quand est-ce que tu m'emmènes... » propres surtout à la femme qui se voit mal « sortir seule ».

Chaque couple, bien sûr, n'est pas circonscrit dans l'une ou l'autre de ces catégories mais est contenu, le plus souvent, un peu dans chacune d'elles. Ce qu'elles ont en commun, c'est une soif insatisfaite d'amour et parfois une lassitude de ses succédanés.

L'ENFANT

Il n'est pas possible de traiter de la relation du couple sans y inclure la place donnée à l'enfant qui en naîtra. Une complémentarité active ne peut qu'aboutir à la fécondation d'un projet, d'un être nouveau. Sans revenir au développement du deuxième chapitre, nous nous arrêterons ici à l'impact que ne manquera pas d'avoir la venue de celui-ci à l'intérieur du foyer. Avec l'arrivée de l'enfant, c'est la promotion à la qualité de famille qui est désormais acquise. L'enfant devrait être le témoin d'une union réussie, la synthèse issue d'une fusion des cœurs et des corps, symbole d'une unité accomplie. Mais l'acte technique ou physique de la procréation peut aboutir au même résultat sans, pour autant, être le fruit ou le signe de cette unité. Attention alors à ne pas façonner un enfant-objet plutôt qu'un être nouveau, à personnalité unique, investi d'une mission dans le monde des hommes.

Dans le couple construit sur une relation mère-enfant, il n'est pas rare que cette nouvelle présence soit mal reçue par le mari, premier enfant de la mère. Celui-ci, le plus souvent

« enfant unique », se sent alors devoir partager la place auprès de la mère, avec tout ce que cette situation peut induire de jalousie, de concurrence, voire de rivalité.

Nous avons évoqué, d'autre part, le danger d'identifier la femme à la fonction maternelle et de l'y enfermer au risque de tuer le féminin qui l'habite : « sois mère et tais-toi », et de reléguer dans l'accessoire sa qualité d'épouse. Or, la femme a besoin de vivre totalement, *avec* sa fonction maternelle et non pas *dans* cette fonction l'absorbant tout entière. Cette restriction ferait d'elle une image tronquée de la femme à servir en modèle à son enfant : la femme mère effaçant la femme épouse. N'être que mère n'est pas être femme. Le risque est égal, quoique moins répandu, pour l'homme époux transformé en homme père ou, au contraire, en mâle générateur. Sa présence dans le couple ne se limite pas à celui par qui l'enfant naît, sera nourri et « élevé ».

Notons enfin que celle ou celui pour qui la vie de couple trouve essentiellement, peut-être uniquement, sa raison d'être dans la responsabilité de mère ou de père court le risque de se sentir sans objet ou raison d'être quand les enfants, parvenus à l'état adulte, assument leur autonomie et s'envolent du nid familial. Ce n'est pas la moindre explication des états dépressifs chez la femme de cinquante ans, dépouillée subitement de son activité protectrice ou sécurisante.

Nous sommes parfois témoins d'une autre réaction, celle de la femme mère « mangée » par sa fonction mais aspirant à vivre la femme totale qu'elle entretient en elle. Il lui arrivera alors, au cours de ses maternités, de trouver ses enfants pénibles et embarrassants. Elle se surprendra à désirer en être « débarrassée ». En réalité, elle souffre de n'avoir pu encore commencer à aimer vraiment son partenaire ou d'avoir dû interrompre cet amour. Aspirer à l'éloignement des enfants révèle donc son besoin de vivre une autre relation dans l'amour de l'autre.

L'« unique »

Ce n'est pas l'unicité inhérente à tout être humain dont il est question, mais d'une sorte d'unicisme, du culte de l'enfant unique. Sans entrer dans les détails des motivations qui ont déterminé l'existence d'un enfant unique, il semble important de faire ressortir ici l'attention particulière exigée dans l'éducation de celui-ci. Ceux qui l'accompagneront dans les premières années de sa vie devront posséder de grandes qualités pédagogiques pour être en mesure d'aider cet enfant fragile de par sa condition à atteindre sa maturité.

Cette condition d'uniciste, d'être à part, provoque souvent une concentration de regards, de soins et de contrôles si grande que l'enfant se trouve rapidement pris dans une sorte d'étouffement ou de couvaison sans fin. Le danger est grand, pour lui, de devenir plus que d'autres un enfant-objet, propriété exclusive sur laquelle on a tendance à mettre l'embargo, l'enfant étoile condamné à justifier son rôle d'unique, l'enfant trop « pris au sérieux », d'où la fantaisie est absente et qui, souvent, ne sait pas jouer, un enfant plus ou moins privé d'enfance.

Mais il y a peut-être un élément plus préoccupant encore, le type de relation qui s'est établi entre la mère et l'enfant. Cette relation, en effet, peut devenir si étroite qu'il n'est pas rare de voir le lien qui unit la mère à l'enfant se substituer à celui qu'on désire rencontrer dans la relation de couple. Là où le partenaire est « absent » et ne répond pas à la demande amoureuse ou même affective de la femme, la tentation est grande pour cette dernière de le remplacer par l'enfant sorti d'elle-même et d'en faire l'unique objet de son amour. C'est là qu'intervient souvent une sacralisation de cette union comme pour en assurer la consécration définitive. Ce phénomène est bien connu : en rendant un objet sacré, on interdit à quiconque le droit d'y toucher. Cet interdit pourrait même s'adresser, quand l'enfant devient adulte, à toute autre personne et, en particulier, à toute autre femme considérée comme rivale dans un projet de couple. Tout ce processus se déroule, bien sûr, de façon inconsciente et quand les effets viendront plus tard surprendre les acteurs, il sera souvent trop tard. Ou bien l'autre sera admise, souvent considérée comme une complice, à remplacer la mère en raison de son apparente conformité au modèle de celle-ci, et la relation de couple mère-enfant pourra ainsi être prolongée.

LA VIE SEXUELLE

Ce sujet ne tiendra peut-être pas toute la place que certains auraient présumé lui voir accordée. La vie sexuelle, en effet, est l'expression d'une qualité psychologique profonde qui accompagne l'évolution et la maturation de l'être à partir du tout début de son existence. Déjà marqué par la qualité de l'acte sexuel qui l'a engendré lui-même, tout ce qui s'ensuivra sera enrichi – ou appauvri – par la manière dont on lui fera découvrir et intégrer les éléments naturels des pulsions, de l'instinct, de l'unité psychosomatique, celle de l'être humain bisexué et la richesse de la vie de couple. De cette vie sexuelle on dira que « ça marche » ou que « ça ne marche pas ». Qu'est-ce que « ça » et pourquoi ?

Dans ce domaine comme ailleurs, la vie sexuelle de la mère et la place qu'elle prend dans le couple parental auront des retombées inévitables. Une sexualité mal intégrée par les parents, manifestée par un comportement rigide ou anarchique, aura des répercussions. Les éléments rencontrés ensuite en cours de route durant l'enfance et l'adolescence feront le reste, mais l'essentiel, là aussi, est mis en place au départ. La mère frigide engendre le plus souvent une fille frigide, avec toutes les caractéristiques qui ont généré ce « froid », en particulier dans sa relation à l'homme. Il n'est pas rare également que la fille, fixée dans une relation d'admiration pour le père-héros, ait du mal à intégrer une relation sexuelle avec l'homme, l'image du père-héros étant souvent conçue sans sexe : la toute-puissance de Dieu est, en effet, asexuée. De même en est-il souvent pour la relation amoureuse mère-fils, car la déification – de l'image maternelle en la circonstance – supprime le génital[1], représenté alors comme « quelque chose de sale » dans notre culture judéo-chrétienne.

Car la sexualité ne constitue pas un « rayon à part », un « en plus » ou un « à côté » de l'être. Elle n'est pas plus circonscrite à l'intérieur d'un code moraliste qu'un autre comportement ou domaine de la vie quotidienne. Mais son importance est aussi grande que celle de toute autre composante nécessaire à l'épanouissement humain. C'est pourquoi faire l'impasse sur la vie sexuelle dans l'apprentissage de la vie auprès de l'enfant et de l'adolescent, par des silences ou des discours feutrés, l'enfermer dans un monde à part ou dans l'exclusivité du permis ou du défendu engendrera des « attardés » sexuels.

Restés bloqués, parfois dès le premier instant de l'existence, ces attardés se trouvent alors confrontés à des forces intérieures, plus ou moins violentes, impossibles à réduire au silence et dont on ne sait pas quoi faire parce qu'on ne sait pas où ni comment elles s'inscrivent dans la totalité de l'être. On a essayé de résoudre le problème en proclamant cette activité réservée aux adultes, en ignorant le risque, en l'occurrence les instincts, que l'animal, affamé depuis si longtemps, devienne incontrôlable et même dangereux quand on ouvrira sa cage. Mais ce fut souvent jusqu'ici la solution de facilité pour résoudre le problème et on a si bien réussi à en faire un domaine réservé aux adultes et même aux adultes mariés – ce qui, d'ailleurs, constitue un attrait supplémentaire pour l'enfant qui cherche à les imiter – qu'on arrive à traiter la vie sexuelle comme une machine. On assiste alors à l'élaboration d'une technologie, d'un savoir – presque d'une science – comportant connaissance intellectuelle et apprentissage. La connaissance intellectuelle est devenue « initiation » (terme confus) ou information sexuelle véhiculée, suscitée par une littérature qui fait encore les beaux jours des librairies. Doit-on supposer que

---

1. Tout ce qui, dans le corps, peut être objet de plaisir est disqualifié parce que lié à l'évacuation des déchets. La perfection est exempte de ces organes. Dieu, les anges n'ont pas de sexe. La Vierge elle-même mettra un enfant au monde sans l'usage du sexe.

les enseignants sont jugés plus mûrs pour entreprendre cette « éducation » que les parents ? Il est sans doute plus juste de dire qu'ils déchargent ainsi les parents d'une intervention pour laquelle ceux-ci ne se sentent pas préparés. On ne parle bien que de ce que l'on vit.

Pour favoriser l'apprentissage ou les travaux pratiques, les cours de rattrapage ne manquent plus désormais : radio, cinéma, télévision ou revues spécialisées. Il faudra apprendre « sur le tas » et, de préférence, avant, pour ne pas être pris au dépourvu ; ou arriver dans le métier de couple comme un ignorant ou un inexpérimenté.

La considération de cette capacité est si importante qu'elle explique, bien sûr, les raisons essentielles d'un couple qui « marche bien » ou de celui qui « marche mal ». Voilà une conclusion qui se veut rassurante : « Notre couple marche bien, car sur le plan sexuel, nous sommes vraiment faits l'un pour l'autre ».

Le problème n'est pourtant pas résolu pour autant : si la machine marche bien, le couple ne marche pas toujours aussi bien. On découvre qu'on peut être un technicien performant sans qu'il soit nécessaire d'aimer. On appelle cela « faire » l'amour, mais l'amour ne se fait pas.

Certains s'en sont servis pour orner leur blason, principalement chez les garçons, car la puissance sexuelle n'est-elle pas le plus beau fleuron de la virilité ? Ne dit-on pas, en effet, que son absence ou sa médiocrité est le signe d'un être limité, pas même d'« un homme ».

Devant l'embarras qu'occasionnait la vie sexuelle, on l'a transformée, surtout dans le passé, en devoir. Et ce fut, pour la femme surtout, l'accomplissement d'une loi socio-religieuse imposant sa soumission au mari, parfois « en fermant les yeux ». Certaines se rattrapaient alors en faisant de ce « sacrifice » une arme redoutable pour s'assurer un plus grand pouvoir sur l'homme. L'acte d'amour pour le plaisir de l'autre, pour le récupérer ou mieux le posséder, constitue une démarche fréquente chez la femme qui, alors, ne fait pas l'amour pour le plaisir physique.

La vie sexuelle pose de nombreuses questions à l'être humain. Le plus souvent il y a coupé court en alléguant d'un besoin naturel et, comme tout besoin naturel, il est

103

impératif de le satisfaire. Nous sommes bien loin de la relation d'amour dans la vie de couple, mais le pire dommage est sans doute d'avoir trop souvent fait du couple une institution sociale nécessaire à ce besoin naturel, comme aux exigences de la démographie. Or il en est de la qualité de l'acte sexuel comme celle de tout acte matériel : sa valeur est fonction du sens qu'on lui donne, de l'intention profonde qui le sous-tend et l'anime. La technique, les méthodes n'y suffiront pas.

Nous pouvons occulter l'intention ou le sentiment qui accompagne l'acte d'amour, mais ce sentiment ne cesse d'être véhiculé, malgré tout, à travers nos gestes. Il peut échapper au conscient, mais il restera en mémoire et sera ressenti et reçu par l'autre, au plus profond de lui-même. Le sentiment donne à l'action sa valeur objective à la relation d'amour, et donc à l'enrichissement mutuel. Ce n'est pas le geste qui traduit le sentiment, mais le sentiment qui valorise le geste, même si celui-ci ne semble pas « techniquement » réussi.

Certes la vie sexuelle est une composante de la relation de couple. Sa dynamique appelle la présence et la participation de l'autre. La satisfaction personnelle et solitaire n'est qu'un palliatif, habituellement peuplé de fantasmes se substituant à l'absence physique de l'autre. Bref, la vie sexuelle implique un partenaire de l'autre sexe. La complémentarité des deux sexes se manifeste ici à partir de la structure physiologique, symbolisant ainsi les deux parties composant la totalité de l'être, et réalisant son unité dans leur rencontre la plus intime et la plus profonde. Outre qu'il est difficile de nier que l'expression de cette complémentarité apparaît là sous son aspect physique, la capacité de chacun à réaliser cette unité de l'être bisexué ne suit pas pour autant. Mais cette capacité elle-même est fonction de l'unité intérieure de chaque individu, qui fait que l'homme est parvenu à intégrer suffisamment son féminin et la femme son masculin.

Ici se situe alors le véritable épanouissement sexuel, dans la rencontre de l'autre et cette union-là s'accompagne d'une plénitude que la meilleure technique érotique est incapable de produire. Cette plénitude peut trouver son complément dans l'orgasme, mais elle n'est pas l'orgasme. Elle s'en distingue par le temps et la durée, à la différence du « repos du guerrier », ou l'épuisement du rut, qui laissent ensuite les partenaires dans une sorte d'indifférence.

En conclusion, tous les discours pédagogiques ou philosophiques sur la sexualité auraient avantage à ne pas s'enfermer dans une exclusive moralisation ou justification d'un comportement, mais à faire ressortir la hauteur et la richesse d'un accomplissement : le mystère de l'union, l'amour. Car la relation sexuelle ne remplit totalement sa fonction que dans un sentiment authentique d'amour.

L'expression « les deux ne font qu'un » achève sa concrétisation dans l'enfant, et une sexualité qui n'atteint pas cette finalité est toujours plus ou moins tronquée. Rien n'est complet qui n'aboutisse à une synthèse, à une unité de deux êtres.

Est-ce en l'absence de cet aboutissement qu'il faut aller chercher une explication à certains cas de stérilité ? Nul ne le sait, car on est loin de pouvoir répondre à ces questions fréquentes : pourquoi des couples qui ont déjà eu un enfant se trouvent-ils dans l'incapacité à en faire naître un autre ? Pourquoi certains, en revanche, font-ils des enfants sans le désirer ? Pourquoi des couples dits stériles deviennent-ils féconds après l'adoption d'un enfant ? Comme si la décision de faire un enfant en étant purement rationnelle, ou le fruit d'une argumentation, ne pouvait aboutir... Comme si l'être humain, enfermé dans sa seule logique, ne pouvait prétendre se faire le maître de la vie. Peut-être parce que sans aventure la vie ne saurait être.

CHAPITRE 5

LA VIE SOCIALE

Lorsque la famille est en ordre, toutes les relations sociales de l'humanité s'ordonnent à leur tour... La famille est la cellule initiale de la société. Les principes qui la gèrent seront ensuite appliqués aux relations humaines en général.

Yi-King, hexagramme 37

Nous avons tous assez de forces pour supporter les maux des autres.

La Rochefoucauld

Il faut que l'homme puisse mener une vie utile tout en gardant son individualité à l'intérieur de la société.

C. G. Jung

LE CONSTAT

L'homme est un animal sociable, mais n'est pas prêt pour autant à vivre spontanément cette sociabilité. Nombreux sont les hommes et les femmes qui ont du mal à se trouver à l'aise dans la société et à s'y exprimer. Les difficultés découlent, là aussi, de l'apprentissage de la relation reçue durant l'enfance et dans la vie familiale. C'est là que se forgent les asociaux, les individualistes, les isolés renfermés sur eux-mêmes, les marginaux, les anarchistes, les timides et les craintifs, mais aussi les importuns, les envahisseurs, les casse-pieds, les malades de la communauté et des associations.

Il y a ceux qui ont peur de la société et cherchent à se protéger en s'isolant, et ceux qui ne peuvent s'en passer au point de ne pouvoir supporter la solitude. Les uns et les autres souffrent du mal d'être ou mal de vivre. Ils ne sont pas parvenus à prendre place dans l'existence.

Du même coup la vie relationnelle s'avère difficile, gênée par les malentendus, les « brouilles », les discordes, les rejets, les ruptures, la ségrégation, la rivalité, l'agressivité jusqu'à la haine. La « bonne entente » est chose rare et l'amitié, « douce chose[1] », fort malaisée.

Ces résultats dépendent de l'évolution qui permet à l'homme de sortir de la mère, du monde clos où la famille a pu l'enfermer. C'est dans l'acquisition de cette autonomie que s'élabore la capacité à vivre au-dehors. Quant à la qualité de la relation, elle sera à la mesure de la relation que l'on a avec soi-même. Chacun vit avec les autres à la manière dont il vit

---

1. La Fontaine.

avec lui-même. Si cette qualité de relation manque, on ressent l'extérieur comme dangereux ou agressant. Certains cherchent alors à s'en protéger en l'évitant ou en le fuyant. D'autres se jetteront à corps perdu dans la société pour y rechercher une sécurité absente de la famille ou pour se dérober à une rencontre avec eux-mêmes devenue insupportable.

DE L'UNITÉ DE L'ÊTRE À L'UNITÉ COSMIQUE

La loi de l'évolution

La place de l'homme dans le monde, nous l'avons vu, se justifie par la vocation personnelle, unique dans la totalité d'une œuvre, celle de l'histoire des hommes. Sa raison d'être et sa mission le destinent donc à remplir une fonction qui participe à un mouvement universel, cosmique. « Loin d'être étranger à l'univers, nous nous insérons dans une aventure qui se poursuit sur des distances de milliards d'années-lumière, écrit Hubert Reeves. Nous sommes les enfants d'un cosmos qui nous a donné naissance après une grossesse de quinze milliards d'années. Comme dans la tradition hindouiste : les pierres et les étoiles sont nos sœurs [1]. »

On peut dire alors que le Moi est une composante cosmique. Toute autre finalité ferait vite de lui un parasite. Nous ne sommes, en effet, que partie d'un tout. La plénitude de l'être ne peut s'accomplir sans l'union avec l'autre, nous l'avons vu au chapitre précédent, et sans l'union aux autres. On peut même ajouter : sans l'union avec tout ce qui compose le cadre de vie. C'est aussi une loi physique connue des scientifiques : chaque élément est fait pour s'enrichir de l'apport des autres, jusqu'à la fusion, la procréation. Cette loi est contenue en toute évolution. La

---

1. *L'Heure de s'enivrer*, de H. Reeves, éd. Seuil, p. 208.

découverte de soi révèle à l'individu qu'en raison de ses limites il ne peut prétendre, à lui seul, faire le plein de sa vie. Avec la rencontre de l'autre un grand pas est déjà franchi sur le chemin de la totalité, mais cette étape n'épuise pas les dimensions du champ de l'accomplissement humain et de son épanouissement. L'homme ne peut vivre seul, le couple non plus ; il en est de même de la famille que l'on a souvent appelée la cellule de base de la société. Il est possible, à tout moment, de l'expérimenter : chaque être est complémentaire puisqu'il est différent.

La complémentarité

La complémentarité s'offre à nous aussi bien dans la nature et la vie animale que parmi les hommes. Nous avons besoin des autres et réciproquement. Nous ne pouvons jamais venir à bout de nos projets sans une aide complémentaire. Déjà, dans la vie quotidienne, pour se nourrir, se loger et subsister, l'homme ne peut y pourvoir seul. Dès l'origine, il apprend à s'organiser en se regroupant avec d'autres, à participer à l'œuvre commune, découvrant ainsi un sens à son besoin et à sa capacité de créer. Du même coup, il se sent également utile et pas seulement dépendant ou débiteur. En même temps, il découvre l'utilité des autres. C'est en ne perdant jamais de vue cette vocation que l'homme parviendra à l'amour de lui-même et à la joie de vivre.

La solidarité

Si l'homme peut puiser et récolter tout autour de lui, dans le jardin du monde qui l'entoure, toutes sortes de richesses complémentaires, il est lui-même partie nourricière de son environnement. La prise de conscience de cette complémentarité entre les hommes introduira la nécessaire solidarité qui doit animer toute société, petite ou grande. Car la complémentarité n'est pas faite que de qualités ; elle

111

rassemble aussi des inégalités, originelles ou fabriquées, qui font partie de la condition humaine.

Cette inégalité, engendrée par l'imperfection de l'être, le manque de réussites ou de chances, fait alors appel à la solidarité, à l'entraide. Aucune société n'échappe à cette exigence et l'entraide fait partie de la mission personnelle de chacun. C'est sans doute là que s'offre à l'être, à partir de son enfance, la meilleure école pour faire un homme. On ne se fait pas homme si on n'a pas été aidé à le devenir. Or, apprendre à être un homme, c'est d'abord apprendre à aimer l'homme. C'est de cet apprentissage que naîtra l'adulte apte à remplir son rôle de compagnon et à accorder à la vie sociale la part la plus importante de son existence.

Bien sûr, il y a lieu de ne pas confondre solidarité avec substitution. Nous sommes destinés à accompagner et non à remplacer. Se servir de l'autre pour lui faire porter nos problèmes risque de lui imposer un fardeau capable de l'écraser. C'est une confusion qu'il importe d'éviter, en particulier à l'occasion de nos peines, lorsqu'on ressent le besoin de les confier.

Solitude et isolement

Comme il ne peut y avoir amour des autres sans amour de soi, il n'est de relation et d'entraide possible qu'à partir de l'autonomie. « S'il n'atteint pas un certain degré d'autonomie, écrit Jung, l'individu n'est pas capable de s'intégrer à son entourage adulte[1]. »

Quiconque n'a pu parvenir à l'autonomie cherche à se faire porter par les autres, à utiliser ceux-ci pour se faire prendre en charge. L'être autonome se prend en main lui-même. Il assume son être, la gestion de sa propre vie, décide de ses actes sans attendre qu'on le fasse à sa place. Tout cela parce qu'il sait s'aimer, se considérer et s'accepter suffisamment lui-même. Et si l'être autonome recherche une autre présence, ce n'est pas pour échapper à l'ennui, voire à la

1. *L'Homme à la découverte de son âme*, éd. Mont-Blanc, p. 129.

déprime, mais parce qu'il sait que l'accomplissement de lui-même ne peut se faire sans l'apport des autres et de leur complémentarité. L'être vraiment autonome se reconnaît en ce qu'il sait vivre seul. En effet, s'il n'est pas bon que l'homme soit toujours seul, il n'est pas meilleur pour lui de n'être jamais seul. Mais il ne faut pas confondre solitude et isolement.

C'est dans la solitude que s'élabore l'action féconde, car celui qui ne craint pas de se trouver face à lui-même, de vivre en relation avec son Moi, est capable de vivre face à l'autre et d'entretenir dans un groupe une relation dynamique. La société a besoin de ces autonomes et ne se développera pas sans eux. La solitude permet de vivre sans ressentir le besoin d'une présence sécurisante. Elle devient même nécessaire à l'épanouissement pour « se retrouver », « recréer son unité ». Elle favorise ainsi l'accomplissement de son être social.

L'isolement résulte d'un repliement sur soi. L'isolé est un asocial qui fuit la relation aux autres comme il fuit la relation à lui-même. C'est un misanthrope qui ne parvient pas à s'aimer et ne peut donc aimer les autres. C'est un handicapé que les exigences de la vie actuelle, l'activité professionnelle, gênent de plus en plus. On peut être physiquement avec d'autres et ne pas sortir de son isolement. On peut même être encore plus seul au sein de ces groupes où « l'on doit faire quelque chose ensemble ».

C'est intérieurement, nous le verrons plus loin, par une sorte de communion avec les autres, que l'être peut sortir de lui-même et entrer en relation.

COMMENT SE RENCONTRER

Jamais l'homme n'a eu à sa disposition autant de moyens de communication et de possibilités matérielles de s'exprimer et d'accueillir les autres : transports, téléphone, radio, télévision. Chaque jour apporte encore des procédés et des techniques nouvelles. Jamais, d'autre part, il n'a été peut-être aussi difficile de se rencontrer. On se voit, on s'accoste ; on se rencontre peu. C'est sans doute pour cela qu'on éprouve le besoin de mettre en place des séminaires, des techniques de formation, des psychothérapies collectives diverses, pour apprendre comment « rencontrer » l'autre, le client en particulier, le partenaire, l'enfant. C'est sans doute parce que notre mode de vie actuel est en train de détruire la communication, qu'on essaie de la fabriquer ou d'y substituer plus ou moins artificiellement des produits de remplacement. Paradoxalement, alors qu'il n'a jamais été aussi abondamment équipé de moyens techniques, notre monde est malade de la communication. Pourquoi cette déficience ?

La communication, c'est quoi ?

La relation entre hommes, entre vivants, se fait par l'échange. Cette communication là est exempte de rapports de force. Il n'y a pas de pauvre, chacun est riche de son être et de son bien propre. Personne ne veut apprendre à l'autre, s'imposer à lui. C'est un cœur à cœur auquel s'ajoutera le corps à corps dans la symbolique amoureuse du couple. Quand l'un offre son sentiment, l'autre accepte de le recevoir. Rien ne se fera donc sans l'écoute, sans l'accueil de l'autre. Celui qui fait le plein uniquement avec ce qu'il est manque de place pour s'ouvrir à toute communication.

Or, pour cela, il faut du temps. La véritable communication exige du temps, ce temps qui manque de plus en plus, parce qu'il faut faire au plus vite pour produire. C'est avec ce leitmotiv souvent à « passer vite » et même à ne pas passer du tout : « Excuse-moi, je n'ai (ou je n'ai pas eu) le temps », qu'on ferme la porte à toute communication. Pour communiquer, il faut le temps de sentir, de sentir l'autre, de sentir la vérité de l'accueil réciproque. C'est à cette condition qu'on aura le temps de dire. Communiquer, en effet, c'est transmettre, livrer au passage, mettre à la disposition. À quoi sert de se rencontrer, si « on n'a rien à se dire », à échanger. Là où la communication se fait, la relation s'enrichit d'une meilleure compréhension entre les êtres.

Par ce chemin peuvent se construire les amitiés, les sympathies, les connivences ou, en tout cas, d'éventuels projets ou actions communes. Le terrain est alors préparé pour y faire naître une entreprise.

La communication est d'abord un état d'esprit, une dynamique intérieure et personnelle et non un procédé technique à coups de mise en scène et de décibels. Bien sûr, le geste et la voix sont des moyens utiles, mais seulement des moyens. Ceux-ci peuvent être vides, sans véritable contenu, ou devenir des armes d'attaque, de destruction ou de défense, bref, dépourvus de tout véritable échange. En revanche, des présences silencieuses ou discrètes, ouvertes et communicantes peuvent livrer des contenus et des messages d'une grande richesse.

Une société d'où la communication est absente se meurt, car pour l'homme, la communication est une nécessité, vitale.

Communiquer quoi ? Le sentiment du Moi ou ce qui fait plaisir à l'autre ?

Sans échange il n'y a pas d'enrichissement mutuel. Mais il y a distorsion, déviation, dès que l'on veut convaincre, conquérir l'autre « à ses idées », rechercher une approbation, un compliment, une déculpabilisation. Il n'y a plus d'échange dès que l'on s'emploie à « faire dire », à extorquer ce que l'autre possède, son secret, sa vie intérieure, son projet. La communication implique l'absence de toute contrainte et même de toute structure. La règle d'or des droits de l'homme devrait être d'abord le respect de l'autre dans ce qu'il a de plus cher, à savoir ce qu'il sent, ce qu'il éprouve, ce qui « lui tient à cœur » vraiment. Il n'est pas sûr que les interviews rendues publiques par les médias respectent toujours ce droit.

Le sentiment du Moi ou la leçon apprise

Notre monde de la technologie devra découvrir que l'établissement des meilleures organisations, des meilleurs appareils et des meilleurs comportements extérieurs ne suffit pas à introduire une authentique relation. Celle-ci naît et s'épanouit dans un climat de respect mutuel, celui où l'on peut se confier, où l'on a envie de transmettre. Hélas, il n'en est pas toujours ainsi. Combien de fois l'expression du sentiment est interdite ou bloquée : on se paie de mots ou l'on s'enferme dans sa seule vérité, celle d'un seul langage, d'une pensée stricte infiltrée de l'extérieur : le catéchisme familial, maternel des premières années.

C'est une voix qui impose et se suffit à elle-même, qui n'a rien à recevoir, fermée à tout échange.

La vraie relation est intérieure

Chacun de nous a besoin d'être relié à ce qui l'entoure, puisque cet entourage constitue son terrain de vie. Il ne réalisera cette relation qu'après avoir mis en place la relation à lui-même, puis la relation à l'autre, et aux autres, comme à tout ce qui compose son univers : l'univers en somme.

La relation à soi

La relation à soi, c'est une écoute permanente du sentiment personnel, permettant de percevoir et de ressentir tout ce qui vient à lui sans la déformation d'une interprétation extérieure. Tout parle autour de lui et l'être aura atteint sa plénitude s'il parvient à vivre un dialogue ininterrompu avec tout ce qui l'entoure et avec lui-même, comme souvent le poète sait le faire. La relation à soi suppose une grande ouverture et une sensibilité dégagée de tout filtrage ou déformation.

Cette relation fait l'opinion, le goût, le jugement et l'expérience personnels. Sans cet accomplissement, l'homme ne sera jamais totalement lui-même, aura du mal à « se trou-ver », à situer son existence et à lui donner un sens. La relation à soi se distingue de toute structure qui dresse l'être à penser et à sentir « comme ça », selon une direction imposée.

La relation aux autres

Les professions de foi ne manquent pas, qui proclament l'acceptation et même l'amour des autres, la tolérance, la fraternité. Tout le monde pressent le profit et le bonheur que chacun pourrait recueillir d'une telle société. Autre chose est de pouvoir vivre cela. L'unité de l'être réside précisément dans l'accord entre le discours et l'acte. On ne vit bien que ce que l'on sent. J'accueillerai les autres à la manière dont je m'accueille moi-même. Je les traiterai comme je me traite. Je ne serai tolérant ou libéral avec les autres que si je le suis avec moi-même ; je n'accepterai la personnalité et la différence des autres que si je revendique pour moi le caractère unique qui fait ma vraie personnalité et ma différence. C'est enfin parce que je me sais et me sens limité, imparfait, tout en m'aimant ainsi, que je serai en mesure d'accueillir les défauts des autres. Par là seulement je peux intégrer la condition humaine et « re-connaître » mes semblables. Alors je peux aller à leur rencontre.

Priorité de l'être sur l'agir

La course à la rentabilité a introduit, à notre époque, un étalonnage des valeurs humaines sur la capacité à produire. On use même du langage qui enferme l'homme dans l'unique valeur économique : « Untel vaut combien ?... » On a du mal à sauver des ruines la joie d'être ensemble. On fait trop facilement l'impasse sur les véritables richesses de l'homme : le rayonnement d'une présence, une vie inté-rieure, une manière de sentir les êtres et les choses. L'expé-rience de l'avoir estompe l'expérience de l'être, qui confère à chacun sa réelle utilité. On oublie trop que le don de chaque être est beaucoup plus dans ce qu'il fait et ce qu'il est. « Vous ne donnez que peu lorsque vous donnez de vos biens, écrit Gibran, c'est lorsque vous donnez de vous-même que vous donnez réellement[1]. »

La trace

Chacun de nous peut sans doute témoigner de l'influence qu'une relation a pu introduire dans sa vie par la seule présence de l'autre, la richesse mystérieuse de sa vie inté-rieure traduite par l'expression d'un regard, d'un sourire, d'un geste discret ou d'une intonation. Mais cela « se fait tout seul », ne se commande pas comme un travail, un devoir ou l'exécution d'un plan. C'est le résultat de l'être, tel qu'il s'accomplit et se vit, le plus vrai et le plus marquant de sa mission au milieu des hommes.

Ajoutons que chacun ignore l'impact qu'il a sur son en-tourage ou dans ses relations, mais cet impact, qui enrichit (ou appauvrit) les autres de ce que nous sommes en vérité, existe, avec plus ou moins de forces, et nous fixe définitive-ment dans l'histoire.

Il en sera question plus loin quand notre existence et notre passage en ce monde seront évoqués[2]. Une rencon-tre est rarement gratuite, on n'en sort pas tout à fait indemne. On parlera, par exemple, d'une rencontre enri-chissante ou d'une autre qui nous a « pompé » ou « vidé ». Il se passe toujours quelque chose, qui apporte ou retran-che à chacun. Point n'est besoin de le vouloir ou de le décider, car cela se passe le plus souvent à notre insu.

Dans la vie relationnelle, c'est la qualité de notre pré-sence qui prédomine sur celle de notre action. Que nous le voulions ou non, même quand nous ne disons rien, notre vie intérieure parle à travers l'image que nous donnons de nous-même. Par ce que nous sommes, à chaque instant, notre passage laisse rarement les autres indifférents.

---

1. *Le Prophète*, *op. cit.*, p. 29.
2. *Cf.* chapitre 10.

Vérité de la rencontre

C'est cela, sans doute, qu'il convient d'appeler témoignage et qui apportera sa note personnelle à l'histoire de l'humanité. Ce témoignage-là ne se fabrique pas, ne se joue pas comme un rôle bien appris dans la composition d'un personnage.

Comme nous l'avons vu précédemment, si l'on parvient à se donner un air, un jour ou l'autre cela sera perçu autour de nous : une distraction ou un mauvais camouflage fera tomber l'illusion et trahira le jeu du personnage que l'on se donne. À cette épreuve de la vérité, la hiérarchie sociale ne résiste pas et le notable lui-même se nourrit peut-être plus du sourire ou de la simplicité du « faible » que celui-ci ne reçoit de la fierté et de la domination des puissants.

À tout instant de la journée, chacun de nous est ainsi acteur, bénéficiaire ou victime, engendrant, récoltant épanouissement ou malaise, à l'occasion de tel contact même fugitif. Nous sommes tous contagieux. Un sourire, un geste, un regard, un ton de voix peuvent faire davantage pour aider un autre à vivre que l'acte spectaculaire du chirurgien. C'est ce que montre bien le Dr Bernie Siegel[1] dans son livre *L'Amour, la médecine et les miracles*. Les quelques mots ou la sérénité d'un sage peuvent ranimer l'espoir ou redonner des forces, plus que le long discours d'une voix « officielle ». Certains discours ne brisent pas l'isolement mais au contraire l'alourdissent.

Pour que la relation puisse parvenir enfin à la fraternité ou à l'amour des autres, elle doit dépasser la simple reconnaissance d'un état de fait et requérir une sensibilité suffisamment vivante pour être capable d'aimer. Car l'entraide qui n'aime pas, humilie et déshumanise les malchanceux de la vie. Certains gestes de pitié soulagent parfois plus la main qui donne que le cœur qui reçoit.

---

1. Éd. Robert Laffont, coll. « Réponses-Santé ».

LES BAVURES

Déclarer, rassembler ne suffit pas. Il y aura toujours, dans le monde des hommes, des asociaux, des individus qui ne sont pas prêts à vivre avec les autres. Et chez ceux qui rassemblent, il y aura toujours des objectifs et des intérêts égocentriques qui s'accordent mal avec le respect de l'hom9me et son évolution.

L'ambiguïté de la relation

Elle est manifeste quand, au lieu de servir à l'évolution de l'être humain, l'homme l'utilise pour entretenir son blocage, et développer sa névrose.

La projection

Tandis que l'autre se présente à moi pour m'offrir sa complémentarité, je vais me servir de lui pour m'interpeller ou régler des comptes à travers l'image qu'il me renvoie de moi-même et que je me refuse à voir. Les psychanalystes appellent cela une projection. Nous nous projetons en l'autre à travers l'image qu'il nous donne de nous-mêmes, de notre vérité cachée que nous voilons si soigneusement à notre prise de conscience.

On peut dire que toute la vie relationnelle est faite de projections et qu'à travers ces projections vont se nouer et se défaire les « relations », les amitiés, les rivalités, les antagonismes de toutes sortes jusqu'à l'agression. À l'intérieur de cette projection, nous allons relever trois sortes d'utilisation : la substitution, la confrontation et l'identification.

La substitution

À travers l'image que l'autre m'envoie, du fait même de ce qu'il est en vérité ou de la fonction qu'il remplit, je découvre une représentation de la mère (protectrice, sécurisante, attentive) ou du père (rassurant, fort, aimant). Et parce que j'ai un contentieux avec cette mère ou ce père, un problème à régler ou quelque blocage, je vais me servir de celui ou celle qui m'en renvoie l'image.

Si, pour une raison ou une autre, je demeure fixé dans ma demande de considération, d'attention affective, je vais rechercher systématiquement, dans mon entourage, la personne susceptible de prendre le relais de la mère ou du père. C'est le substitut, dont l'image m'est donnée par le comportement ou simplement la fonction. Dans cette relation projective tout peut alors se passer : attachement plus ou moins débordant, sollicitations multiples et répétées, « scènes », altercations et même agressions. La rupture interviendra à partir du moment ou le substitut refuse de répondre à la demande ou de jouer le rôle dont on l'investit. Les personnes nanties d'un pouvoir, d'une fonction dominante, sont particulièrement désignées pour recevoir ces projections. Elles s'y laissent prendre d'autant plus facilement qu'elles recherchent elles-mêmes la considération de l'enfant, du sujet, du « dépendant ». Heureuses d'être ainsi aimées, beaucoup s'accommoderont volontiers de ce rôle de substitut jusqu'à entretenir une sorte de concurrence entre diverses personnes qui deviennent alors des rivales.

La déception risque d'être fort amère et douloureuse à supporter pour qui vient à perdre la fonction qui la rendait rassurante, considérée. Quand celle-ci disparaît, celui qui la remplissait devient alors « jetable ». Tous ceux investis d'un pouvoir politique, religieux, ou de responsabilités de toutes sortes connaissent, à la sortie, cette expérience : hier adulés, recherchés, salués ; aujourd'hui, méconnus, rejetés sinon critiqués. Ils ont perdu leur image avec leur pouvoir ou leur fonction. Souvent, même, tout se passe comme si on ne leur pardonnait pas de ne plus donner l'image rassurante favorable à la projection.

121

Paradoxalement, plus ces « pouvoirs » ont investi dans un comportement protecteur, cultivant la dépendance et la « fidélité », plus ils sont vulnérables quand le pouvoir s'interrompt. Ils peuvent encore conserver une aura de leur vivant, mais en être cruellement dépouillés plus tard, même longtemps après leur mort. Tant il est vrai que l'homme garde souvent rancune à ceux qui l'ont peut-être aidé, mais pour leur profit propre et non pour le protéger lui-même.

La confrontation

Nous retrouvons là le cas de figure où la projection renvoie la face cachée qui dérange, cet aspect de nous-mêmes auquel nous tournons le dos. Cette face masquée, en dépit de tous nos efforts, est toujours là, en nous, enfouie mais vivante.

Aussi solide qu'a pu devenir mon refoulement, il demeure fragile, toujours prêt à surgir, peut-être même à faire irruption. Et chaque fois que la présence d'un autre, dans la vie quotidienne, fera apparaître l'image de ma vérité cachée à moi-même et surtout aux autres, se déclenchera plus ou moins violemment une réaction d'opposition, une irritation pouvant aller jusqu'à l'agression. Sans en être conscient, le discours que je tiens à l'égard de cet autre, voisin, collègue ou homme public, ce que je dis de lui, s'adresse en réalité à moi-même. Ce discours d'opposition reproduit fidèlement celui que je tiens à cette partie enfouie où s'affrontent le Moi et le personnage. Il me faut, à tout prix, faire taire ce Moi importun qui dérange la fragile conviction de l'« air » que je me donne. Ainsi en est-il en tout jugement critique à l'égard d'autrui. Ce jugement démasque la réalité cachée de celui qui porte ce jugement. Un tel constat est sans doute dur à effectuer et à accueillir, mais cette observation courageuse offre un élément enrichissant à tous ceux qui cherchent loyalement à se connaître.

« Tout ce qui m'irrite chez les autres peut servir à la

connaissance de moi-même », écrit Jung[1]. En conséquence, quand nous « traitons » les autres de..., c'est de nous qu'inconsciemment nous parlons. Dans ce travail de la connaissance de soi, certaines choses sont simples, mais toutes sont difficiles à réaliser. Simone de Beauvoir disait que « la pire tyrannie, c'est l'image de soi dans les autres ». Mais c'est aussi pourquoi la relation aux autres n'est pas une perspective facile et sera à la base de bien des ruptures, mésententes et zizanies où l'on déclare « ne s'être pas compris ». Force est de reconnaître qu'il ne peut facilement en être autrement.

L'identification

Dans l'hypothèse de l'identification où l'autre nous renvoie l'image du héros ou du modèle qu'on aurait voulu être et dont on entretient le culte en soi, une autre confusion apparaît. On considère, en effet, que le désir de ressembler à quelqu'un peut engendrer une relation féconde. À plus forte raison, si on prétend « être comme lui », « comme elle ». On a toujours tendance à conclure qu'au nom du « qui se ressemblent s'assemblent », la relation est d'autant plus enrichissante qu'on partage les mêmes idées et les mêmes goûts. On croit à une relation positive quand on parvient à dire : « Ce qui lui arrive, c'est comme si cela m'arrivait à moi. » Or, l'expérience montre quotidiennement combien ces relations sont éphémères ou porteuses de déceptions.

Là où la complémentarité est absente, il ne peut y avoir de relation durable. On ne s'apporte rien, on se dirige tout droit vers l'ennui. C'est pourquoi il est faux de croire qu'« on s'aime parce qu'on est pareil ». Une relation dépourvue de complémentarité suffisante débouche sur l'immobilisme.

« Ces projections, écrit M. L. Von Franz, déforment la vision que nous avons de notre prochain, et en détruisant

---

1. *Ma vie*, éd. Gallimard, p. 285.

son objectivité, détruisent toute possibilité de relations humaines authentiques [1]. »

Le racisme

Le racisme en constitue la manifestation paroxystique et le fléau dont nous souffrons peut-être le plus de nos jours. C'est, en effet, dans l'incapacité à accepter l'autre tel qu'il est qu'il faut aller chercher la cause de la ségrégation ou du racisme. Il n'est pas exagéré de dire qu'en tout homme incapable de s'accepter totalement, il y a un raciste qui s'ignore. Si l'on donne plus particulièrement à ce mot un sens d'exclusion de l'autre, il convient de noter qu'il n'existe pas seulement un racisme de races, mais aussi un racisme politique, religieux, un racisme de pensée, de sentiment, de classe sociale, de sexe, de culture et même de famille ou de clan. On ne reconnaît pas l'autre avec sa différence ou, si on l'accepte intellectuellement, on a tendance à le classer dans une hiérarchie de valeurs. Tout ce qui est différent peut être alors considéré comme étrange et devient donc étranger. L'accueil et l'affection font alors défaut.

Et quand on ne parvient pas à accepter l'autre tel qu'il est, facilement celui-ci fait peur, comme cela se passe souvent en présence d'un handicapé mental. On peut même le considérer comme un homme disqualifié ne répondant aux critères de l'intégralité de l'être humain. Le mépris, assez souvent, n'est pas absent à l'égard de celui qui « n'est pas de notre milieu », de notre civilisation ou culture. C'est un étranger, c'est-à-dire un être non conforme à ce que nous sommes. Et quand cette non-conformité est reçue comme devant être rejetée, ou éliminée, et si l'idéalisme ou le sectarisme s'en mêlent, on peut alors craindre de voir apparaître le spectre du nationalisme ou des génocides.

Mais sans atteindre ces extrêmes, le racisme est à nos portes dans le contact quotidien, chaque fois que nous nous

---

1. « Processus d'individuation », dans *L'Homme et ses symboles*, éd. R. Laffont, p. 172.

124

trouvons en face de quelqu'un qui nous renvoie l'image de ce qui est en nous et que nous ne voulons pas voir, que nous n'avons pas encore reconnu et accepté. Si nous nous arrêtons pour rechercher ce qui nous agace dans l'autre, nous saurons alors de quoi est fait notre racisme. Seule cette reconnaissance et l'humble acceptation de notre propre vérité nous en délivrera. Rappelons-nous ce qui a été dit au sujet du personnage. L'« éducation » tend à présenter comme rejetable tout ce qui n'est pas conforme au modèle imposé, avec le plus souvent un désir de destruction dès qu'apparaît devant nous son image.

Or, il faudrait peu de choses pour voir réapparaître en soi ce primitif, ce sauvage, ce grossier ou ce vulgaire, ce chenapan ou ce coquin. Et c'est pour ne pas le rencontrer, pour ne pas avoir à l'accepter en nous et à vivre avec, qu'on lui refuse le droit d'exister et qu'on le dissimule dans un personnage.

La vie relationnelle de chacun est faite essentiellement et en permanence de la relation qui existe entre son Moi et son personnage, car tout ce que nous n'intégrons pas de nous-mêmes, nous le vivons à travers les autres.

Les « en plus »

Si beaucoup peuvent faire de l'autre un « en trop » dans la vie relationnelle, d'autres sont portés à en faire seulement un « en plus » qui les embarrassent. On manque de sensibilité à sa présence et on ne sait pas quoi faire quand on est ensemble. On n'a même pas envie de faire quoi que ce soit ensemble, on reste à l'écart. Ce manque de conscience sociale est souvent le fruit d'une « éducation » qui a conduit à une certaine autosuffisance ou à une grande difficulté d'insertion. À vouloir tout résoudre, tout structurer, à l'image par exemple du clan familial, sorte de bunker qui détient la réponse et la vérité, qui organise la vie en apprenant à se passer des autres au maximum, dans une cellule autocratique, on ferme la porte à toute possibilité de vie sociale. Les membres ou les fidèles de cette petite église ne sont pas loin de se situer au-dessus des « autres ». On vit entre gens du même milieu. Le vrai et le bon sont à l'intérieur de « leur monde » ; « l'extérieur est pourri » ou peuplé d'imbéciles... qui ne sont pas de « leur » monde.

Les consommateurs

Une mauvaise représentation de la société, de la communauté, peut réduire l'homme à une condition d'usager ou de consommateur. Notre époque, hélas, favorise cette conception en réduisant la société à un ensemble de services et de distribution, dans lequel chacun doit s'efforcer de « faire son trou » et de « sauver sa peau ». Si on ne lui a pas permis de découvrir les limites de la création individuelle et l'avantage de l'enrichissement mutuel, il ne sera pas attiré par la rencontre ou l'univers des autres. À moins qu'on en ait fait quelqu'un qui ne peut vivre sans se servir des autres. On l'a habitué, depuis le début, à être servi, et on a fabriqué un paralytique de la création ou un usager chronique. On a trop fait à sa place, par souci de perfection ou par possession, pour gagner du temps ou éviter la casse. Ou bien on l'a trop gâté.

Cet usager se sert abondamment, parfois avec exigence, des produits créés par la société, sans autre contrepartie qu'une remise de chèques : « Taisez-vous, je paie. » La société prend alors l'image d'une bonne nourrice qui a plus de devoirs envers ses membres que ceux-ci n'en ont à son égard. Ce type d'asocial n'aime pas les autres et se double souvent d'une tendance agressive plus ou moins intolérante, parce que devenu trop sensible à la frustration.

Si l'agressivité est considérée par certains comme une arme de défense au service de l'instinct de conservation, la conservation, ici, est celle de toutes ses envies, y compris celles qu'on ne lui a jamais appris à satisfaire lui-même. Pour cet usager, les autres sont plus des serviteurs que des coopérateurs ou des compagnons. C'est peut-être dans ce type de colonialisme qu'il faut aller chercher l'explication de certaines inégalités sociales outrageantes. Quand la relation sociale n'est faite que de droits et de devoirs, la guerre et ses succédanés ne sont pas éloignés.

L'association

Au-delà du premier pas, qui consiste en l'acceptation de l'autre et au désir d'échange, s'étend toute la perspective d'une action, d'une réalisation à plusieurs. C'est l'étape de l'entreprise. Elle existe déjà tout naturellement dans le travail en commun auquel participe la plupart, mais outre qu'il ne concerne pas tout le monde, les conditions établies ne permettent pas toujours une création vraiment personnelle ni un esprit d'équipe fructueux. L'homme a besoin, le plus souvent, d'un projet qui soit davantage le sien et réponde plus à son véritable désir, à son besoin d'initiative. Il souhaite que l'entreprise soit davantage « son affaire ». C'est pourquoi il est amené à s'organiser et à se regrouper dans des associations, clubs, institutions indispensables souvent à une plus grande efficacité. Mais leur vitalité et leur richesse dépendent de la qualité de leurs membres. La motivation des démarches sera aussi variée que les degrés de préparation à la vie sociale acquise par l'expérience des premières années. Le premier terrain d'entraînement aura été la communauté familiale, à laquelle s'ajouteront bientôt l'école, les groupements de jeunes, de loisirs ou idéologiques.

Que viendra-t-on chercher dans ces associations ? Si l'enfant est demeuré rivé dans la dépendance à la mère, il éprouvera le besoin impérieux de lui trouver une substitut partout où manquera la présence physique de la mère. Ce sera d'abord l'institutrice, l'éducateur, le chef d'un mouvement, auxquels succéderont plus tard le syndicat, l'Église ou le parti. La structure associative lui permet aisément de planter le décor et d'y retrouver la sécurité familiale dont il a du mal à se passer. Elle regroupera en son sein aussi bien les « suiveurs » que les « meneurs », les créateurs et les exécutants, les participants et les parasites, les preneurs et les pris en charge. Il y a ceux qui viendront pour prolonger le discours ou la protection familiale ou pour se donner l'illusion d'en être dégagés en adoptant des choix contraires. L'association ou le groupement peut aussi bien devenir un terrain d'expression libre, spontanée et autonome, qu'un moyen de fixation ou de développement de la dépendance.

C'est pourquoi, en toute institution, on trouve à la fois un facteur irremplaçable d'épanouissement et un agent destructeur de la personnalité. Elle peut être vivifiante, thérapeutique ou névrotique.

Vivifiante, elle offre à chacun un champ d'action et de création plus vaste, une exploitation plus grande de la complémentarité et de la solidarité, une extension de l'échange et de l'épanouissement personnel.

Thérapeutique, elle permet à ceux qui ne peuvent la trouver ailleurs d'y rencontrer une réponse à leurs besoins d'initiatives et d'expression. Mais elle peut aussi entretenir, développer, voire susciter des névroses, soit en bloquant l'immaturité par la surprotection, soit en développant ou en réveillant des fragilités.

Le comportement de l'homme dans un groupe ou une foule est imprévisible, et l'influence de celle-ci peut aller jusqu'à faire ressortir et revigorer tous les noyaux primitifs présents à l'origine de tout être humain hier encore animal, prédateur, guerrier brutal et sanguinaire. Combien ont pu exprimer ainsi leur stupeur, au lendemain de ces « mouvements incontrôlés », devant une conduite dont ils ne se seraient jamais crus capables. « Ils ne savent pas, disent-ils, ce qui les a pris. » Beaucoup seront victimes de ces « meneurs », créateurs d'influence, prosélytes, idéologistes ou trafiqueurs, aidés de plus en plus aujourd'hui par les techniques médiatiques, qui composent avec la fragilité de l'individu.

André Siniavski, ancien dissident soviétique, parlait sans doute d'expérience quand il écrivait : « Je pense que tous les aspects positifs de l'homme sont indissociables de leur contraires, c'est-à-dire du mal. Et plus on possède de belles qualités, plus grand est le danger qu'elles se transforment en leur contraire. Il n'y a rien de plus dangereux, parfois, qu'un saint homme, un pur, un ascète... Il commence par vous faire la morale, puis il veut nous amender, et finalement, il se transforme en bourreau. »

L'inévitable promiscuité

En conclusion, il nous faut reconnaître que chacun, dans la société, se promène avec sa névrose, petite ou grande, côtoie, dans les autres, voleurs, violeurs et criminels en puissance ou en sommeil, et parfois inconsciemment en lui-même. Il nous faut accepter cette réalité qui nous amène à croiser quotidiennement ces faiblesses ou ces tares dans l'escalier, la rue et, *a fortiori*, dans tous les lieux publics. C'est la chronique quotidienne des « faits divers », la loi de la vie en société, de la vie humaine tout court. Quiconque fait l'expérience de la vie en groupe peut facilement le découvrir. Nous sommes souvent témoins de comportements inattendus chez telle personne jusqu'ici connue pour sa gentillesse, son calme et même son équilibre.

Qui n'a pas, d'autre part, été le témoin ou la proie du voleur, du chauffard ou du malfaiteur ? À l'heure où j'écris ces pages, se sont succédé en quelques mois les tueries d'une quinzaine de personnes dans un village de France et dans une université canadienne, par un seul homme pris de névrose subite.

Vivre avec tous ceux-là, et tout cela, n'est pas une réalité facile à accepter et pourtant la totalité de la vie sociale, de la relation humaine, est à ce prix. L'acceptation de l'autre rejoint ici sa plus grande dimension et il faut une bonne expérimentation pour être en mesure de l'atteindre. Ceux qui en sont capables sont les seuls qui, échappant à la naïveté, à l'illusion comme à la crainte ou à la méfiance chroniques, sont conscients de la réalité humaine. Ils transmettront autour d'eux une sorte de rayonnement qui apaise et tonifie, quand les asociaux font respirer l'ennui jusqu'à l'aigreur. À côté de ceux qui aiment les hommes et sont des semeurs de joie, il y a ceux qui ne peuvent les aimer et sont générateurs d'angoisses. Les premiers donnent le goût de vivre, les autres sont souvent des vecteurs de désespoir.

On a trop vite fait d'accorder à la tare, à l'hérédité ou au manque d'éducation la cause des méfaits quand beaucoup sont devenus malfaiteurs par dépit, humiliation, rejet ou incompréhension de leur entourage. Il est donc plus juste de s'interroger sur les limites du milieu social, véritable générateur de la délinquance. Mais l'homme est aussi fait de générosité et de noblesse. Le même jour qu'une paranoïaque tentait d'assassiner un responsable politique allemand, une jeune femme française faisait don d'une partie de sa moelle épinière pour sauver un Russe qu'elle ne connaissait pas.

Le mauvais usage des moyens

Quand l'image de l'autre et de la société est mauvaise, les moyens de communication mis à la disposition de l'homme vont nécessairement en souffrir. Autant leur bon usage peut être l'objet d'un enrichissement de qualité, autant ils peuvent devenir une arme agressive jusqu'à être destructrice. C'est en particulier le cas de la parole.

La parole est faite pour livrer un sentiment, une manière personnelle de recevoir et de sentir les choses et les gens. À partir de là, un échange et un enrichissement mutuel vont pouvoir s'effectuer. Décider de ne plus se parler ou en revanche ne pas parler « la même langue » est une indication de rupture. Toute manière personnelle de recevoir et de sentir est unique même si elle peut laisser paraître des ressemblances avec d'autres. Cette vérité doit être présente à l'esprit de celui qui désire s'enrichir et s'épanouir dans les relations. Mais celui qui n'a pas atteint cette maturité risque d'user de la parole comme d'une arme puissante au service du pouvoir.

La parole, arme du puissant

Certains artistes, comédiens ou conférenciers, parce qu'ils ont « froid », s'en servent pour solliciter la chaleur réconfortante du public applaudissant : la mère qui reconnaît l'enfant-roi. D'autres, à l'aise dans le maniement du verbe, savent l'utiliser à l'intérieur d'une relation vécue dans la compétition ou le rapport de forces, pour établir leur domination. C'est le domaine, entre autres, de la polémique. Nous connaissons ces « petites phrases » ou ces mots qui sont parfois plus meurtriers qu'une action physique violente.

On ne communique plus, on ne communie plus, c'est la guerre, la guerre d'usure dans l'altercation, la guerre sans pitié pour tous ceux qui, à travers la relation, souffrent des images de leurs faiblesses renvoyées par l'entourage. Quand cette gêne est trop forte cela peut aboutir à un massacre permanent où se succèdent, souvent inconsciemment, médisances et calomnies. Dans cette catégorie prolifèrent les maniaques du jugement. Comme ils le font pour eux-mêmes intérieurement, ils passent leur entourage et connaissances au crible de leurs verdicts. À tous ceux qui veulent s'imposer, Beaumarchais, explique, par la bouche de Basile, qu'il n'est pas d'arme plus redoutable ni plus efficace que la calomnie. Le recours à la peine de mort n'est pas loin.

L'arme du personnage : le bavardage ou l'assourdissement

Que va-t-on faire encore de cette parole en dehors du champ relationnel auquel elle est destinée ? Il y a les bavards dont les échos sont éprouvants à recevoir. L'analyse d'un tel comportement révèle, en général, le besoin impérieux d'étouffer la voix intérieure d'un discours rival en le dominant par un usage plus abondant de décibels. Ne dit-on pas que « c'est celui qui parle le plus fort qui a raison ». C'est, en tout cas, ce bruit dont a besoin celui qui ne peut supporter la solitude ou le silence. Pour casser ce silence, s'il n'y a personne autour de lui, il aura recours au transistor ou à la télévision.

Le débit logorrhéique camoufle souvent un vacarme intérieur dans lequel le personnage veut s'imposer. Celui-ci transporte avec lui, à l'extérieur, ce stratagème de protection dans les salons, les antichambres ou les réunions publiques, non sans éprouver, plus ou moins durement, l'entourage. C'est pourquoi l'on constate que les gens qui sont « mal dans leur peau » ont toujours quelque chose à dire, en particulier au sujet des autres.

La surabondance de la parole est une manière de se persuader soi-même, plus qu'une intention de convaincre les autres. Elle s'accompagne souvent d'une tendance paranoïde. Ce système de défense est particulièrement privilégié chez la femme dont le pire ennemi est précisément, semble-t-il, sa certitude. Le besoin d'être sûr est souvent suspect d'incapacité à accepter le doute, et les affirmations péremptoires en cachent souvent l'angoisse. Or, « Ce n'est pas le doute qui rend fou, écrit Nietzsche, c'est la certitude. » Peut-être est-ce aussi la composante féminine de certains hommes, conseillers, informateurs et « enseigneurs », capables de parler, parfois même sans broncher, devant des auditoires endormis. Ne regardant même pas ceux qui les entendent, ils manifestent dans leur débit un impérieux besoin de se parler à eux-mêmes ou de se rassurer, à moins qu'il ne s'agisse d'une sorte de masturbation intellectuelle qui prend plaisir à se dire. Ces bruits soporifiques attestent que le discours n'est plus en relation avec le sentiment, pas plus que l'orateur n'est en communication avec ses auditeurs. Il est relativement facile de découvrir si celui qui parle sent ce qu'il dit, ou s'il exprime, plus ou moins fidèlement, la pensée d'un autre.

On peut être étonné d'entendre les hommes de pouvoir exprimer leur regret de ne pas être compris, au mieux de s'être sans doute mal exprimé. Les exemples fourmillent, dans la vie quotidienne de « papiers », administratifs en particulier, mais aussi de langages spécialisés et même journalistiques (sans parler de « traités »...) inaccessibles pour l'entendement. Il n'est pas facile d'être « spécialiste » et de faire passer un sentiment. Cette difficulté conduit bien des techniciens à parler de leurs connaissances comme des évidences pour tout le monde. « Tous les économistes que j'ai tenté de lire me sont demeurés obscurs », écrivait récemment Alain Decaux.

Où est la faiblesse ? Dans l'esprit de celui qui écoute ou qui lit ce que l'auteur aurait peut-être tendance à proclamer ? Ou dans l'esprit de celui qui parle ou écrit ? Tout se passe comme si, par un gargarisme des mots, on refusait à l'autre l'avantage de comprendre. Ce procédé est parfois utilisé pour donner l'illusion de la démocratie.

Seule la relation au sentiment rend l'être capable de parler juste et d'être à l'écoute des autres, car la parole n'est pas seulement destinée à être dite, mais aussi à être écoutée et reçue. Il n'y a pas de dialogue sans cette disposition. Le face-à-face physique n'y suffit pas et peut très bien se dérouler dans une sorte de monologue bipartite. Là, comme en tout le reste, il importe de rappeler combien l'homme reste marqué par la manière dont on lui a « appris à parler » durant ses premières années. On a pu semer en lui l'usage anarchique de la parole comme moyen de cacher son sentiment.

La parole interdite

Il y a aussi ceux qui se taisent et souffrent tout au long de leur vie de leur impuissance à s'exprimer. Ce handicap est, sans doute, né d'un climat où l'expression du sentiment, ce senti spontané, était interdite ou soumise à un contrôle extérieur.

Quelqu'un, dans la famille, s'est souvent érigé en détenteur unique de la vérité, celui qui, seul, sait. D'aucuns, sans doute, se souviennent de certaines lois du silence imposées à l'enfant qui ose se permettre de « parler à table », ou « devant les grandes personnes ». D'autres encore ne prendront la parole qu'à la condition de s'exprimer conformément aux leçons apprises, en dehors desquelles tout n'est que bêtise ou ânerie. Pour beaucoup de ceux-ci, la parole devient synonyme de droit à l'existence.

La parole qui déprime

Un discours idéaliste sur la société prépare mal aussi l'homme social. Ces « foyers » perfectionnistes peuplent le royaume du pessimisme.

Le pessimisme provoque de douloureux ravages dans la vie de l'être qui en est affecté. Tout est noir et affreux, le mal est partout, la vie ne vaut pas la peine d'être vécue. Toute perspective est noyée dans l'échec ou le malheur, le bon lui-même devient mauvais, le bien est récupéré par le mal. Voilà pour l'extérieur. Si le sujet n'est pas parvenu à s'identifier à Dieu ou à ses saints, il se croit incapable de réussir, défavorisé par rapport à d'autres et voué à l'échec par le destin. C'est souvent, hélas, parce qu'on a voulu un être parfait, dans un monde idyllique, qu'on en a fait un aigri, un drogué, un alcoolique ou un extrémiste, incapable de s'intégrer à la société dans laquelle il vit. Pris par la soif du parfait, il se lamente de ne pas le rencontrer en lui ni autour de lui, et se plaint sans cesse des événements : le juge et le médecin qui se trompent, l'arbitre partial, le climat, le monde pourris et le pire qui nous attend.

En outre, les gens qui ont peur ou dramatisent tout, vivent souvent une relation aux autres dans un rapport de forces où, pour être le plus fort, il faut effrayer l'autre ou engendrer la crainte. Toute relation contient un drame. C'est sans doute parce qu'il craint de ne plus avoir pouvoir sur l'événement ou de ne pas le maîtriser que le pessimiste a la manie de l'amplifier tragiquement. La distance est trop grande entre le nuage où on l'a fait habiter et le « ras des paquerettes » où évolue le monde des hommes. Le pessimisme est un des pires ennemis de l'acceptation de soi... et donc des autres.

L'ÊTRE RESPONSABLE

Chacun d'entre nous, qu'il le veuille ou non, qu'il en soit ou non conscient, participe à l'esprit de la communauté où il vit. Sa seule présence, et à plus forte raison son comportement sont créateurs d'ambiance et ont un impact sur son environnement. Et c'est sans doute là qu'il convient d'apprécier sa qualité de responsable. Peut-être découvre-t-on désormais toute l'importance du concept de la responsabilité pour y faire si souvent appel dans les discours de notre époque. Peut-être aussi a-t-on « découvert » l'évolution totale des êtres et non de leur seule qualification technique. Ce n'est pas la moindre conquête de cette évolution que celle d'attribuer à l'homme une fonction participante et créatrice dans la vie sociale. L'heure n'est plus à la seule organisation matérielle ou technique, au choix d'une structure politique dépourvue du sens de l'humain et de la vocation personnelle de l'individu. Sans doute le retard de cette prise de conscience par le pouvoir explique-t-il la « crise » de notre époque dite moderne.

Le règne de la technologie

Le progrès de la technologie a devancé celui de la responsabilité individuelle ; le souci du bien-être matériel a trop souvent oublié l'exigence de l'épanouissement intérieur. L'homme n'est pas encore prêt à « répondre » aux situations impliquées par le développement technologique. Tout semble se passer comme si on mettait entre les mains d'un enfant un jouet dont il saurait mal se servir ou même dont il ignorerait certains usages dangereux. Un décalage s'est creusé entre l'intellect et le sentiment, voire parfois une rupture. On aboutit souvent à engendrer la peur, quand on se proposait d'apporter plus de bonheur. Le bénéficiaire est transformé en victime. L'homme se dit « dépassé par les événements » qui vont plus vite que lui. Il s'essouffle chaque jour pour être en mesure de vivre ces événements et assurer son rôle de participant actif, mais il ne peut plus les intégrer et donc y répondre. On lui demande de brûler ce qu'il a adoré et d'adorer ce qu'il a brûlé, situation de plus en plus difficile à assumer et ouvrant parfois la porte à la dépression. Demander à l'homme de changer de métier est un énoncé intellectuel facile, mais cet homme est-il préparé psychologiquement à une telle révolution exigeant le plus souvent une transplantation ? Imposer une structure très mécanisée développant le presse-bouton nécessite une adaptation du comportement humain, sans laquelle on risque de relever les débris des appareils ou des machines et d'user sans succès les procédés antigraffiti.

L'adaptation

Qui dit adaptation, de par son sens étymologique, dit « aptitude à » vivre une situation. Être adapté, c'est faire avec. C'est pouvoir répondre et donc pouvoir être responsable. Le sujet et l'objet se rencontrent et peuvent vivre ensemble.

Dans un monde en évolution, des situations nouvelles imposent un changement. Mais on ne change pas sur ordre. Chacun ne renonce pas si facilement à ses habitudes ni au nid qu'il s'est construit durant plusieurs années. Certes, l'homme est capable de s'adapter à toutes les situations, mais il lui faut avoir appris à ne pas rester figé dans des conditions de vie sécurisantes où sont encore enracinées la chaleur et la protection maternelles. L'installation dans le confort anémiant de la dépendance n'incite pas au changement et rend difficile l'adaptation à une autre condition.

L'adaptation est une condition première de la démocratie. Celui qui n'est bien que là où il est et dans ce qu'il fait, ne peut pas choisir autre chose. D'un côté, il veut que ça change, mais, de l'autre, il ne peut accepter une autre situation et donc choisir. Ne pouvant choisir, il ne peut ni voter ni participer à un projet, une réforme ou à une action nouvelle. On en a fait un « ego-crate » (ou auto-crate) plutôt qu'un « démo-crate ». Il est tellement dépendant du conservatisme qu'il est devenu incapable de poser un acte personnel. C'est un « allo-crate [1] » !...

C'est pourquoi les pays communistes d'hier ne peuvent spontanément devenir démocrates. La démocratie ne s'improvise pas, elle se prépare. L'homme ne naît pas naturellement démocrate. Il doit apprendre à le devenir ; mais c'est un titre difficile à conquérir si le pouvoir ne le favorise pas. Proclamer la démocratie ne fait pas pour autant un peuple ou un citoyen démocrate. Il faut d'abord les rendre capable de démocratie.

Partout où on a ignoré cette élémentaire vérité, on a

---

1. Du grec : *Ego* : Moi ; *Démos* : peuple ; *Allos* : autre ; *Cratos* : autorité.

fabriqué des délinquants et des drogués. Les discours sur la délinquance et la drogue ne manquent pas ; ce qui manque, c'est une meilleure gestion de l'évolution économique et culturelle qui les génère.

Responsabilité du pouvoir

Il appartient à ceux qui détiennent le pouvoir dans les institutions, de sentir à quel rythme ses membres peuvent progresser et de veiller à ne jamais imposer à l'homme une course pour laquelle il n'est pas préparé. On prétend vouloir le bien de l'homme, mais pas de l'homme tout entier. Faire appel à la responsabilité de l'homme, c'est d'abord lui donner les moyens de l'assumer, de « répondre ». C'est donc, pour ceux qui détiennent le pouvoir, permettre d'être responsable soi-même et ne pas confondre un responsable avec un bon technicien ou un exécutant. Il est frappant de constater combien les promus du pouvoir oublient vite l'usager qu'ils ont été auparavant. C'est pourquoi les uns ne peuvent être efficaces sans les autres. La technique qui vient supprimer ou rendre inutile la participation créatrice de l'homme est souvent meurtrière. L'être qui ne crée pas se sclérose ou s'étiole et il n'y a pas création là où il n'y a pas participation à l'élaboration d'un projet. L'homme ne se sent pas bien dans une société où le pouvoir et les structures le considèrent comme un enfant, un numéro ou un simple administré. Si bien équipée qu'elle soit, une société peut engendrer l'ennui et la morosité tant qu'elle n'a pas compris ce qu'est véritablement l'homme responsable. Là aussi, l'ignorer est une authentique violation des droits de l'homme.

Le prétendu triomphe de la technique ne manque pas d'engendrer parfois le ridicule, quand il ne frôle pas la catastrophe. Nous le constatons avec les problèmes écologiques. Le « bon sens » restera toujours indispensable, comme sens pratique, pour permettre aux « puissants », même sortis des « grandes écoles », d'éviter les erreurs et d'échapper au grotesque. Un petit exemple : on a dû jeter à la poubelle une pièce de dix francs créée par un gouvernement, parce qu'elle s'est révélée inutilisable. On en a fait aussitôt une autre sous le gouvernement suivant. Les personnes âgées – entre autres – ne cessent de la confondre avec la pièce de vingt centimes et les parcmètres ou autres appareils, non interrogés en la circonstance, se sont d'abord refusés à la reconnaître.

Malgré l'alerte de Montaigne sur la fausse valeur attribuée à la « tête bien pleine », on continue à protéger celle-ci. Faut-il rappeler que « nos ancêtres », par exemple, n'avaient pas fréquenté les « grandes écoles », mais savaient mieux construire et gérer la nature à l'écart des avalanches ou des terrains dangereux ? L'expérience le prouve quotidiennement.

L'isolationnisme

À ce manque de réalisme pratique, il convient de faire ressortir un manque de réalisme humain. La mise en place d'un mode de vie géré par trop de technologie a détruit toute l'organisation de la vie relationnelle établie depuis des siècles. On se connaissait tous au village ou dans le quartier ; on se connaît désormais de moins en moins, même entre voisins. Les courses « contre la montre » condamnent les gens à aller trop vite ; ils ne prennent plus le temps de s'arrêter. On parle de moins en moins de son boucher, de son épicier, ni même souvent de son dentiste ou de son médecin, de son facteur ou de son maire, toutes ces personnes ou ces lieux qui favorisaient les relations quotidiennes. Chacun de ces interlocuteurs est progressivement remplacé par un organisme collectif, un supermarché, une machine ou un écran. Les derniers employés survivants sont de plus en plus impersonnels et administratifs. Les villages et les îlots à dimensions humaines se meurent ou vont se noyer dans la masse des collectifs. Les clochers ont perdu leur voix. Il n'est pas jusqu'à l'intérieur du foyer où il faudrait presque prendre rendez-vous pour se rencontrer ou se parler. Tout est à reconstruire. Les clubs, forum ou réunions organisées ne sont que des palliatifs insuffisants. C'est peut-être par la destruction d'une authentique vie relationnelle que notre époque moderne engendre le plus de dégâts dans l'épanouissement de l'être humain. L'homme, en effet, animal sociable, a besoin d'un partenaire autre que la radio, la télé, le walkman, le minitel ou autre écran.

La communication, en effet, n'est pas une technique. L'homme ne communique pas seulement parce qu'il parle et, à plus forte raison, s'il dit n'importe quoi. Il a besoin de sentir l'âme de son partenaire, et d'une relation personnalisée dans le sentiment. Il ne se livre pas sur commande. Malheur au robotisme qui prétendait s'y substituer, car l'homme qui ne peut exprimer son sentiment ni rencontrer une oreille prête à l'écouter succombera psychiquement à cet isolationnisme.

C'est pourquoi il va falloir aider l'homme à décoder le nouveau langage de la société pour le rendre plus apte à « répondre ». Il faudra reconstruire toute sa vie relationnelle. Cela se fera sûrement, mais il y faudra du temps.

Le cas de l'analysé

On a pu reprocher à la psychanalyse tant la nébulosité de son discours et d'introduire une sorte de repliement sur soi pouvant conduire jusqu'à l'esprit de chapelle. Cela peut se rencontrer ici comme en toute entreprise ou autre corporation. Pourquoi n'y aurait-il pas des analysés ou des analystes, victimes d'une analyse plus ou moins ratée et devenus marginaux et suffisants ? Mais l'analyse réussie sépare nécessairement des « autres » d'une certaine manière ou, en tout cas, peut provoquer quelques bouleversements dans les relations d'hier. Si l'analyse, en effet, atteint son objet, elle entraînera la disparition plus ou moins totale des projections et, donc, transformera radicalement et nécessairement ces relations. L'analysé, par exemple, n'a plus du tout envie de jouer le rôle de mère ou de père, de prendre en charge. Il ne veut plus être « mangé » ni servir de substitut. Et, en ce cas, il n'intéresse plus ceux qui avaient pris l'habitude d'être accueillis par lui dans leur quête inconsciente. De son côté, il n'adresse plus à son entourage des demandes de ce genre et se refuse à la mainmise de tous ceux qui sont à la recherche de sujets à protéger, à materner ou à diriger. L'analysé doit savoir distinguer ce qu'il est en vérité de ce qu'on fait ou veut faire de lui.

Comme toutes les relations sont communément composées de ces appels projectifs, à de rares exceptions près, l'analysé se trouve alors hors jeu. En fait, une meilleure « neutralité », une indépendance sont nécessaires pour une sociabilité respectueuse de la liberté ; elle offre ce qu'on pourrait espérer de mieux pour chacun : l'analysé accueille l'autre gratuitement, sans possession, partage avec lui sans expropriation, et surtout ne juge et ne condamne personne. Du moins, sa dynamique va-t-elle dans cette direction, même s'il n'y parvient pas sans faille, et tout homme devrait pouvoir trouver dans l'analysé le meilleur compagnon. Beaucoup, parmi les mères de famille en particulier, décident d'entreprendre une analyse pour offrir à leur partenaire, ou à leurs enfants, le bénéfice d'une relation plus enrichissante. Car, « lorsqu'un individu se consacre à ce travail sur lui-même, écrit M. L. Von Franz, il a fréquemment une influence contagieuse positive sur ceux qui l'entourent. C'est comme une étincelle qui saute de l'un à l'autre. Et cela se produit d'ordinaire quand on n'a pas l'intention d'influencer les autres, et souvent alors qu'on n'utilise pas la parole [1]. »

---

1. *L'Homme et ses symboles*, op. cit., p. 225.

CHAPITRE 6

LA PROFESSION

Aimez les métiers, les miens et les vôtres.
On voit bien des sots, pas un sot métier.
Et toute la terre est comme un chantier où chaque métier sert à tous les autres.
Et tout travailleur sert au monde entier.

J. Aicard

Le jour où un tisserand de châles chante à son métier, il en fait un parfait. Le jour où la chanson ne se presse pas dans son gosier, son ouvrage est grossier.

Chant hindou

LE CONSTAT

Ce sujet est particulièrement à l'ordre du jour, générateur d'angoisses chez les jeunes et de misères chez beaucoup. Depuis l'enfant de quinze ans qui « ne sait pas ce qu'il veut faire plus tard » jusqu'à celui qui « prend ce qu'il trouve » parce qu'il faut de l'argent pour vivre, il reste, hélas, peu de gens qui font vraiment ce qu'ils aiment ou qui aiment ce qu'ils font. L'entrée dans le monde du travail ne s'accomplit pas avec l'enthousiasme qui devrait l'accompagner. Cette situation explique pourquoi l'engagement professionnel conduit souvent un jour ou l'autre à la dépression. Une ambiance génératrice de rivalités, de croche-pieds, d'agressivité, de surmenage, de santé et d'équilibre malmenés forment les litanies d'un constat quotidien. C'est souvent là qu'on acquiert l'expérience de l'homme, avec son égoïsme et ses roueries, son manque de respect de l'autre.

Ce ne sera sans doute pas la moindre erreur de notre époque que d'avoir manqué la route qui épanouit l'homme dans le travail en lui assurant sa place dans l'organisation économique ou culturelle. Or, si l'homme ne parvient pas à s'épanouir dans le travail, c'est toute sa vie et tout son être qui sont atteints de rachitisme et de langueur. Comment en est-on arrivé là ? Probablement en raison d'un manque de justesse dans la conception du travail. On a trop ignoré en chaque individu l'existence d'une vocation, réservant ce mot aux fonctions éminentes de la société, consacrées à la santé, à l'aide sociale, à l'enseignement, aux sacerdoces, ou aux professions artistiques.

Tout se passe comme si, seuls, ces derniers étaient des appelés, comme si on réservait le concept de vocation aux fonctions « privilégiées » et considérées comme nobles.

Cette ségrégation et cette hiérarchie des métiers a beaucoup contribué à la fameuse « lutte des classes » et a stoppé l'élan créateur qui existe, en réalité, en chaque individu. Humilié au départ, l'homme créateur ne croit pas assez en lui, ne sait pas qu'il existe en chacun une vocation, un désir de faire inhérent à tout désir d'être et de vivre. On structure la société mais on ignore la mission de l'homme. Or, la mission de l'homme est une notion essentielle de la culture d'une société.

Le travail, avec la création, la vocation, n'est pas seulement une mise à l'ouvrage. Il doit être épanouissant et non pas seulement répondre à la seule nécessité de « gagner sa vie ». C'est pourquoi il faut à l'homme et à la société un minimum de culture pour accéder à la qualité du travail.

La culture

Quand on parle de la culture d'un pays ou d'une communauté d'hommes, on accorde à ce mot une notion souvent trop restreinte. On lui attribue surtout une étendue de connaissances, un patrimoine artistique et des coutumes ou des habitudes de comportements, un rituel de fêtes ou de célébrations, une croyance et une pratique religieuse particulière. Or la culture atteint un domaine plus vaste et plus profond, inhérent à l'homme lui-même : sa manière d'être, de penser, d'agir ou de réagir ; sa sensibilité, son intuition, tous ces éléments spécifiques qu'il partage avec ceux de son entourage, de son pays, de sa race ou de sa religion. C'est là que se situe la différence de culture, base des incompréhensions entre les Occidentaux et Arabes ou Asiatiques par exemple.

D'autre part, la culture n'est pas fixée une fois pour toutes, elle s'enrichit d'expériences ou de découvertes nouvelles : elle implique une évolution. De même que le mot définit l'exploitation de la richesse fécondante de la terre, de même il définit le développement de la richesse individuelle de l'homme. L'un ou l'autre cas sous-tend une idée de progression, d'accession à un état supérieur. Aussi le concept de culture ne se sépare-t-il pas de celui de l'évolution dont nous parlerons plus loin. À tout moment, il y a mouvement dans la dynamique culturelle, plus intensément à certaines périodes. Sans doute traversons-nous actuellement une de ces périodes.

Voilà pourquoi on peut parler de changement de mentalité, de « manière de voir », de « manière d'être ou de vivre ». Ce changement rejette du même coup dans le passé la mentalité d'hier et projette dans le présent la nouvelle, celle « de son temps ». Le progrès technique en est un facteur essentiel : la communication a changé la vie relationnelle, la découverte de la pilule a entraîné un changement de mentalité, la télévision, la hifi introduisent un arsenal culturel considérable qui font vivre autrement la famille, les loisirs, l'événement. Comme en toute révolution culturelle, il faudra probablement des années pour que cette technologie soit bien digérée et pour élaguer l'utilisation anarchique qui en est faite. D'ici là, la puissance des médias, l'action publicitaire draineront autant de dangers que d'enrichissement. Le pouvoir qui les détient entremêlera aisément l'incitation à une vie plus humaine avec l'exploitation idéologique et commerciale de la fragilité ou de l'influençabilité du public.

Le Moi est vulnérable

Il faudra de plus en plus de personnalité pour échapper à la pression de certaines images et de certains discours bien choisis et orientés. L'homme sera amené, contraint même, à se protéger d'une mainmise de plus en plus puissante. Comment se libérer de l'esclavage, du snobisme, quand, par exemple, une pub va faire appel à l'image que vous allez donner de vous-même en achetant tel produit ? Et si, de plus, on fait entrer dans le jeu de la consommation l'influence sensibilisante des enfants... On n'a pas toujours l'impression que ces créateurs d'influence, par l'image, le haut-parleur ou l'affiche soient très conscients du pouvoir qu'ils détiennent et par là même de leurs responsabilités.

Cette inconscience demande en tout cas de réfléchir plus souvent au respect de la liberté de penser personnelle. Or ce respect est trop souvent bafoué au nom de la qualité « adulte » des auditeurs ou des spectateurs. De quels adultes parle-t-on ? Car ils sont peu nombreux à être capables d'affronter une technique d'influences de plus en plus sophistiquée, que l'on mijote parfois en certains séminaires de formation. L'entreprise publicitaire, entre autres, ne part-elle pas du postulat que l'homme, n'est pas adulte ?

Les médias constituent le plus fabuleux moyen de pression jamais égalé dans les sociétés antérieures. Les langages, les comportements en sont terriblement affectés. Avez-vous remarqué, par exemple, comment, par le jeu du vocabulaire utilisé à la radio, dans les journaux ou à la télé, on peut arriver à introduire des mots ou expressions souvent peu conformes au sens académique et créer un nouveau mode d'expression. Ainsi, depuis deux ou trois ans, sommes-nous envahis par un raz de marée de « tout à fait », souvent relayés par les « absolument ». Il n'y a plus guère de réponses aux questions des interviews qui ne commencent par le « tout à fait » que nous retrouvons partout, désormais, dans les conversations courantes. Cet exemple, plus amusant que regrettable, montre à nos académiciens et à nos ministres par quelle voie on obtient plus sûrement l'adoption de leurs projets de réforme !

Le travail

Dans l'ensemble des valeurs qui composent une culture, celle du travail, qui nous intéresse plus particulièrement dans ce chapitre, occupe une place prépondérante dans la vie de chacun. Un long chemin reste à parcourir pour donner à cette valeur toute la dimension qu'elle mérite. Certes, nous nous sommes éloignés des époques de l'esclavage, mais l'exploitation de l'homme et de sa « main-d'œuvre » au mépris de son épanouissement est encore très tenace. Le travail de « forçat », au mépris de l'hygiène physique et psychique, de la participation créatrice de chacun, de la priorité au respect de l'homme, règne encore dans une large mesure, y compris dans les pays dits civilisés. Les sciences technologiques et économiques sont allées plus vite que les sciences humaines. Il arrive même qu'on utilise ces dernières au service des premières à leur détriment : par exemple, l'usage trop systématique des tests comme critère d'embauche.

Bien sûr ces sciences ont développé le confort, le plaisir, les commodités mais au prix d'un chômage galopant que l'on n'a su ni prévoir, ni maîtriser. Quel manque de souci élémentaire de l'homme ! La connaissance intellectuelle n'est pas tout ! Et l'on ne peut parler de culture qu'à partir de cette sorte de conviction intérieure qui sent la vérité et la justesse d'une idée. Dans l'état actuel de notre culture, il faut bien admettre que la conception du travail est demeurée dans l'ombre.

DÉVIATIONS ET DÉFAUTS DE MOTIVATIONS

Ce constat de carence nous rend constamment témoins des souffrances de l'homme à la recherche de sa créativité et d'une image du travail attrayante et mobilisatrice. Il semble que nous traversons une période où cette image est de plus en plus absente. Or, là où l'attrait manque, s'établit la contrainte.

Loi et contrainte

Depuis « le travail à la sueur de son front » et la nécessité de travailler « pour vivre », on a eu vite fait d'enfermer le travail dans une loi qui s'impose à tous, une contrainte à laquelle personne ne peut échapper. Mais toute motivation suscitée par « il le faut bien » ne pourra être accueillie avec le sourire et une volonté dynamique. Et là où l'enthousiasme est absent, l'action devient pénible et éprouvante. Le travail est alors entré dans le chapitre austère du devoir :

« il faut bien ». Cette mentalité nous a tellement envahis qu'elle va surgir dès le premier effort dans l'existence et dès le seuil de l'école. On l'oppose même à la joie et au rire en ajoutant au « il faut bien » : « ce n'est pas pour rire » ou « fini de rire ».

La rentabilité

La rentabilité n'est pas le moindre obstacle de notre époque qui, au nom de la croissance, facteur économique prioritaire, dans l'objectif d'une surconsommation génératrice de crédits et de besoins toujours nouveaux, exige un « pouvoir d'achat » grandissant. De plus en plus, ce qui n'est pas rentable n'est pas retenu, qu'il s'agisse de projet, d'entreprise et même de l'homme. Le dieu de l'économie s'est emparé du travail pour se l'asservir. Ce mot magique est devenu le critère prépondérant du développement de toute société. Il y manque malheureusement l'essentiel : l'épanouissement de l'individu et tout simplement le respect de la vie de l'homme, la place de la nature dans sa vie. Au lieu de cela l'économie pollue, asphyxie, tue, détruit. Ne vient-on pas d'observer que les pavillons dits « de complaisance » utilisés abusivement par certaines compagnies de navigation maritime et dévalorisés désormais par leur manque de sécurité, sont en réalité parfois des pavillons... économiques. Pour des raisons économiques, on en arrive aux marées noires... Il semble bien, à observer les dégâts psychologiques dont nous sommes témoins que, dans l'entreprise économique actuelle, les concepts de richesse et de pauvreté aient quelque peu échappé, sinon à la science de nos économistes, tout au moins aux pouvoirs politiques qui s'y réfèrent.

Le langage quotidien parlera de ce que vaut tel ou tel travailleur, combien il « pèse ». On commence toutefois, semble-t-il, à découvrir que cette rentabilité dépend du « cœur à l'ouvrage », de l'intérêt et du bien-être que l'homme éprouve à travers son action.

Si cette élémentaire observation est mise en considération par nos économistes, l'homme aura peut-être des chances d'y gagner en épanouissement. Tant pis si la

148

motivation de ce changement devra plus à la rentabilité qu'au respect de l'homme, on aura au moins retrouvé le sage rappel que « l'homme ne fait bien que ce qu'il aime ».

Il restera toutefois à sauver les travaux dont les produits ne sont pas cotés en bourse et qu'on délaisse de plus en plus parce que sans « rapport » suffisant ou « pas assez payant ». À vouloir imposer des critères économiques à tout, on en arrive facilement à escamoter l'essentiel, à sacrifier la beauté et la propreté du cadre, à se contenter de n'importe quelle cuisine et surtout à sous-estimer la finition, le fignolage et souvent la qualité au profit de la série.

Autrefois, la construction des cathédrales exploitait certes la naïveté et la faiblesse d'une main-d'œuvre asservie mais c'est l'âme entière de la ville qui édifiait le chef-d'œuvre : la bourgeoisie offrait ses bijoux, l'artisan aidait au transport des pierres après son travail, chaque corporation tenait à être représentée. La cité entière était animée du souffle si bien que la plus petite église personnalisait réellement le village. Aujourd'hui, cette personnalité a laissé place au béton et à des structures d'abord fonctionnelles. Les pavillons s'alignent en série dans les lotissements. Au maçon a succédé l'entreprise et le « prêt-à-poser ». Maisons en série, meubles en série font passer la rentabilité avant la création artistique, ce qui explique sans doute le succès des brocantes ou des antiquaires, récupérateurs des créations et de l'artisanat d'hier.

L'uniformité, génératrice de l'ennui a-t-on dit, le froid du béton, l'urbanisation et la production industrielle ont semé la mort dans les villages. Une animation souvent artificielle n'a pas remplacé la vie spontanée le long des trottoirs et sur les places. L'ambiance vivifiante que l'homme respirait autour de lui a disparu et cédé la place à la tristesse. La rentabilité a peut-être rempli les coffres, mais elle a vidé les âmes. Jamais l'expression « argent, nerf de la guerre » n'a été aussi pleine d'un sens pernicieux. Une telle société provoque obligatoirement l'injustice, l'exploitation, la fraude, le vol, la violence et, en un mot, l'insécurité.

Dans cette exploitation de l'homme par l'homme, notre époque n'en a pas fini avec les exigences du respect de l'homme qui travaille, de son équilibre et de sa santé. Les cabinets d'analystes et de psychothérapeutes sont remplis de victimes du surmenage. Rares sont les cas où le sujet n'a pas à lutter pour imposer l'application de son horaire de travail. Chacun se fait, le plus souvent, « manger » par l'autorité supérieure ou la nécessaire considération de celle-ci, et se retrouve quotidiennement avec une ou deux heures de présence supplémentaire.

Nous constatons fréquemment que parvenir à s'imposer le temps du travail fixé par le contrat fait partie des signes de conquête du Moi et de l'autonomie. Il y a, le plus souvent, dans l'évocation de cette crainte face à l'implacable considération du « patron », une projection du substitut et de l'ordre maternel avec sa peur du rejet. La « hiérarchie » sait en profiter. Cet assujettissement, en attendant, s'accompagne de nombreux épuisements et dépressions avec son cortège de conséquences : accidents, énervements et scènes dans le foyer.

Le statut social

L'influence de la société joue un rôle important dans le choix du métier. Il fut un temps, par exemple, où les professions libérales, l'enseignement, ou le clergé, représentaient le « dessus du panier », le « nec plus ultra » des « bonnes situations ». Nous retrouvons la même palette de personnages, la réputation, le label du notable. Dans sa hiérarchie, tout le reste venait après, jusqu'à susciter l'indifférence, l'infériorisation ou même le mépris. Accéder à cette élite, c'était s'assurer la supériorité sur les autres. La profession devenait donc l'outil du pouvoir, ce par quoi le personnage jouit de sa suffisance et de sa considération. Il a « pignon sur rue », on le regarde, on l'admire, on l'envie, on le salue, on le vénère presque. L'être concerné s'identifie à ce pouvoir et supporte mal d'être mis en cause ou critiqué. Le personnage exige le respect et ne peut se tromper. De cette génération, il existe encore de magnifiques spécimens !

Dans cette classification il y eut longtemps, en certaines familles, la référence au métier du père qui, lui, avait « réussi » et devenait un modèle. Ce critère a peut-être perdu de sa valeur à notre époque et une nouvelle hiérarchie est en train de succéder à celle d'hier. Même si l'incitation par les parents à engager l'enfant dans le métier dont l'un ou l'autre avait rêvé en vain est encore tenace, cette pression a perdu de son ampleur. On ne sait plus, aujourd'hui, quelle profession rêver pour son enfant. On peut même se demander si le mot métier a toujours un sens et s'il n'y a pas lieu de parler davantage d'occupation ou d'activité professionnelle ; sans doute parce qu'il y manque la liberté de créer. La « réussite sociale », en effet, semble de plus en plus établir ses critères dans la puissance financière, l'accession au maximum de confort, aux biens de consommation. Le pouvoir est près de se confondre avec l'argent ; il a changé d'objet : son contenu est différent et son personnage se revêt d'une autre image.

La compensation

Parmi les motivations qui déterminent la recherche d'une activité professionnelle, il y a le besoin de compensation offrant un terrain de libération ou un refuge à celui qui s'ennuie ou étouffe dans sa vie de couple comme dans ses heures dites « de liberté ». Le couple, en effet, vécu comme un devoir, un statut social ou un poids, pousse l'homme et parfois même la femme à l'extérieur, pour y respirer une atmosphère de liberté et de créativité qui fait défaut à la maison. Le travail peut même devenir l'investissement de toute la vie, de toute l'énergie personnelle. La « boîte » est devenue la mère de substitution. C'est elle qui, pour certains, fait vivre, offre un terrain qui suscite, flatte et entretient le personnage, la promotion et le pouvoir. On obtient par elle ce que n'apportent pas le foyer et l'isolement d'une vie mal assumée. L'activité professionnelle devient alors l'essentiel de la vie. À la maison, on ne fait que « passer ». On sort de celle-ci en chantant pour aller au travail et on y revient tête basse, presque à regret. Le travail n'est pas partie intégrante de la vie mais en constitue la totalité au détriment du « reste ». Bienfaisant père ou mère qui, durant le temps de la vie dite active, apporte une raison d'exister et une certaine joie de vivre, mais que va-t-il se passer à l'heure de la retraite ?... Ou du licenciement ? L'état de dépendance vécu à l'égard de ce travail, comme dans la dépendance établie à l'égard de la mère, n'est épanouissant qu'en surface. Les motivations sont compensatoires et ne sont pas loin de transformer, un jour, le travail en corvée et d'aboutir à de néfastes somatisations.

IMPORTANCE DU PROJET PERSONNEL

L'homme est fait pour créer. Le priver de cette possibilité revient à lui enlever l'essentiel de sa qualité humaine. Il porte en lui un projet, unique comme lui-même, qui s'inscrit dans l'ensemble de l'œuvre constructive du monde et de l'époque où il vit. Tant qu'on n'aura pas reconnu cette vérité première, et autrement qu'en un discours intellectuel, on ignorera ce qu'est l'homme et on continuera à l'asservir. Certains énoncés philosophiques, certaines actions politiques ou syndicales en vue de la protection de l'homme ne seront que des correctifs, plus ou moins heureux, qui changeront peu de choses à un état faussé au départ.

Le choix professionnel constitue sans doute l'exemple le plus concret du projet personnel de l'individu, de son unicité, de son identité. L'homme est un créateur avant d'être un exécutant ou un manœuvre. On doit retrouver dans son travail l'expression de son désir personnel, l'accomplissement du projet inscrit en son être. Ce projet, sachons-le bien, fait partie d'un ensemble dans lequel l'individu a sa place et auquel il participe. Il ne peut s'agir d'un projet frondeur, individualiste ou, à plus forte raison, destructeur, puisque l'homme est partie d'un tout, membre et composante du monde où il vit. C'est dans la réalisation de son projet, et là seulement, qu'il trouvera son épanouissement, sa raison d'être et sa joie de vivre.

Si, en revanche, on lui impose un projet qui n'est pas le sien, il ne sera jamais « dans sa peau », car on le prive du sens de son existence. La question essentielle est de se demander s'il aime ce qu'il fait. C'est parce qu'on a étouffé, peut-être détruit, le désir de créer en certains sujets qu'on s'est permis de conclure qu'il y a des hommes inévitablement destinés à être toujours des exécutants. Que va-t-il rester de l'homme en eux à notre époque où le perfectionnement des machines et des robots supplante de plus en plus cette main-d'œuvre ?

« Vivre de son travail » contient un autre sens que celui d'une seule opération financière. Celui de l'épanouissement résultant d'une action créatrice, celle qui draine avec elle un tonus générateur d'idées nouvelles et d'énergies autrement inexploitées. La création, en vérité, constitue l'objectif de la vie.

L'action créatrice commence au fond du cœur pour s'exprimer ensuite dans la réalisation. Tout travail est donc œuvre d'art ou d'artiste. Faire ce que l'on aime n'exclut pas l'effort mais lui donne un sens, parce qu'il contient un but, un objectif personnel, celui sorti du fond de soi-même. À ce titre alors, l'effort investi se nourrit d'un dynamisme qu'on ne retrouve pas dans un autre projet.

Cet effort-là n'est plus une « corvée », une « galère », un aboutissement, mais un épanouissement et une joie, car il contient la signature de son créateur. Cet épanouissement va promouvoir une santé physique et morale si nécessaire à l'unité de l'être. Il est très important que le corps et l'âme vivent à l'unisson partout, mais le travail en est sans doute le plus vaste champ d'application. L'homme, enfin, rencontre toute sa dimension à partir du moment où il se sent participant, par son action personnelle, à l'évolution du monde. Quand la main construit en relation avec le cœur, l'homme peut alors donner un sens à sa vie.

L'APPRENTISSAGE

Les impératifs de notre société industrielle voudraient nous obliger à penser que tout cela est bien beau mais que, nécessité oblige, l'homme ne peut faire ce qui lui plaît. Postulat partiellement vrai qui contient, en effet, une ambiguïté. Compte tenu des influences qui ont pesé sur lui, il y a lieu de distinguer ce que l'homme déclare aimer et ce qu'il aimerait faire en vérité... mais que souvent il ne connaît pas encore, parce qu'on ne l'a pas aidé à se mettre à l'écoute du désir qui l'habite. On constate, en effet, qu'au sein de la crise actuelle où l'homme peut de moins en moins faire ce qu'il souhaite, ceux qui ont la chance d'être préparés à l'action créatrice s'en sortent toujours. La conjoncture est, en revanche, plus difficile pour ceux qui ont été privés de cette préparation. En quoi consiste donc cet apprentissage ?

Le besoin naturel de créer

Dans le prolongement d'une action pédagogique qui respecte chaque être en l'acceptant tel qu'il est, ce pour quoi il est et qui ne tente pas de lui inculquer le programme d'un autre, il y a cette mission difficile mais capitale de découvrir ce qui est propre à l'enfant et en quoi consiste son projet personnel. Il s'agit plus précisément d'aider l'enfant à le découvrir lui-même. Mais il faut lui en offrir la possibilité, et cela suppose aussi que cette disposition existe dans toute l'étendue de la relation parents-enfant. Quand a sonné, chez l'enfant, l'heure de l'affirmation du Moi, exprimée dans son désir de créer, le moment est venu pour l'entourage – la famille en particulier – de montrer la qualité de son amour.

Aimer quelqu'un, c'est le vouloir heureux et non soumis au projet de ses parents. Aider l'enfant à découvrir ce qu'il est, c'est laisser la porte ouverte à ce qu'il sent être bon pour lui et ce qu'il a envie d'en dire. Alors seulement il sera possible d'entendre l'expression d'un désir personnel et, progressivement, d'un projet personnel. Quand l'enfant n'exprime pas son désir, quand il déclare ne pas savoir ce qui lui plaît ou, en particulier, ce qu'il envisage de faire plus tard, ce n'est pas son procès qu'il convient d'entreprendre mais celui de son entourage.

Très vite, l'enfant a envie de découvrir, de créer et désire exprimer ce qu'il ressent de sa découverte et de sa création. Le pire étant l'impossibilité à le formuler, suscitant alors un handicap qui l'affectera pour toute sa vie. Cette menace pèse sur lui, particulièrement quand on s'acharne à agir « à sa place », même si les motivations évoquées sont, comme à l'habitude, pleines de générosité : « Je sais mieux faire donc ce sera mieux fait... Ça gagne du temps... » La paralysie risque enfin d'être fatale si on accuse l'enfant d'être « incapable » ou « bon à rien », même sous prétexte de stimulation. Les mobiles inconscients qui, le plus souvent, sous-tendent cette usurpation ne sont autres qu'une machination pour se rendre indispensable : l'autre, ainsi, ne pourra se passer de nous ni parvenir trop vite à son autonomie.

Ainsi trouvera-t-on plus tard des adultes incapables des prises en charge élémentaires quotidiennement nécessaires, stériles dans leurs idées comme dans leur créativité. Il y a ceux qui sont capables de presque tout faire par eux-mêmes et ceux qui ne peuvent presque rien faire par eux-mêmes, selon ce qu'on a fait de leur désir de créer. Il n'est pas de pire infirmité dans la vie d'un homme ou d'une femme que celle de n'avoir pu découvrir l'enrichissement intérieur de la créativité, cet acte qui fait de lui un participant de la société et lui apporte la joie de pouvoir dire : « C'est moi qui ai fait cela, qui l'ai imaginé, inventé, décidé... » Aussi notre société de consommation et du « prêt à » accroît la nécessité, pour l'éducateur, d'inventer les moyens qui permettent à l'enfant de mettre en œuvre son désir et son besoin de créer à partir du jeu même, quand la mécanique et l'électronique proposent à tout instant de s'y substituer.

Certes, un comportement opposé apparaît avec la génération nouvelle et la présence au foyer de plus en plus comptée de la femme qui travaille : on demande alors à l'enfant de se débrouiller davantage par lui-même. Le résultat peut être positif si l'action de l'enfant est déterminée par le désir et non par la contrainte. Le risque est grand de remplacer un système par un autre. Car, si autrefois on obligeait parfois l'enfant à ne pas faire, on l'obligerait plutôt aujourd'hui à faire. On a même tendance à ne plus le limiter en l'autorisant et même en l'incitant, par exemple, à conduire très tôt moto et voiture. L'objectif de l'enfant prodige risque alors de lui briser les ailes en substituant la performance au jeu, ce qui n'engendre pas la créativité. L'adulte est satisfait et applaudit, mais non l'enfant en vérité. C'est ce qu'il importe de ne pas oublier.

Créer quoi ? La vocation

À partir du moment où l'on reconnaît à chaque homme un besoin naturel de créer, toute l'aide pédagogique aura pour but d'aider l'enfant à découvrir l'objet de sa créativité, à se mettre à la recherche de sa vocation.

Le sens étymologique de ce mot fait état d'un « appel ». Chacun a une vocation. Cela veut dire qu'à l'écoute de lui-même il se sentira attiré, porté à, comme dans une relation privilégiée entre lui et l'objet à construire. Cet objet devient son affaire, son but, sortira de lui-même, de son cerveau ou de ses mains et du plus profond de son être. Il composera sa propre destinée.

La vocation, c'est un appel au fond de soi, une envie de créer ; c'est ensuite un plaisir et enfin une joie d'avoir réalisé. S'ensuivent alors chaque jour à nouveau le désir, le plaisir et la joie d'y être parvenu. La vocation personnelle, c'est tout ce processus qu'il ne faut pas rater et qui sera déterminant à l'heure du choix, sans jamais oublier que personne ne peut prétendre connaître la vocation d'un autre, et donc, à plus forte raison, la lui imposer.

Pourquoi a-t-on voulu jusqu'ici réserver à certaines professions ce concept de vocation auréolé de tant de respect, comme si la qualité d'une vocation était déterminée par son objet et non par ce qu'elle est et représente ? Pourquoi la vocation volontiers attribuée à l'enseignant, au médecin ou au prêtre serait-elle plus respectable que celle du mécanicien ou du boulanger ? Chacun a droit à être reconnu et respecté, aidé et encouragé dans sa vocation propre, quelle qu'elle soit. Il y a lieu d'appliquer à toute vocation cette sorte de code ontologique qu'on a souvent proclamé à son sujet : « Une vocation, c'est sacré. Il ne faut jamais contrarier ni s'opposer à une vocation. Si c'est sa vocation, il faut le laisser libre... » Quand la société et la famille auront acquis cette conviction, l'homme pourra enfin, mais enfin seulement, devenir libre. Il pourra choisir son destin, le seul qui réponde à son besoin ou à son désir de faire et non au devoir ou à l'obligation d'exécuter. Seuls, répétons-le, s'épanouissent vraiment dans leur travail ceux qui aiment ce qu'ils font. En l'absence d'amour, il n'y a pas de liberté ni de capacité de choix. Faire ce qu'on aime, là se situe la véritable « performance », concept si à la mode de nos jours. Le prétendu bonheur recherché dans l'enrichissement matériel ou dans la notoriété apportera, un jour ou l'autre, la preuve de son illusion. C'est avec cette motivation que certains se disent prêts à « faire n'importe quoi », y compris, hélas ! à perdre leur santé physique ou psychique. C'est aussi ce qu'il advient quand on se présente à la société sans vocation : on prend ce que l'on trouve, « il faut bien gagner sa croûte », mais la joie de créer s'est transformée en obsession de la corvée.

La femme et le travail

On assiste, depuis quelques décennies, à cette revendication de la femme, désireuse de sortir de chez elle, d'avoir un métier tout comme l'homme, au nom de l'égalité des sexes, de l'autonomie financière ou d'une certaine aération sociale. Le phénomène est encore trop nouveau et éloigné des cultures traditionnelles pour y trouver une réponse adaptée, mais il se met en place. La difficulté, là aussi, sera, pour chaque femme, d'aller dans le sens de sa vocation et d'échapper à des courants, des philosophies, idéologies ou doctrines de toute sorte. On n'était pas loin, dans le passé, de faire de la « femme au foyer » une vocation propre à toutes les femmes, peut-être pour les commodités et la sécurité de l'homme. Depuis quelques années, cette vocation féminine universelle vole en éclats et, comme en tout début de révolution, se transforme en excès contraires. Or, la généralisation consistant à proclamer que la femme n'est pas faite pour travailler au foyer reste aussi nocive que celle affirmant que la destinée de la femme serait de s'enfermer dans l'action ménagère.

Il y a lieu de parler ici de « révolution culturelle ». L'image négative composée par certains asservissements dont la femme a pu faire l'objet, assortie d'une activité parfois usante et humiliante, explique cette réaction de maturité. De même la dépendance financière par rapport à l'homme et l'exclusion de certains privilèges réservés à ceux-ci, y compris dans le droit de vote, ont mis le comble à la saturation d'une condition qui se doit d'être, là aussi, plus humaine. L'homme désormais présent au marché, à la vaisselle, à l'aspirateur ou à la nursery témoigne d'un début d'évolution. Mais, en même temps, surgit le risque d'un objectif de compétition ou de rapports de force qui ne trouvera progressivement son équilibre qu'à travers une plus longue expérience. Pour l'un comme pour l'autre s'imposera la recherche d'unité harmonisant la vie professionnelle et la vie familiale, la vie du couple et la vie sociale.

La fonction maternelle n'échappe pas aux retombées de cette mutation et de toutes les avancées de la contraception. L'avidité croissante de « liberté » et de loisirs, favorisée par un salaire supplémentaire, jette quelques perturbations dans les structures préétablies.

L'arrivée de la femme sur le marché du travail, face au douloureux problème du chômage, ne constitue pas la moindre difficulté à résoudre. La femme elle-même, malgré son sens de l'organisation, a du mal à trouver l'équilibre de la famille. Ne dit-on pas que les dix mille femmes américaines mobilisées pour la guerre éventuelle du Golfe étaient très étonnées de devoir quitter mari et enfants, et de devoir exposer leur vie, ne pensant pas que leur engagement volontaire dans l'armée pouvait les conduire jusque-là ?

L'image du travail

L'image du travail que proposent les parents à l'enfant influencera son choix professionnel. Par la manière dont on le vit et dont on en parle, l'impact reçu apportera des conséquences immédiates dans le travail scolaire et, cela, trop de parents l'ignorent ou n'y prennent pas garde. Si le travail engendre souffrance, angoisses, nervosité, comment voulez-vous qu'il soit attrayant pour l'enfant qui en est témoin ? Si on en parle comme d'une corvée, d'une

158

contrainte éprouvante, comment reprocher à l'enfant de le vivre ainsi lui-même ? L'efficacité du travail scolaire chez l'enfant sera fonction du plaisir qu'il éprouve à le faire et ce plaisir dépendra de l'image qu'il reçoit du travail et du climat de créativité dont on le rend témoin.

À l'approche des examens, l'enfant doit échapper à certaines psychoses du diplôme dont les parents sont souvent plus atteints que lui-même. Le diplôme est certes utile et parfois nécessaire mais ne servira à rien si le diplômé ne fait pas ce qui lui plaît. Les « idées » sont souvent plus importantes que la connaissance et les employeurs, de par l'expérience, en sont de plus en plus conscients. Aussi serait-ce une erreur de penser résoudre le problème des débouchés pour les jeunes uniquement en multipliant les chances d'un diplôme ou d'une connaissance technique. Si on ne se soucie pas de répondre à l'envie personnelle de créer, d'exprimer et de réaliser sa vocation, rien ne sera fait pour apaiser leur angoisse devant l'avenir.

QUESTION DE VIE OU DE MORT

L'expression personnelle

Sans exclure l'hypothèse d'une puissante influence sur la vie ou sur la mort physique, c'est de la vie ou de la mort intérieure qu'il s'agit ici. Une vie sans création, comme une vie sans objectif, aura tendance à ne devenir que végétative. Quand le travail nécessité par les besoins de toute vie quotidienne s'avère stérile, il est important de ménager dans le temps et l'espace un terrain de création où il est possible de s'exprimer. Ce besoin naturel de créer doit pouvoir s'investir dans la profession. Quand cette perspective est absente, il y a danger.

Quand cette absence n'est pas compensée par une activité parallèle exploitée suffisamment en dehors du temps et de l'espace imposés par la profession, le danger est plus grave

159

encore. Le terrain de la délinquance devient alors de plus en plus fertile.

Ce n'est pas en transformant le créateur en consommateur qu'on résoudra le problème. L'homme aura toujours besoin de créer. Pour les uns, ce sera la nécessité du « petit jardin », de l'expression artistique dans la musique, la peinture, la menuiserie, la mécanique, le modèle réduit, la couture, la broderie, la tapisserie, la cuisine, etc., autant de travaux pour lesquels il n'y a pas de retraite parce qu'ils sont la manifestation d'un désir, l'enrichissement d'un plaisir, la valorisation d'une existence.

La retraite

La généralisation et l'avancement du droit à la retraite ne représentent pas qu'un avantage offert par notre nouvelle civilisation. La cessation de l'activité professionnelle a peut-être fait jusqu'alors plus de victimes que de gens heureux. On s'efforce bien d'inventer des « animations », des clubs, des universités, des programmes pour le troisième âge ; on n'est pas loin, très souvent, de retrouver les organisations identiques à celles habituellement mises en place pour des enfants ou des personnes désœuvrées. Quand l'urgence devient la recherche d'une occupation, quelque chose est ébranlé et révèle souvent, comme on dit aujourd'hui, un début de déstabilisation. Aux lendemains du jour prétendu béni de la retraite, beaucoup éprouvent une impression de cassure, de non-existence, et un besoin d'utilité.

Sur le plan politique comme médical, on a trop admis jusqu'alors les manifestations de dégénérescence comme naturelles et infailliblement attribuées à l'âge. C'est avec ce cliché qu'on a construit, dans le passé, bien des asiles et des mouroirs, mais la situation s'aggrave à partir du moment où cet âge tend à devenir de plus en plus avancé, et où sa proportion s'accroît dans la société.

On s'apercevra vite que ce n'est pas en inventant de nouveaux pédagogues qui enseigneraient aux vieux comment bien vivre la vieillesse, ni en exploitant au maximum cette nouvelle race de consommateurs, ni en faisant l'impasse sur ce qu'est véritablement la manifestation d'une névrose, appelée sénile par certains, mais réelle, qu'on détient la solution du problème.

Si un réel progrès a été accompli dans la multiplication des « maisons de retraite », leur organisation et leur confort, on est loin de répondre à la véritable question. On a créé le plus souvent des communautés qui regroupent des cas psychologiques identiques, en majeure partie à l'écart ou en vase clos. Il n'est pas rare, hélas, de voir en ce cas se multiplier les somatisations et les pertes d'autonomie à plus ou moins bref délai, les passages rapides de la névrose à un état psychotique, celui qu'on ne cesse d'appeler le « retour à l'enfance ». Les maisons de retraite se transforment alors trop vite en annexe d'hôpital ou en unité psychiatrique. Car, en dehors d'une chambre relativement exiguë, c'est-à-dire de là où on dort, de là où on mange et de là où il y a la télé, il n'y a rien d'autre où l'on puisse trouver de quoi s'exprimer, quelque chose à faire, ces liens à la vie indispensable que sont la création, l'échange d'expériences, l'action utile, en un mot la raison d'être et la joie de vivre. On n'a plus le goût à rien, on attend que ça passe, on s'ennuie, autant de symptômes névrotiques bien connus annonçant une agonie intérieure.

La société, et donc les pouvoirs qui la dirigent, portent là de graves responsabilités. À quand une déclaration des droits du retraité ?...

Il est indispensable de comprendre, en effet, que faire quelque chose ne peut se réduire à la nécessité économique ou la rentabilité matérielle d'une action, mais dans la raison d'être même de l'homme. Vivre n'est pas seulement respirer, c'est, pour tout être, créer, construire, participer à un édifice, à sa manière propre, avec son art, avec tout ce qu'il est et ce qui le distingue des autres. Attention à la lourde responsabilité des systèmes économiques qui « mettent » à la retraite, au chômage, au « repos forcé » et qui payent pour cela, comme on paye quelqu'un à ne rien faire. Au nom de ces systèmes, on oblige l'homme à ne plus travailler, sans tenir compte de son désir, de sa capacité à vivre ainsi, des inévitables retombées psychologiques dont il pourra être l'objet.

On n'a pas mesuré les conséquences que peut avoir pour l'équilibre de l'homme la suppression de son droit au travail. Pour beaucoup, c'est le refus du droit d'être utile. Or, engendrer le sentiment d'être inutile équivaut à un meurtre, puisque c'est refuser la raison d'exister ou, pire encore, réduire l'existence à une charge pour les autres.

Les prétendues préparations à la retraite qui peuvent être instituées sont le plus souvent des leurres. On ne remplace pas un travail, surtout s'il est épanouissant, par n'importe quoi. Pour beaucoup hélas, et en particulier les chômeurs, l'absence de travail entraîne le manque de sens à la vie, avec tous ses prolongements. Pour beaucoup il s'agit moins de la suppression du « gagne-pain » que de celle de la raison de vivre. Le fameux système économique nouveau avait prévu le chômage comme conséquence de son objectif. On est peut-être passé par-dessus trop légèrement. Tout se déroule comme s'il fallait sacrifier des hommes pour permettre aux autres de consommer plus de plaisirs. On n'a pas vu les risques qui en découlent, ignorant les conséquences d'un tel anéantissement. Objectivement, le résultat ne peut être que celui d'une éventuelle décadence.

La même insouciance des pouvoirs est à déplorer dans l'incarcération. La « mise en prison », en effet, fixe dans l'inactivité. Sans présumer des causes qui ont amené cet homme à devenir « coupable », une institution qui prive l'être de sa capacité à créer n'a rien compris à l'homme, en tout cas à ses droits. Parler de réinsertion en ignorant cette donnée élémentaire ne serait qu'un vain discours.

Pour tous ces exclus du travail, il ne suffit pas de circonscrire le problème aux seules composantes mathématiques d'une Sécurité sociale, d'une Bourse à pensions et de son approvisionnement. Parler de doctrine sociale sans prendre conscience des conséquences psychologiques et des exigences du véritable épanouissement humain serait porter une grave atteinte à ce que, par ailleurs, on ne cesserait de proclamer avec respect : le droit de l'homme... à demeurer homme jusqu'à la fin de sa mission.

CHAPITRE 7

LES LOISIRS

Tant il est aisé d'écraser, au nom de la liberté extérieure, la liberté intérieure de l'homme.

R. Tagore

Nos actes libres sont ceux qui répondent à l'ensemble de nos sentiments, de nos pensées et de nos aspirations les plus intimes.

H. Bergson

Qui ne joue jamais, qui ne plaisante jamais, c'est un homme désagréable ; il n'est pas vertueux et nous disons, avec Aristote, que c'est un rustre dont la place n'est pas avec les civilisés.

Saint Thomas

Il me semble qu'on connaît un homme à son rire.

F.M. Dostoïevski

Une nécessité

Ce n'est pas encore une corvée, bien que ce soit moins sûr pour certains enfants ou certains jeunes. Les motivations des voyages en particulier foisonnent d'ambiguïtés.

Je me suis trouvé une fois en compagnie d'une femme âgée d'environ soixante-dix ans qui m'énumérait toutes les excursions qu'elle s'offrait au cours de l'année. Son palmarès était assez fourni et, de septembre à Noël, il lui restait encore une croisière sur le Rhin et un séjour à Léningrad. « Ensuite, ajouta-t-elle, je compte prendre enfin quelques semaines de vacances. » Il en est ainsi pour beaucoup : le loisir est devenu avant tout une occupation, c'est-à-dire, le contraire de ce qu'il devrait être en réalité.

VERS UN DROIT DE CITÉ

C'est peut-être là encore parce qu'une responsabilité nouvelle incombe à l'homme de notre époque, celle d'apprendre à gérer son temps, qu'il nous faut parler d'une culture nouvelle et donc d'une civilisation en mutation. Cette culture consistera à rechercher l'équilibre entre l'action et le repos, l'effort et la détente.

Un concept nouveau

Plus que jamais s'imposent à l'homme la prise de conscience, la découverte et l'expérience de son rythme. Il faudra, là aussi, du temps pour y parvenir et ce n'est pas le moindre obstacle auquel chacun a, quotidiennement, à faire face. Nous n'en sommes, en tout cas, qu'aux balbutiements. Une culture, une civilisation nouvelle demandent aussi du temps pour se développer, le temps nécessaire à l'évolution, à la croissance de l'être humain.

Il va nous falloir découvrir, en effet, un concept tout à fait nouveau. Brusquement, les loisirs, qualifiés hier encore de valeurs secondaires, sont en train de s'imposer comme valeurs premières. On les classait parmi les choses « peu ou pas sérieuses », légères même, et voilà que « ces choses » deviennent graves et préoccupantes, telles des composantes de la vie. On ne regarde plus le loisir comme un superflu réservé aux paresseux, aux oisifs ou aux fêtards, un divertissement plus ou moins méprisable aux yeux des intellectuels et des hyperactifs.

Dans la transition qui sépare les deux cultures, ces hyperactifs se glorifiaient d'étaler un planning qui ne laissait aucune place aux loisirs et de manifester ainsi une santé qui pouvait se passer de vacances. « Avec un tel programme, on n'a pas le temps de s'amuser. » C'est à ce monde-là qu'appartenait l'homme responsable et bientôt le héros. Mais, peu à peu, les héros se sont fatigués, devenus incapables de récupérer même pendant les repas et le sommeil. On fait alors intervenir le médecin, avec un discours encore coloré de cette « héromanie » : « Donnez-moi n'importe quoi, je n'ai pas le temps de m'arrêter. » Si, grâce à Dieu, l'homme ne parvient pas à faire du médecin son complice, il s'entendra dire qu'on ne peut jouer avec ses limites et son rythme, sous peine de risquer le pire. Le pire, c'est comme cet infarctus du collègue ou la dépression de la voisine. Et c'est parce qu'il commence à s'émouvoir des résultats de cette vie de... qu'il va changer progressivement sa conception des loisirs.

Le loisir va enfin trouver sa place et sera progressivement reconnu par tous. Il obtient son label parmi les droits sociaux, en particulier avec les congés payés et occupera une place de plus en plus grande au sein du budget familial ou personnel. On entend même dire qu'il est devenu sacré et donc intouchable, en tout cas pour beaucoup.

L'exploitation économique

L'« économicomania » de notre époque fait que tout problème ne peut recevoir sa solution sans passer par les fourches caudines de la production et de la rentabilité. Comme l'homme se trouve subitement en face d'un produit à consommer et compte tenu de sa non-préparation à le créer lui-même, on va lui en fabriquer et lui en vendre à gogo. Rapidement le domaine des loisirs est devenu une mine d'exploitations commerciales. Le marché des voyages, des parcs de loisirs, des clubs, des expositions et des rassemblements de toutes sortes, sans parler des loisirs à domicile avec la hi-fi et la vidéo fleurissent partout. Un terrain quasiment vierge, d'une richesse incommensurable, s'offre du même coup à de nouveaux investissements. Le phénomène se maintenait encore en des limites saisonnières, mais l'arrivée de plus en plus précoce des retraités stabilise le marché avec une perspective fort prometteuse. Le troisième âge, en effet, est sur le point de devenir le premier en valeur économique.

S'il manquait encore un stimulant pour faire entrer les loisirs dans les mœurs, le dynamisme économique a vite pourvu à ce manque. Les loisirs font désormais partie des nécessités économiques aux ressources et perspectives infinies, d'autant que, nous dit-on, plus on avancera dans le temps, plus il y aura place pour les loisirs. Ce n'est plus seulement une nécessité pour la santé de l'homme, mais un impératif pour la santé de l'économie. Du même coup, le danger est grand pour l'homme de devenir une proie facile aux sollicitations rapaces de cette invasion. La mise en place d'une consommation tous azimuts n'a jamais résolu un problème psychologique. Chacun sait que la consommation est une arme qui sert souvent à compenser et, du même coup, à ajourner la solution ou à enliser un peu plus. L'homme n'était pas prêt, face à l'arrivée brutale des longs temps de loisirs, à savoir choisir, à intégrer dans sa vie l'importance d'un domaine aussi nouveau. Comment va-t-il pouvoir prendre possession de ce terrain et le gérer ensuite ? Se présentant un peu comme l'enfant qui s'ennuie, « ne sait pas quoi faire », il demande qu'on organise des jeux pour le distraire.

Alors, une fois de plus, la machine économique, telle une nouvelle mère – ô combien possessive et puissante ! –, va se charger d'y subvenir. Outre l'investissement de crédits que cette organisation nouvelle va encore nécessiter, les sollicitations du marché ne vont pas manquer. Le catalogue des

169

biens de consommation ne cesse de croître et, la publicité aidant, certains se demanderont comment goûter à tout. Mais comme un « enfant gâté » par la surabondance des jouets ou des plaisirs qu'on lui propose, il n'est pas sûr que le « bon pour soi » et la liberté d'initiative soient respectés. La sacro-sainte économie ne l'y aidera guère et ne suffira pas.

ÉCUEILS INATTENDUS

Comme il m'était donné de l'évoquer au début de ce chapitre, avec l'heure des loisirs, l'homme est véritablement confronté à ses fragilités psychologiques. Le témoignage nous en est offert en premier lieu par celui qui est amené désormais à vivre ses loisirs à temps plein, le retraité. « Quand je serai à la retraite... », combien de fois ce leitmotiv est invoqué pour enfin combler tous ses désirs de liberté et d'utilisation personnelle de son temps. Enfin pouvoir faire ce que l'on veut, de sa propre initiative et sans comptes à rendre. C'est sûr, on ne s'ennuiera pas. S'il en est peut-être ainsi effectivement pour quelques-uns, pour beaucoup l'entrée dans la retraite devient une épreuve difficile, parfois même insupportable.

Pour tous, qu'il s'agisse des congés, des vacances ou même du week-end, on s'aperçoit vite que leur aménagement n'est pas si facile. La solution est difficile pour une famille, mais elle l'est souvent plus encore pour un être seul. Décidément, cela paraissait si simple, à première vue, de se distraire, « s'amuser », se détendre, faire ce qui plaît, mais la réalité devient tout autre quand on y est confronté. C'est ainsi que désormais on parle de plus en plus de l'urgence à préparer sa retraite et du sérieux avec lequel il convient de préparer aussi ses vacances comme bientôt d'occuper ses week-ends. Peut-être aurons-nous bientôt des stages ou des séminaires de formation aux loisirs ?... Force est de constater, en tout cas, que la faculté à savoir utiliser son temps libre n'est pas partagée par tout le monde, et que peu d'êtres humains savent s'adonner au jeu et vivre selon leur propre plaisir. C'est, en effet, au nom de ce même temps libre que certains récupèrent une énergie éprouvée, que d'autres sont assujettis à un « repos forcé », que d'autres enfin s'étiolent dans l'ennui, mais aussi dans la trépidation et l'épuisement, jusqu'à la débauche ou l'agressivité, l'alcoolisme et la drogue. Et le temps libre devient alors heureux ou maudit, bénéfique ou meurtrier. Étonnant mystère décidément que celui du temps.

Le besoin de l'autre

La première difficulté vient peut-être du besoin de l'autre. On ne sait pas « s'amuser tout seul » et il est rare qu'un être puisse intégrer les loisirs dans sa vie personnelle sans le secours d'un autre. Habitué dans son enfance à être structuré, programmé par une volonté extérieure, il a souffert d'avoir peu de place – parfois même pas du tout – pour une libre initiative ou une création personnelle. On a souvent imposé l'emploi du temps et le mode d'expression physique, sportive, artistique, culturelle choisi parmi les « valeurs » reconnues de l'époque, au détriment de la fantaisie ou de l'originalité du sujet. L'intrusion du regard de l'autre, de son contrôle a pu être telle qu'il ne lui était plus possible de faire quelque chose sans éprouver le besoin de le « raconter » à l'autre. Pris en charge alors jusque dans le jeu et l'utilisation des temps libres, il attendra ainsi toute sa vie d'être pris en charge par un pouvoir extérieur qui « fera faire », « donnera l'idée »... organisera même et dictera donc le comportement. Le temps libre n'ayant jamais été « son affaire », il est trop tard maintenant pour qu'il le devienne.

Beaucoup de loisirs sont aussi vécus pour pouvoir en parler aux autres, pour manifester une qualité ou une capacité qui suscitera la reconnaissance ou la louange. Cette motivation risque, hélas, de rendre le sujet incapable de tirer profit d'un plaisir, d'une joie sans la présence d'un autre ou la compagnie d'un témoin. Certes, le partage d'« un bon moment passé ensemble » peut ajouter au plaisir, mais le champ de ce plaisir devient fort restreint s'il est assujetti à

171

une présence. Ainsi, pour beaucoup, est-il vraisemblable d'aller seul au spectacle, au restaurant ou en voyage, car, pour eux, l'agrément n'est pas tant dans le spectacle, le repas ou le voyage que dans l'indispensable compagnie de quelqu'un à qui parler de soi ou dont on pourra faire son complice, sa sécurité.

Le plaisir permis

En dépit de tout ce que l'on peut croire ou affirmer, notre époque libérale ne s'est pas encore défaite des pesanteurs de l'interdit, et en particulier au sujet du plaisir. Or, qui dit loisir, dit possibilité du libre plaisir et, pour beaucoup, tout plaisir requiert une permission. La notion de plaisir est souvent accompagnée d'une couleur de suspicion, d'un « laisser-aller » dont on rougit facilement. On parle plus souvent du plaisir défendu et du plaisir permis que du plaisir tout court, surtout s'il s'agit du plaisir des sens, le plaisir intellectuel étant le seul pardonnable.

En tout cas, on a trop accordé au plaisir une valeur positive dans le mesure seulement où on le destine à un autre qu'à soi-même. Combien de fois fait-on appel à l'amour pour exiger de l'autre qu'il fasse plaisir[1]. Et le dilemme est aussitôt prononcé : sinon tu me feras beaucoup de peine. C'est ainsi que tant d'êtres humains ne connaissent du plaisir que le bien fait à l'autre. On s'interdit même le plaisir pour soi car, dans la foulée, le même discours de l'être aimant a vite fait de qualifier d'égoïsme tout plaisir recherché pour soi-même. À une explication près toutefois, le plaisir de faire plaisir aux autres[2]. Si bien qu'il n'est pas rare de constater des comportements où le sujet éprouve le besoin de se sanctionner, de se punir, s'il lui arrive d'éprouver du plaisir ou un trop fort sentiment d'être heureux. N'a-t-on pas répété autrefois qu'on n'a pas le droit d'être heureux quand des gens souffrent autour de soi ?

---

1. *Cf.* ce qui a été dit plus haut.
2. *Cf.* ce qui a été dit plus haut.

172

Le jeu

Enfin, comme le plaisir, le jeu a eu, le plus souvent, mauvaise réputation, classé parmi les choses vaines et pour le moins inutiles, quand ce n'est pas suspect et condamnable. On l'oppose très tôt au « devoir », à la leçon à apprendre, au service à rendre, aux actions utiles. S'il reste du temps, alors seulement on pourra jouer un peu. Ne nous étonnons pas si le jeu a tant de mal à trouver sa place dans le temps et dans la richesse d'une vie.

L'autorisation ou la permission d'exister lui est cependant donnée en tant que récompense, fruit d'un effort important. Le jeu ou le temps libre récompense, il est alors utilisé comme monnaie d'échange : on paiera de quelque temps libre le bon accomplissement d'un devoir. Le plaisir du temps libre est alors devenu un droit à payer, une faveur à acquérir et cela s'achète parfois bien cher. Cette conception favorisera plus tard le commerce du plaisir considéré comme un objet à vendre, soumis à un troc et souvent à l'argent. Les loisirs seront considérés comme un produit réservé aux privilégiés nantis d'importants moyens financiers, faute d'avoir fait l'expérience du plaisir gratuit.

Les handicaps du personnage

L'entrée dans le monde du temps libre ne change pas pour autant la personnalité de l'individu. Celui-ci ne laissera pas à la maison, dans l'univers professionnel ou social, l'appareil et les comportements du personnage qu'on lui a fait se forger dans son être. Si l'habitude est acquise, depuis l'enfance, d'une recherche de pouvoir ou de considération, elle se prolongera dans le domaine des loisirs et dans son éventail de distractions, d'activités physiques ou de choix des voyages.

On retrouvera aisément, dans le jeu et le sport, la volonté de compétition, la conquête de la première place, l'étalage des découvertes et des expériences, illustré par la collection des souvenirs et des films. On organisera alors, parfois même on imposera, les soirées de « diapo » et les récits d'aventures aux amis. Cela ne signifie pas, bien sûr, que toutes les soirées de ce genre sont animées d'une intention plus ou moins consciente de supériorité et le partage d'un plaisir vécu n'est pas toujours nourri de l'objectif d'« en mettre plein la vue ». Pour beaucoup, cependant, le programme des temps libres est souvent constitué de voyages ou d'activités capables de supporter au moins la comparaison avec l'entourage social rival. Comme pour un film, un spectacle ou un livre, « il faut avoir vu cela », « être allé là-bas », quand on a un moindre souci de culture ou quand on est « de son temps ». Les exigences du personnage, en effet, sont au moins aussi grandes, sinon plus, que dans l'activité professionnelle et, du même coup, la dynamique de ce personnage s'accompagne d'une initiative personnelle plus grande et créative.

J'ai eu l'occasion, pour ma part – c'est, bien sûr, un exemple limite – d'avoir sous les yeux une carte de visite d'un compagnon de voyage où la croisière au cap Nord, entre autres, figurait déjà imprimée sur la liste de ses « grands voyages », alors qu'il s'y trouvait avec nous pour la première fois. La boutique du cap Nord ne décernait-elle pas d'ailleurs, comme cela se rencontre en certains sites, des certificats ou diplômes attestant qu'on y est bien allé.

Mais parce qu'il est difficile de maîtriser sa nature impulsive, d'aucuns se « laissent aller » à une certaine spontanéité jusqu'ici refoulée. Cela se passe quand ils se retrouvent dans une ambiance favorable, un contexte propice qui les libèrent. C'est alors qu'on entend les témoins se dire : « Je ne le croyais pas comme ça. »

C'est dans l'éventail de ces personnages que vous rencontrerez beaucoup d'amuseurs, de gens dits « de bagout » qui, en échange de leur besoin de podium, savent parfois faire rire. S'ils ne prennent pas trop de place, pourquoi pas ?

Fuite ou compensation

Un autre danger guette le candidat au loisir, celui de l'illusion, du besoin de se convaincre que tout va bien ou de l'envie de fuir une situation devenue insupportable. On parle parfois d'évasion en évoquant le temps libre ou les loisirs. On conçoit alors que la vie quotidienne, qu'il s'agisse de la famille, du travail ou du milieu social, est devenue si lourde à porter, si exaspérante même, qu'il est impératif d'aller chercher ailleurs une autre atmosphère à respirer ou d'autres conditions de vie. Rencontrant un discours analogue dans ses relations, on arrive à croire que ce besoin est inéluctable et que cette évasion est une question d'hygiène physique ou morale. Malheureusement, si l'opération peut apporter éventuellement quelque soulagement ou une « récupération » apparente, elle manifestera vite ses limites et une réponse plus superficielle que réelle ou bénéfique. En psychologie, on ne se défait jamais par la fuite de ce qui nous rend une situation difficile ou insupportable. La compensation est un pis aller, comparable au rapiéçage ou au raccommodage.

On peut se donner l'illusion d'avoir « oublié », « dépassé », « surmonté » alors qu'on est peut-être parvenu à enfouir au prix de ce qu'on a l'habitude d'appeler le refoulement. Mais chacun sait que ce qui est refoulé, comme c'est le cas dans les lois physiques, risque de ressortir plus tard et parfois avec la violence d'une explosion toujours plus ou moins accompagnée de dégâts pour l'entourage et pour soi-même.

C'est au nom de cette même ambiguïté ou illusion qu'on se réfugie parfois dans des comportements qui aident à faire perdre la mémoire de ce qui nous assaille ou nous perturbe dans la vie quotidienne. Il n'est pourtant pas sûr, loin de là, que la recherche et, à plus forte raison, l'usage répété de l'« éclatement », du « défoulement » ou des sensations fortes apporte une solution thérapeutique au problème. On aura beau essayer de se convaincre, en le criant très fort, qu'« on a bien rigolé », qu'on s'est bien « éclaté », qu'on a même retrouvé toute son intégrité et peut-être plus encore, il est prudent de se rappeler qu'une affirmation est d'autant plus suspecte qu'on éprouve le besoin de la proclamer fort alentour. Il y a souvent, en effet, un simulacre qui se manifeste sous des aspects plus ou moins hystériques ou des comportements infantiles. Quand cela s'accompagne d'un discours profession de foi et d'un certain mépris déclaré pour « les autres qui s'adonnent à leurs instincts », l'image est complète d'un refoulement des « jeux interdits ».

Même en des cas moins tonitruants, il est sage de recevoir avec beaucoup de réserves les déclarations de quelqu'un éprouvant le besoin de se dire très heureux, qui affirme avoir beaucoup changé, qui prétend n'être « plus comme avant ». Un thérapeute, en tout cas, serait bien naïf et imprudent de s'y laisser prendre trop vite. En général, ceux pour qui ces bonheurs et ces changements sont objectifs n'éprouvent pas le besoin de le dire et encore moins de le crier.

La fiction

Enfin, cette évasion ou cette fuite participe sans doute à l'explication de la prolifération du contexte irréel ou fantasmagorique que l'on trouve aujourd'hui dans les films en particulier et dans certains romans. Cela peut, certes, ressortir de l'art, mais aussi présenter le danger de s'exiler dans un monde irréel pour fuir une réalité. La santé morale se fortifie davantage de la vie simple et quotidienne que des « fabulosités » ou des phantasmes utilisés pour masquer cette réalité. Car ce ne sont pas les situations en elles-mêmes ni les personnes qui sont insupportables, mais c'est nous, avec ce que nous sommes, qui ne pouvons les supporter.

CHANCES DE SUCCÈS

Puisque les loisirs sont désormais entrés dans la vie, obtenant droit de cité en dépit des restrictions et des tabous du passé, il importe peut-être de découvrir d'abord le sens qu'ils prennent dans notre quotidien.

Les loisirs, c'est quoi ? et comment faire pour bien les vivre ? C'est la réunion de deux concepts, celui du temps et celui de la liberté. On aboutit à un synonyme déjà plus parlant : le temps libre, le temps durant lequel il m'est loisible de faire ce que bon me semble. C'est bien ce que nous revendiquons dans les loisirs, par opposition au « manque de temps et de liberté ». C'est pourquoi il faut nous arrêter quelque peu à ces deux notions qui composent l'essentiel des loisirs : le temps et la liberté.

L'expérience du « temps pour soi »

Il n'est pas facile de parler du temps, nous l'avons fréquemment souligné. « Le temps, écrit Saint Augustin, j'ai l'impression de savoir ce que c'est quand on ne me le demande pas. Quand on me le demande, je ne sais plus rien. » Et pourtant, nous sommes amenés à y faire souvent référence. C'est parce qu'« on consacre trop de temps » à l'activité professionnelle, à trop de projets et d'entreprises qu'il ne reste « plus assez de temps pour soi ». Or, il importe de dire d'abord que priorité doit être donnée au « temps pour soi ».

Qu'est-ce que le temps pour soi ? Le temps nécessaire à chacun pour vivre pleinement l'action dans laquelle il est engagé. Faire que le temps soit nôtre, c'est pouvoir faire vivre en communion, en harmonie, le Moi et le présent. Vivre le présent suppose d'être là et de s'y sentir, de pouvoir se brancher sur le contexte et sur l'action que l'on a choisie, et dans laquelle l'on désire être. Ainsi, on pourra faire sienne la situation, se mettre dedans. Dans le cas contraire, je suis absent, je suis ailleurs ou je me perds dans mes rêves. Mon corps est là mais mon esprit, mon cœur sont ailleurs. Le temps m'appartient si j'y fais ce que je sens, ce que je veux. Le temps n'est plus à moi si je fais ce qu'on m'oblige à faire.

Vivre le présent

Tout instant fait passer d'un deuil à une naissance. Tout à l'heure, avant, il s'est passé quelque chose. Ce quelque chose passé ne peut plus être refait, même s'il est parfois

177

possible, maintenant ou demain, de le corriger. Il ne sert à rien de se lamenter : « Ah ! si c'était à refaire ! » Le temps passé à regretter ce qui a été fait ajoute au « temps perdu », celui du présent. « Le moment où je parle, dit Boileau, est déjà loin de moi. » Et Victor Hugo : « À chaque fois que l'heure sonne, tout ici-bas nous dit adieu ».

Tout à l'heure, après, il se passera quelque chose, que souvent j'ignore ou ne peut prévoir. De toute manière, ce sera du nouveau, une réalité naîtra, mais ce n'est pas son heure et donc pas le présent.

Je ne puis rien sur le passé, je n'ai aucune certitude sur le devenir, je ne puis rendre présent, maintenant, ni l'un ni l'autre, c'est en acceptant et en vivant cette réalité que je me rends présent et que le temps présent est totalement mien. Chacun sait, par expérience, que me perdre dans le regret du passé ou le rêve de l'avenir m'arrache au présent, et me fait « perdre du temps ». Je dois pouvoir, à tout instant, être présent à ce qui se passe et m'y sentir pleinement. Quand cette union entre ce qui se passe et mon être, mon Moi, ne se fait pas, quelque chose ne va plus, une rupture est en cours.

Mais pour vivre pleinement le présent, il ne faut pas que cela aille trop vite, il faut aussi disposer du temps néces- saire. Et ce temps nécessaire nous est propre. Il est plus court pour les uns, plus long pour les autres. Nous revien- drons sur ce sujet en traitant du rythme dans le chapitre du « Corps ». Le respect de ce temps nécessaire à chacun est capital. Ce n'est pas une usurpation si banale que de « prendre le temps de quelqu'un ». C'est lui prendre quelque chose de sa vie. Quand je n'ai pas le temps, un élément essentiel me manque et il importe de s'arrêter avant que quelque chose ne casse. Cette expérience est capitale et inséparable de la vie.

Le temps de respirer

L'apprentissage du temps commence, là aussi, avec l'enfance dans une famille et dans une société qui, de nos jours, ne rend pas l'entreprise facile. Il faut beaucoup de courage et de personnalité pour ne pas succomber aux tentations de « gagner du temps » pour produire peut-être plus, mais aussi, hélas! vivre moins. Il y a proprement confusion entre gagner du temps en économie et gagner du temps en qualité de vie. Ce gain de temps au profit de la rentabilité (« Le temps c'est de l'argent! ») se fait au détriment du temps individuel, comme nous l'avons évoqué dans la durée du travail. Ce profit se réalise en volant et en violant le temps de la personne. Or, le temps qui « manque » à la personne engendre la fatigue et impose le repos malgré soi. Faire appel alors au loisir pour récupérer est un leurre. Ce repos ne peut pas être un loisir, mais un traitement de santé.

Le loisir, en effet, n'existe et ne peut être vécu qu'en bon état de santé. Dans cette nouvelle culture, il faudra bien prendre conscience de l'importance du temps personnel, du temps pour chacun. Il faudra découvrir que le temps des loisirs n'est pas fait pour réparer ou récupérer mais pour assurer à chacun le besoin vital de respirer, de faire ce qu'il aime, de se rendre maître de son temps.

On s'apercevra vite, d'ailleurs, que ce n'est pas l'action qui fatigue, mais la manière dont on la vit. On ne fatigue pas à faire ce qu'on aime, dans son propre rythme, mais on s'épuise vite en s'obligeant à faire ce qu'on n'aime pas, en subissant contraintes et structures. Quand comprendra-t-on que la fatigue trouve son origine dans l'action menée à contresens de ce pour quoi l'on est pas fait.

Le loisir dans le quotidien

Le temps du loisir, c'est à tout instant de la journée et de la vie qu'il se présente à nous pour être honoré. C'est le temps de manger en découvrant et assurant les moments sacrés des repas, facteurs quotidiens d'épanouissement de plus en plus négligés. C'est le temps de dormir qui se mesure moins par sa quantité que par la qualité. Si ces temps sont respectés, on ne sortira pas de table avec une impression de malaise, ni du sommeil en restant fatigué. On le voit, le temps ne s'apprend pas avec des données mathématiques,

179

mais par l'unité de l'être avec son action présente. On ne lutte pas impunément contre la montre.

Il est étonnant, en tout cas, de constater combien l'inconscient, par les rêves, intervient souvent pour alerter sur la nécessité de « prendre son temps » et le danger de vouloir aller trop vite. L'arrachement au présent par la peur de l'avenir ou le regret obsessionnel du passé, enfin, sont provoqués, là aussi, par la mauvaise pédagogie d'un environnement familial ou social qui ne cesse de paler d'un avenir angoissant ou du regret de l'acte manqué : « Si tu n'avais pas fait cela..., si tu avais fait cela..., on ne sait jamais ce qui peut arriver..., j'ai peur qu'il arrive quelque chose... » Le mal deviendra encore plus néfaste si on y ajoute les menaces de la sanction punition contre le « temps perdu » ou la séduction de la récompense au profit du « temps gagné ».

Au royaume de la liberté

Le temps ne pourra être vraiment mien que si je peux choisir et réaliser librement mon projet personnel, l'aspiration de mon Moi. Comme nous le rappelions au début de ce chapitre, une chose est de pouvoir disposer du temps, autre chose est d'être capable de l'utiliser pour soi. Sans doute l'homme, vivant en société, est-il amené à participer à des actions qu'il n'a pas décidées lui-même. Il devra même *faire* avec des tracasseries, des situations de rivalités, d'injustices et de mépris des personnes. Plus l'action s'insère dans une entreprise collective, plus elle est soumise à des contraintes, des structures et plus le quotidien est vécu dans l'assujettissement. Or, parce qu'elle prétend au progrès, notre société est faite de plus en plus d'obligations et doit s'organiser avec de plus en plus de structures. C'est sans doute la raison pour laquelle elle appelle à davantage de « temps libres ». Il est sûr qu'on prenait plus son temps hier et qu'une liberté plus grande était laissée à l'initiative. L'artisanat et le petit commerce donnaient une place plus grande à l'indépendance, à la créativité, aux responsabilités personnelles et à une meilleure qualité de relations entre les

180

hommes. Une certaine liberté existait encore, alors que, paradoxalement, notre modernisme la restreint toujours plus. Jamais peut-être l'homme n'a eu autant les moyens d'être libre, les derniers asservissements étant en train de s'effondrer brusquement les uns après les autres, en particulier dans les pays de l'Est et les pays sous-développés, mais il lui manque l'apprentissage et l'expérience de cette liberté si souvent invoquée depuis des siècles. Témoins ces pays, communistes hier, confrontés non sans mal à cette liberté aujourd'hui. La liberté n'est pas un bien inné, il faut apprendre à s'en servir.

Il existe deux sortes de liberté : la liberté extérieure, matérielle et physique, et la liberté intérieure, profondément personnelle.

La liberté extérieure est celle que m'accordent ma santé, les structures politiques et l'humanisme du pouvoir. Le progrès peut en faciliter l'expression en m'offrant des moyens de plus en plus étendus, ne serait-ce que dans la communication et les déplacements. Mais à quoi sert tout cela si je n'arrive pas à savoir ce que j'ai vraiment envie de faire, qui est de l'ordre de la liberté intérieure.

La liberté intérieure ne vit qu'avec mon Moi. Celui-ci est en mesure de faire connaître ses envies, ses désirs, ses projets parce qu'il est entendu. La communication est établie et j'entends son appel. Cela n'est possible que parce que nulle intervention extérieure s'est arrogée le droit de parler à sa place ou, plus encore, lui a interdit de s'exprimer sinon d'exister. Ce bien acquis est merveilleux et constituera la richesse de l'homme, mais suppose de nombreux obstacles à franchir dont nous essayons ici de faire état.

Sans cette liberté intérieure, rien ne se fera et le loisir ne sera jamais connu. On y substituera des ersatz, des faux airs, des illusions par l'utilisation des objets créés par les autres, la consommation des biens proposés par les marchands de loisirs. L'empire de la télévision viendra meubler exagérément ce temps dont on ne sait quoi faire. On consommera souvent « n'importe quoi » et n'importe comment. Il faudra alors, pour beaucoup, disposer d'un budget difficile à acquérir, confondant la liberté avec le pouvoir de l'argent.

J'ai toujours été frappé pourtant par le regard et le sourire des enfants pauvres jouant entre eux, dans les pays ou les quartiers déshérités. Se contentant de peu, ils semblent trouver dans leurs jeux un épanouissement qui contraste avec la tristesse ou les premiers « airs » de petits personnages des enfants fortunés. L'enfant pauvre possède moins de jouets fabriqués, mais dispose de ce fait d'une plus grande liberté de création, d'imagination et donc de plaisir. Il bénéficie aussi plus souvent d'une communauté de quartier pour pouvoir s'exprimer.

L'art de ne rien faire

À l'intérieur de cette liberté face aux loisirs et dans le plaisir à faire ce que l'on aime, il existe aussi ce qu'on pourrait appeler l'art de ne rien faire. Ceux qui se targuent de ne pouvoir rester en place ou d'avoir toujours besoin de « faire quelque chose » ignorent l'enrichissement de celui qui sait s'arrêter pour mieux recevoir ce qui se passe autour de lui, communier avec la nature et avec le temps qui passe, sentir pleinement la joie de vivre.

Je ne parle pas ici des langueurs ni des comportements dépressifs, comme on peut les rencontrer chez des malades, handicapés physiques ou personnes âgées, mais des arrêts dynamiques et vivifiants, échappant à la pesanteur des bruits et des relents. Le véritable temps libre s'accorde mal avec la programmation et s'oppose par définition aux temps plein. La programmation devient un défaut de notre époque au détriment de la fantaisie et donc de la créativité. On ne s'impose pas un programme de loisirs, pas plus qu'on ne l'impose, car rien n'exige plus de liberté que le loisir.

C'est avec toute cette liberté intérieure que pourra se faire l'expérience du plaisir, délicate et vivifiante, mais combien difficile et ambiguë. C'est pourtant grâce au loisir qu'on la vit le mieux.

L'expérience du plaisir

C'est dans un être libre que peut se faire l'expérience tonifiante du plaisir. Le plaisir naît naturellement de la rencontre de l'être avec l'objet qu'il aime, qui lui est destiné, avec lequel l'unité se réalise. C'est une sensation diffuse qui emplit tout l'être sans le priver de son équilibre et son intégralité. Cette expérience du plaisir peut amener parfois à une impression d'enivrement, mais sans jamais perdre l'unité de l'être, ni transporter « hors de soi » dans un état où l'on est plus possédé qu'on ne possède.

Le plaisir alors est bon et fait partie de l'épanouissement humain au point d'en être indissociable. Il n'est peut-être pire crime que de tuer le plaisir dans la vie d'un homme. Le plus grand méfait de la dépression se manifeste toujours dans cette plainte : « Rien ne me plaît ni ne me fait envie. » Le malheur n'est guère moindre quand on y a substitué un faux plaisir, celui d'éprouver du plaisir dans la souffrance, la mutilation du Moi, le renoncement à l'épanouissement personnel, en un mot le plaisir d'être privé de plaisirs. C'est pourquoi le danger est si grand pour l'enfant quand on l'incite à agir pour faire plaisir à l'autre, ce qui, presque toujours, inclut le renoncement à son propre plaisir. C'est ce renoncement qui enlève aux sportifs, par exemple, la connaissance du plaisir dans la haute compétition, l'enjeu constituant un objectif hors de soi et non pour soi. L'entraînement relève davantage d'une vie de forçat que du véritable loisir. Celui-ci est devenu une activité professionnelle où, le plus souvent, on ne joue plus, on ne s'amuse plus. Le professionnel gagne sa vie, prisonnier d'un commerce, de médias, de sponsors et de supporters, où la victoire « à tout prix » a remplacé le simple plaisir de jouer. Il faudra beaucoup de lucidité et d'équilibre pour s'arrêter de jouer ou de courir à partir du moment où on n'y trouve plus son plaisir.

Le plaisir pour soi s'accompagne d'un sourire quand le plaisir pour les autres baigne souvent dans les larmes. Faire plaisir, sans aucun doute, entre dans la dynamique de notre vie, mais à la condition que la motivation vienne du dedans et non de l'observance d'un ordre ou d'une loi. Le plaisir est un bien personnel et spécifique.

Le plaisir personnel

Il y a lieu, en effet, de distinguer le plaisir vrai ou l'envie spontanée, du plaisir faux ou de l'envie ordonnée. Car il est possible d'imposer un plaisir à l'autre et de le convaincre qu'il est le sien, comme il est possible de le pousser à renoncer à son propre plaisir en le persuadant que celui-ci n'est pas le bon.

« Tu as envie de... mais c'est idiot, rétro, dingue ou malsain. » En revanche : « Ça ne te dit rien, mais tu es bête... si tu savais... tout le monde le fait... » et tous les slogans dont s'enrichissent les discours publicitaires. On peut ainsi introduire une déviation du Moi vers une autre direction, celle de la « grande-mère »[1]. On peut parvenir à faire aimer ce que l'autre détestait jusqu'alors et inversement, au point qu'il sera difficile ensuite de distinguer si cette envie ou ce plaisir sont personnels ou d'appartenance étrangère. C'est alors qu'il deviendra si difficile, pour beaucoup, d'être sûr de leur envie, de leur propre plaisir et donc de leur choix. Il s'entremêle très souvent ce qui vient de soi avec « ce qui se fait » ou ce qui s'est emparé de nous.

Des habitudes acquises ou des influences extérieures, le faux plaisir fait, tôt ou tard, payer la note. L'apprentissage du plaisir existe – nous en parlerons dans le chapitre suivant – car le plaisir sensoriel, quel qu'il soit, n'est pas inné en l'homme. On n'est pas gourmet naturellement. Dans cet apprentissage, il sera important de découvrir que les conditions du vrai plaisir impliquent de « prendre son temps » et de respecter son propre rythme. C'est « en se pressant » qu'on aboutit au faux plaisir ou au contraire du plaisir, jusqu'à la souffrance et à l'accident. Sans une humanisation et une personnalisation de cette gestion du

---

1. *Cf.* chapitre 2.

plaisir il y a beaucoup à perdre, tant pour la santé que pour l'épanouissement.

L'expérience du jeu

Avec le loisir, une large place est accordée au jeu mais que beaucoup délaissent parce qu'ils ne savent pas jouer. L'utilisation qui est faite de ce mot a pris, il est vrai, des formes et des sens contradictoires, au point qu'on ne sait plus quelle valeur lui accorder. Pour certains, le jeu est un domaine réservé à l'enfant et bientôt à l'infantilisme. Ou bien le jeu correspond, à juste titre, à un comportement douteux et même nuisible quand il s'agit de cacher sa vérité derrière une façade, en jouant un personnage ou un rôle, en trichant donc, ou quand il s'agit de s'adonner, comme à une drogue, à l'« empire du jeu » des flambeurs, cimetière des fortunes et des joueurs. Mais ce n'est pas cela le véritable jeu, celui de l'enfant, dont les pédagogues nous disent l'importance irremplaçable.

Pour l'enfant, le jeu appartient au domaine du sérieux. C'est une manière, sa manière à lui, de découvrir et d'apprendre. C'est ainsi qu'on tombe dans le pléonasme quand on parle de jeux éducatifs. Ou il y a vraiment jeu pour l'enfant et il est éducatif, ou l'enfant ne joue pas avec ce qu'on lui propose, même sous l'appellation « jeu éducatif », et l'y forcer rend toute entreprise pédagogique stérile, voire nocive.

Contrairement à ce que peut penser l'adulte, le jeu n'est pas un monde à part qui ne s'intègre pas à la vie. Il n'y a ni distance ni séparation entre une vie constructive et le jeu. Le jeu dédramatise pour valoriser le bon côté des choses, l'aspect détendant, amusant.

Le jeu apprend à vivre une situation dans la décontraction. On fait alors « comme si », on « se met en situation », « dans la peau de », ... mais on sait que « c'est pour rire ». Si on dramatise, on sort du jeu, « on ne joue plus ». Celui pour qui tout est grave et sérieux ne sait pas jouer. Mais on ne joue pas davantage en tombant dans l'excès inverse où tout n'a été que « rigolade ». L'enfant, lui, sait apporter ce qu'il faut de sérieux dans le jeu.

« Pour rire »

C'est pour rire, mais ce n'est pas n'importe quoi et cela entraîne des règles. Le fou rire, par exemple, a quelque chose d'hystérique, comme le rire « forcé ». Le vrai rire de l'homme implique une certaine vérité intérieure. Le loisir est propice à ce terrain de jeu où l'on s'exprime sans contrainte, avec fantaisie, où l'on s'amuse pour se désintoxiquer d'un climat qui nous oblige à trop « prendre au sérieux ». Ce climat générateur de stress n'est pas fait pour l'homme dont le rire est une composante essentielle de son être. Quelqu'un a pu écrire qu'une bonne hygiène quotidienne devait comporter au moins trois minutes de rire. Le jeu et le rire vont de pair et l'enfant qui ne joue pas est souvent un enfant triste. On peut sans doute en dire autant de l'adulte. Le mauvais joueur ne rit pas, même s'il « rit jaune ».

La spontanéité

Le jeu implique enfin la spontanéité. Le loisir doit permettre à l'homme d'être davantage lui-même, de se laisser aller, de « laisser venir tout seul ». Bien sûr, dans ce laisser venir, il peut y avoir parfois irruption de la vie instinctuelle plus ou moins refoulée ou non encore mise en place. Le terrain de jeu doit pouvoir aider à cette organisation du Moi, peut-être à rattraper ou compléter ce qui n'a pas été fait dans la première « éducation », à condition de pouvoir récupérer la liberté qu'on ne lui a pas accordée alors.

Le jeu enfin offre une magnifique occasion de rencontres, et donc de relations, où la spontanéité peut avantageusement prendre la place du personnage, à condition toutefois d'échapper à tout esprit de compétition.

186

Vacances quotidiennes

Ah ! si nous étions des êtres accomplis, chaque jour et chaque action serait un loisir. Car c'est en cette direction que nous avons à construire notre épanouissement et notre équilibre. Priorité à la maîtrise du temps, au temps libre, à la gestion du plaisir, au jeu, au rire, à la spontanéité. Apprendre tout cela, respecter à tout prix son rythme personnel, nous mettra à l'abri du stress, des débordements, des somatisations et des dépressions. Les vacances, la vie de retraite deviennent des compléments et non des arrêts au garage.

Les critères ou les motivations de nos choix seront puisés dans cette soif permanente que possède l'être humain de profiter toujours davantage du plaisir de réaliser, de créer, de sentir, ce qui constitue une dynamique tout opposée à celle du bronzage, d'une consommation excessive, du faire comme les autres ou de l'ennui. On aura découvert que la culture, concept de plus en plus à la mode, n'est pas un agglomérat d'acquis intellectuels. À l'enrichissement de la connaissance, elle ajoute, par l'objet de ses découvertes, l'épanouissement de la sensibilité personnelle et de l'être tout entier.

Il ne peut y avoir loisir que pour ceux-là, à l'inverse de ceux qui ne peuvent que « passer » leurs vacances ou leurs week-ends à des occupations qui les laissent épuisés ou plus moroses qu'avant. Il y aura un manque important à l'équilibre de celui qui n'a pas eu la chance d'intégrer le loisir dans les valeurs premières de sa vie.

CHAPITRE 8

LE CORPS

L'âme humaine ne peut se définir complètement qu'en fonction du corps qu'elle anime et avec lequel elle forme une unité réelle et substantielle.

H. Bergson

Il faut vivre avec tout son être : respirer, sentir, vivre par tous ses pores, avec toutes ses forces.

Vittoz

LE CONSTAT

La santé du corps est inséparable de celle du psychisme et réciproquement. Cette vérité essentielle était retenue et considérée dans le passé par quelques praticiens ou certains sages, mais ne tenait pas une grande place dans le domaine de la médecine ni dans l'hygiène quotidienne.

Peut-être sous l'impulsion des observations psychologiques mais sans doute aussi de l'expérience et des influences orientales, l'attention se porte de plus en plus sur l'interaction du « moral » sur la santé et sur l'importance des soins accordés au corps. La santé du corps passe par la santé de l'âme.

Une meilleure vulgarisation épidémiologique a sans doute aidé à l'introduction d'une plus grande hygiène. Cette sensibilité, facilitée par l'apport de la Sécurité sociale, accorde progressivement au corps la place qu'il mérite. Non pas qu'on ait sous-estimé, dans le passé, toute l'importance d'une « bonne santé », objet des vœux de nouvel an ou des souhaits quotidiens, mais la difficulté est de concilier les exigences de cette « bonne santé » avec l'hygiène extérieure et intérieure qui la conditionne. Il y a, là aussi, dans notre époque de bouleversements, une mise en place plus ou moins chaotique, voire anarchique, de ce « bien-être » du corps. La solution est certainement moins en des « règles de vie » assez souvent contradictoires, des disciplines diététiques ou des secrets paramédicaux que dans la réhabilitation du corps et l'expérience de son étroite union avec l'être intérieur. Cette méconnaissance initiale explique pourquoi beaucoup sont pris encore trop au dépourvu quand le mal s'est déjà installé de manière plus ou moins irréductible.

C'est parce que cette relation étroite entre l'être intérieur

191

et le corps existe qu'une bonne psychothérapie peut favoriser un rétablissement parfois assez spectaculaire. Mais cela ne fonctionne pas à la manière d'un traitement médical. L'effet thérapeutique étant lié à ce qui se passe dans la relation au thérapeute, à la capacité personnelle du patient à intégrer les prises de conscience qui se présentent à lui, il est impossible d'expliquer de manière scientifique à partir de quand et comment intervient le rétablissement.

Mais, auparavant, l'expérience quotidienne nous met en face de nombreuses somatisations qui sont autant de clignotants pour alerter sur une dysharmonie entre le corps et le psychisme. Le message des rêves s'y ajoutant, il est alors possible de déceler le sens de ces somatisations et, par là peut-être, d'enrayer une évolution ou d'éviter le pire. En toute somatisation, le corps a quelque chose à dire sur ce qui ne va pas dans sa relation à l'âme.

UN CONCEPT NOUVEAU :
LA PSYCHOSOMATIQUE

Une longue disqualification ou ignorance

On a longtemps dissocié l'âme du corps pour faire de la première une sorte de locataire et du second un logement. Tout au moins trouve-t-on facilement cette notion dans un langage religieux comme dans une certaine conception intellectualiste assimilant l'âme à l'esprit, cette sorte de valeur « spirituelle » accordée à l'intelligence. Dans presque tous les cas, une qualité de noblesse et de supériorité apportait à l'âme ou à l'esprit un privilège proche du mépris par rapport à la rusticité du corps.

Le corps et l'esprit

Nous emploierons indifféremment les termes d'esprit ou d'âme, prolongeant ainsi l'usage que l'on fait couramment de ces mots pour parler de l'être psychique, sentiment ou vie intérieure, sans nous arrêter – volontairement – à des considérations abstraites ou métaphysiques, conformément à l'objectif énoncé au début de cet ouvrage.

Le « frère âne »

Il n'en fallait pas plus alors pour faire de l'être humain l'illustration d'une totalité réunissant la matière et l'esprit, mais d'une totalité conflictuelle qui les oppose l'une à l'autre. L'esprit dominait en valeur l'inévitable matière qui faisait barrage à l'être spirituel pur, objet de nos regrets. Si certains se sont risqués à évoquer l'importance du *mens sana in corpore sano*[1], les écoles philosophiques ou religieuses ont décerné à l'âme et à l'esprit une telle supériorité, accompagnée d'une suffisante autonomie, que le corps, comme la matière, ne pouvait qu'être subi et le plus souvent vécu comme un gêneur, hélas ! inévitable. On n'était pas loin de l'identification de l'esprit avec le bien et du corps avec le mal. Sur le plan religieux, l'âme était en relation avec Dieu et le corps, « le frère âne[2] », avec le diable. Il ne pouvait y avoir unité mais seulement opposition et confrontation.

Les malheurs du corps

Il n'est pas étonnant qu'en un tel climat le corps soit souvent devenu le bouc émissaire de nos malheurs. C'est ainsi, par exemple, qu'on accuse volontiers ce pauvre corps d'être maladroit pour avoir manqué une marche d'escalier et provoqué une entorse. Pourtant, il est facile d'observer que ce petit accident est le résultat d'un esprit distrait, occupé par « ailleurs » et que c'est en réalité cette dissociation d'avec le corps qui est cause de la maladresse. Si mes soucis ou

1. « Un esprit sain dans un corps sain. »
2. Saint François d'Assise l'appelait ainsi.

préoccupations m'envahissent au point de « penser à autre chose » quand je conduis une voiture ou quand je prends mon repas, c'est encore le corps qui sera le plus souvent mis en cause de n'avoir pas eu le bon geste, ou l'estomac qui pourrait mieux digérer.

Il a fallu du temps et de l'observation pour remarquer l'importance de la décontraction. En effet, le corps ne se contracte pas tout seul sans cause psychique, il « ne se fait pas de bile » ni de « mauvais sang » sans un état psychologique défaillant ou perturbé. Et même quand la relation est établie et exprimée par de telles formules, le corps est alors toujours le coupable. Tout se passe comme si on voulait ignorer ses limites ou sa fragilité à assumer, à résister aux attaques du quotidien : les déboires de la vie, les déceptions, frustrations, échecs, humiliations qui affectent l'âme.

Voué au dressage

On a eu du mal à reconnaître au corps son droit au plaisir pour en réserver la propriété exclusive à l'esprit : seul le plaisir de l'esprit était sain, celui éprouvé par le corps étant suspect et devant, en tout cas, être soumis à de strictes disciplines ou à une rigueur morale. On subissait plus qu'on acceptait l'exigence de ses besoins et de ses appels. Le corps était fait pour être mâté, dompté, soumis régulièrement au châtiment des mortifications et des pénitences, des punitions chez l'enfant. C'était une vertu que de le négliger, comme, le cas échéant, au nom d'une certaine ascèse, de le châtier. La pensée philosophique et surtout théologique s'est emparé de cet antagonisme déclaré entre le corps et l'esprit pour introduire la guerre entre le matérialisme et le spiritualisme. Le royaume de l'esprit établit son domaine dans les hauteurs, laissant au corps son besoin de ramper pour les basses besognes.

Un tel langage, une telle pensée ne pouvaient qu'engendrer une désaffection du corps dont l'hygiène, entre autres, a fait les frais. On a plus souvent traîné le corps qu'on ne l'a assimilé ou intégré. Et à vouloir refuser la perspective de l'unité psychosomatique, à savoir la nécessité d'une bonne

194

entente « âme-corps » impliquée par leur raison d'être, on aboutissait à précipiter la séparation, la rupture même de ses deux composantes par une fin prématurée de leur existence interdépendante, la mort. D'où une durée de vie restreinte qu'une meilleure lucidité, aujourd'hui, ne cesse, heureusement, d'allonger.

La cassure

On aura mis bien du temps à découvrir l'étroite union qui relie l'âme au corps à travers la souffrance en particulier. Le corps souffrait parce qu'il était mauvais et non parce qu'il répercutait les souffrances de l'âme. Or, si l'être humain peut parvenir, par un refoulement habile et forcené, à occulter la souffrance morale, il lui est difficile, et parfois impossible, de venir à bout de la souffrance physique que cette prétendue maîtrise déclenche. On a voulu, là aussi, faire une vertu de cette sublime maîtrise, au risque souvent de détruire le corps. La somatisation semble bien correspondre habituellement à un refus d'intégration ou à un refoulement, même si elle peut résulter aussi d'une évolution, d'une croissance.

En ce dernier cas, elle devient une sanction positive, comme si le corps avait besoin de s'adapter à un nouvel état dynamique quand surgit quelque chose de nouveau.

Indissociable, car le corps ne peut pas ne pas participer à la souffrance de l'âme. Il la vit avec elle par sa fonction digestive, circulatoire, sensorielle ; par son cœur, son foie, ses intestins, son estomac, ses reins et tout le reste. Et ce que l'on attribuait au « coup de froid », par exemple, est souvent chargé de double sens, physique ou moral, tout comme de nombreuses autres expressions semblables à : « J'en ai plein le dos... Je l'ai sur l'estomac... Je le digère mal... Je me fais de la bile, du mauvais sang... Ça me fait mal au ventre... J'en ai la nausée... Ça me démange... Ça m'écœure... Ça me fait vomir... Ça me coupe le souffle, les bras, les jambes... Ça me donne la colique... des boutons etc. », autant d'affections souvent déclenchées par une cause d'ordre psychologique plus que par un exclusif manque d'hygiène physique. Ce vocabulaire, vieux comme le monde, manifeste bien l'intuition ou le soupçon que l'homme avait de la relation de l'âme avec le corps. Chacun connaît, assez rapidement dans l'expérience de la vie, et plus ou moins souvent, les rougeurs, pâleurs, palpitations, essoufflements, nausées, contractions et spasmes de toutes sortes, les bâillements, aérophagies, torticolis, sudations, moiteurs et frissons. L'homme sent depuis longtemps que le corps souffre essentiellement du mal de l'âme, mais il aura fallu bien du temps pour accepter que tout cela marche ensemble et non pas l'un contre l'autre ni même seulement l'un sans l'autre. Bien sûr, l'esprit, ça ne se localise pas, ça se passe « quelque part », selon l'expression de plus en plus en usage, mais ce « quelque part » est tout de même circonscrit à l'intérieur de l'être matériel et physique de chacun.

Une surqualification

Il existe, parallèlement, une autre forme de dissociation entre l'âme et le corps par le culte de celui-ci et une trop grande ignorance de l'autre. À l'opposé de la désincarnation, il y a l'inflation de la place du corps dans la vie de l'être humain, en particulier dans certaines performances physiques, sensuelles, qui d'Apollon à Bacchus jalonnent l'histoire de l'homme. Un certain milieu social préconisait autrefois la référence à l'homme « fort » comme qualité première, le mâle musclé évoqué par Tarzan ou ses congénères. Cela avait pour conséquence, entre autres, de provoquer le complexe du « petit » chez les défavorisés par la taille ou le poids. L'appétit de l'instinct qui émane du fond de l'être n'a pas encore été mis en place ni été intégré dans la totalité de l'âme, et l'anarchie prédomine. C'est un autre aspect du manque d'hygiène qui consiste à passer de la privation au gavage, de la pénurie à l'abondance. Évidemment, la santé du corps ne résiste ni à l'un ni à l'autre.

La performance ou le record qui consiste à faire du sport en particulier non pas un jeu, comme nous l'avons vu précédemment, mais une démonstration, une compensation démesurée ou une enflure du personnage, n'écoute pas la voix intérieure de l'âme personnelle, mais le discours extérieur de l'ambition ou du défi. Vouloir « se dépasser », « faire l'expérience de ses limites, se prouver quelque chose » témoigne d'un sentiment suspect qui, le plus souvent, ne ressort pas de l'ordre de l'épanouissement de l'être ou de sa dynamique unitaire. On ne joue plus et on a vite fait d'avoir recours à des procédés destructeurs comme le dopage ou le surentraînement. Le corps bientôt se désagrège, perd sa fonction et n'est plus en mesure de collaborer totalement avec l'âme. Quand il ne devient pas lui-même un poids à porter pour l'âme qui, en quelque sorte, va devoir tout assumer.

En dehors du sport proprement dit, l'ambition de l'esprit entretient, peut-être plus à notre époque, certaines fausses valeurs comme celles du rendement, de la rentabilité qui enferment le corps dans un statut où se mêlent souvent snobisme et idéalisme. L'homme est devenu tortionnaire quand il condamne son corps à se nourrir de n'importe quoi et n'importe comment, à respirer de même, à subir les contraintes d'un régime draconien ou d'un excès de dépenses, de consommations, quand il exige d'ignorer la fatigue et de dépasser ce rythme qui lui est propre et vital. Refusant d'accepter les arrêts auxquels ce corps le contraint parfois par l'accident ou la maladie, il exige souvent de son médecin le « remède de cheval » qui lui éviterait de descendre de selle parce qu'il n'a pas le temps de s'arrêter. Le recours aux tranquillisants ou aux somnifères devient alors de plus en plus banal et fait partie de la panoplie de l'homme actif et rentable. On aboutit alors au même résultat que dans l'excès précédent : une atrophie de l'autre composante, en la circonstance celle de l'esprit et du sentiment que l'on a mésestimé, une dissociation prématurée de ce qui était destiné à être vécu dans l'unité, une échéance de vie raccourcie.

Enfin, il n'est pas étonnant de constater le fantastique développement de l'usage de la drogue qui a précisément pour objet, et pour effet, de couper la communication de l'âme avec le corps et d'introduire dans « un autre monde », différent du réel et du véritable champ de la vie. Nous n'aborderons pas ici ce trop long chapitre de la drogue, celle que l'on fume, que l'on s'injecte ou que l'on boit, laissant aux spécialistes le soin de le faire, mais grande est la complexité du problème pour tout psychothérapeute.

L'UNITÉ PSYCHOSOMATIQUE

Nous assistons depuis quelques années à une assimilation progressive de la valeur de cette unité psychosomatique. De plus en plus, l'homme « vit mieux », accorde à son corps une place plus juste et en meilleure entente avec son esprit. Les campagnes antialcool et antitabac ont pris soudain une ampleur spectaculaire. La qualité de l'hygiène, de l'alimentation, des soins de santé pénètrent peu à peu la vie quotidienne de l'individu. On découvre la force irremplaçable de ce que l'on a pris l'habitude d'appeler le moral ou le mental, à l'intérieur des sports, de la santé, de l'épanouissement tout court. On fait de moins en moins fi de la réalité psychosomatique en médecine, on a commencé à introduire la psychologie en faculté de médecine et certaines voix de praticiens reconnus se font de plus en plus entendre sur l'importance à accorder aux causes psychiques dans le domaine clinique comme aux forces « morales » dans le domaine thérapeutique. En éducation comme dans les relations sociales, on donne de plus en plus la priorité au dialogue et à la conviction aux dépens d'une prétendue pédagogie par la contrainte ou le dressage. Nous assistons donc à un développement de l'humanisation. L'esprit consent peu à peu à rencontrer le corps et inversement.

Le corps est quelque chose avec qui l'on vit et non pas que l'on « traîne ». Il est autre chose qu'une « enveloppe » de l'âme, un logement des facultés mentales. En dépit de certaines tentatives de neurobiologistes, les localisations des sentiments ou de l'être psychique dans le cerveau ou dans le cœur sont symboliques et non matérielles ou scientifiques. L'être psychique n'est pas réparti dans les différentes parties physiologiques du corps humain, mais il est tout entier présent en n'importe quelle partie de ce corps. Le tracé matériel auquel se réfère la médecine pour

198

déclarer la mort réelle fait état d'une déconnexion, sorte de rupture, de débranchement entre le corps et l'âme. Du même coup, il n'y a plus de vie, seulement les « restes » d'un être humain commençant le processus de désintégration en « poussière ».

Comme l'âme, le corps est au service de l'être. Sans l'âme il n'est rien, mais l'âme humaine sans le corps n'est plus humaine. Même si on veut lui accorder une certaine indépendance, sans qu'on puisse le prouver, sa condition humaine lui implique de vivre avec le corps durant son séjour terrestre. Par la psyché, le corps est animé. Par le corps, la psyché réalise sa mission.

Comme le psychisme, le corps a son programme, son rythme, sa direction, sa puissance, ses faiblesses, ses limites. Quand l'un ou l'autre de ces éléments n'est pas respecté, il réagit par la somatisation, se rebiffe parfois vivement en réclamant son intégrité.

Le corps et l'âme sont deux réalités en un seul être : la réalité physique et la réalité psychique composent l'unité de l'être humain, l'une visible, l'autre invisible.

Tout marche ensemble

Indissociable, chacune des deux parties ne peut atteindre son épanouissement sans l'aide et la complicité de l'autre. Elles existent pour vivre l'une avec l'autre, peut-être l'une dans l'autre, mais certainement pas l'une dans l'ignorance ou le mépris de l'autre, et encore moins l'une contre l'autre. Chacune a son hygiène, son complexe de régulation, sa dynamique interne au service de la réalisation du Moi, mais chacune ne peut vivre sans la participation de l'autre, sans connexion avec l'autre. On peut dire que la réalité du corps matérialise la qualité de la vie intérieure et en exprime, en quelque sorte, l'état de santé.

Un philosophe a parlé des « yeux, fenêtres de l'âme », en retrouvant sans doute la vérité déjà énoncée par Cicéron qui disait : « Le visage est le miroir de l'âme. » L'expérience quotidienne, en effet, nous apprend que, par le regard, par l'expression du visage, par la démarche et le comportement, le corps parle de ce qui se passe en lui, du « bien-être » ou du « mal dans sa peau ».

Le corps n'est pas fait pour être asservi, ni pour servir à un projet qui ne tienne pas compte de celui qui lui est propre, l'unique projet pour lequel il existe et commun à celui de l'âme. Il est fait pour réaliser au mieux l'harmonie destinée à l'unir à l'âme. Ce que perçoivent les yeux du corps, l'âme le transforme en autre chose, mais la plénitude de la perception visuelle ne s'effectue pas en deux temps successifs et distincts. Cette plénitude se réalise dans la simultanéité de la perception visuelle du corps et la manière dont l'âme l'accueille. Je peux très bien recevoir les couleurs et les formes d'un paysage et « avoir l'esprit ailleurs ». Il n'y a pas alors d'harmonie, donc pas d'unité. Cet exemple peut servir à comprendre ce qui se passe dans toutes les fonctions du corps à tout instant de la vie, si l'âme y est présente et « marche avec » ou si elle vit ailleurs. Pour reprendre une expression moderne, l'unité psychosomatique dépend de la qualité du « branchement » entre l'âme et le corps. Pour qu'il y ait relation, il faut qu'il y ait écoute, car le corps parle à qui veut ou sait l'entendre, adresse ses messages et ses réponses, tous les jours, à tout instant, par ses sensations, ses plaisirs et ses souffrances. Nous en reparlerons bientôt. Et la réciproque est vraie : l'âme, à tout instant, a quelque chose à dire au corps et, donc, aucun projet de l'un ne peut se vivre sans l'autre, sans son accord et sa participation. Chaque maladie, chaque stress contient un message et c'est faute de l'entendre que nous risquons la fixation chronique du mal ou sa récidive.

S'il nous est facile de constater que « tout marche ensemble », que telle contrariété qui « rend malade », il nous est, pour l'instant, impossible de savoir comment cela marche ensemble, pas plus que de distinguer clairement l'influence d'une réalité sur l'autre. Existe-t-il seulement un mécanisme ou des lois qui régissent cette interaction ? Mais le seul fait de la constater suffit à nous tenir en éveil et à ne rien négliger de la relation et des influences réciproques.

L'influence de l'âme sur le corps

Il est difficile désormais de la refuser. Chacun sait les réactions que peut avoir la fonction cardiaque ou digestive, par exemple dans les moments d'angoisse ou d'émotions fortes. On sait aussi combien une bonne ambiance, un climat de détente, de décontraction peuvent engendrer du dynamisme et une meilleure vitalité.

L'expérience psychothérapeutique et psychanalytique constate fréquemment la disparition, parfois rapide ou spectaculaire, de certaines migraines, douleurs localisées ou autres affections. Mais ces constats ne sont pas, pour autant, éclairés par des explications qui seraient souvent bien imprudentes. On pourra plus facilement découvrir pouquoi « ça » coupe l'appétit, pourquoi on se sent fatigué ou dépressif, démasquer la cause d'une douleur ou d'un mal, mais, de là à établir des lois ou des données scientifiques qui permettent de fixer un principe de cause à effet, il y a une longue distance.

Les mêmes causes ne provoquent pas toujours les mêmes effets. Un affect ou un désordre psychologique identique pourra aussi bien se manifester par une crise de foie chez l'un, une angine chez l'autre et rien du tout chez un troisième. On constate également que certains sujets somatisent plus souvent que d'autres, et quelques-uns sont parfois particulièrement « gâtés » !

Pourquoi ? Est-ce un avantage ? La vie psychique garde son secret. Et c'est très bien ainsi, laissant à chaque individu la propriété de ce qui fait sa spécificité, sa particularité, son unicité. Nous ne saurons sans doute jamais l'explication de ces différences, comme on ne pourra jamais expliquer pourquoi cet être meurt si jeune et cet autre si âgé, celui-ci d'une mort violente et celui-là d'une fin si douce, pourquoi enfin la chance et le bonheur semblent combler l'un et faire totalement défaut à l'autre. Nous sommes dans le domaine de l'inconnaissable.

L'influence du corps sur l'âme

La connaissance de cet autre aspect de l'interaction est plus difficile et plus limitée encore. Le concret, le saisissable manquent. Peut-on même dire que la santé du corps apporte quelque chose à l'épanouissement psychique ?

Peut-être la réalité psychique devient-elle plus fragile et plus vulnérable avec une santé plus faible du corps – ce n'est pas sûr – mais si cette faiblesse du corps est le résultat d'une disposition psychique intérieure, où est le point de départ et donc la cause ? L'action matérielle, concrète, prend son origine dans la psyché – l'animation – et y trouve déjà, au départ, sa qualité. C'est pourquoi, si la somatisation fait porter au corps le poids d'un besoin psychique intérieurement refusé ou contrarié, il est difficile de prétendre que la psyché souffre d'un manque de réponse du corps. Si manque de réponse il y a, c'est que le message provenant de l'intérieur, de la psyché, n'a pas été entendu ou reçu par le corps. Le branchement n'a pas été fait ni la relation établie. On tourne en rond, mais la mission du corps est d'aider à l'épanouissement de l'âme, et commence d'abord par l'écoute de celle-ci.

POUR UNE DYNAMIQUE PSYCHOSOMATIQUE

Sentir ce que l'on fait

Il convient donc de dire que toute animation du corps, quels qu'en soient les exercices, gymnastiques, sports ou autres comportements, n'enrichit l'être humain que dans la mesure où il sent ce qu'il fait, où le branchement est établi entre le corps et l'âme. Le footing est sans effet sur l'âme si celle-ci n'est pas présente et entendue au départ comme au cours de l'action. Décider d'imposer ce footing à l'âme qui le refuse ne produira qu'un effet nocif, même si on se persuade intellectuellement ou rationnellement du contraire. L'expression « je sais, parce que je sens mieux que quiconque ce qui me convient » demeure, à condition d'être vraie, l'affirmation prioritaire de la valeur personnelle du sujet au-delà de tout discours ou prétendue loi venue de l'extérieur.

C'est dans ce dialogue ou cette harmonie entre l'âme et le corps qu'il convient d'aller chercher le remède à ce qui constitue le cauchemar de bien des silhouettes, l'excès de poids ou d'embonpoint. Chacun sait que ce souci est étroitement lié au métabolisme avec tous ses inconnus et ses mystères.

Que faisons-nous de ce que nous absorbons ? Nous sommes, par exemple, témoins d'un métabolisme différent quand la même nourriture est prise en deux situations ou états psychologiques différents. L'influence du psychisme sur le métabolisme est facile à observer. Un repas dans une ambiance tendue ne sera pas reçu de la même manière ni avec les mêmes effets que celui pris dans la détente et l'agrément. La même nourriture absorbée par deux personnes en même temps fera prendre du poids à l'une et pas à l'autre. Même constatation quant à la différence qui sépare la dégustation de l'engloutissement ou du grignotage, le souci de se faire plaisir ou de faire plaisir à l'autre... Mais qu'est-ce qui crée en moi ce besoin d'engloutir ou de grignoter ? Cette corvée de se mettre à table ? Il n'est pas facile d'en découvrir la réponse ni donc d'expliquer ces kilos superflus, tout au moins dans leurs causes profondes. Du même coup, les traitements d'amaigrissement sont délicats à utiliser et le plus souvent ne changeront rien si la cause psychique n'est pas trouvée. Il est aussi dangereux de supprimer le plaisir du repas que de mésestimer celui du sommeil, de s'imposer des régimes suscitant parfois plus de nausées que d'appétit, même à base de diététique, que de s'habituer aux produits « qui font dormir ».

Quand la motivation, qui détermine le corps, est composée exclusivement du devoir ou de la discipline, quelque chose ne fonctionne pas au-dedans. La voix qui commande n'est pas celle de l'âme, du sentiment ; c'est un discours étranger qui n'a rien à voir avec le corps, et qui est donc mauvais pour lui. Accidents ou maladies le dénonceront dans un proche avenir. Tout se passe comme si le sujet préférait vivre la maladie plutôt que de s'assumer lui-même.

Ce qui est vrai pour la nourriture s'applique également à toute action ou comportement : son efficacité et son résultat dépendent toujours de l'état psychologique qui l'introduit et l'accompagne. Vivre avec son corps signifie autre chose que d'observer certaines règles d'hygiène et de diététique, de lui appliquer certaines disciplines physiques ou sportives. Quoi qu'on en fasse ou qu'on veuille en faire, il sera toujours, et malgré nous, l'expression de notre vie intérieure, le reflet de notre âme dans sa vérité. De « l'air angélique » au « diable au corps », on a toujours évoqué et senti cette vérité essentielle.

Médecin de son corps

On ne cesse, à juste titre, d'insister sur l'importance du « moral » dans la guérison, de la participation active du malade au traitement préconisé par le médecin. Ce n'est pas le moindre facteur à retenir parmi les moyens à valoriser dans les projets d'économie de la Sécurité sociale. Si, d'autre part, avoir une bonne santé est le vœu universel que chacun forme pour soi-même et ceux qui lui sont chers, rien ne se fera dans la passivité et sans la collaboration personnelle. On commence, d'ailleurs, à en prendre de plus en plus conscience et donc à savoir la part essentielle du « mental » dans la « bonne forme » ou la guérison. « Finalement, qu'il s'agisse d'une belle-mère abusive, écrit Jean-Charles [1], d'un mari cavaleur ou d'un patron ronchon, chacun de nous doit chercher ce qui ne va pas dans son organisme. Un médecin de l'Essonne l'a écrit sur le mur de sa salle d'attente : À partir du moment où il devient évident que notre vie nous rend malades (c'est-à-dire : rend nos nerfs et tout notre organisme fragiles devant l'infection microbienne, les désordres biologiques), le problème qui se pose à nous, au-delà de la médecine et du médicament, c'est de changer notre vie. »

---

1. *Le rire est la santé*, éd. France Loisirs, p. 83.

On découvre ainsi que tel ou tel malade a pu vaincre la gravité de son état, cancéreux y compris, grâce à sa volonté de guérir, animée d'un solide espoir. Il est important de le rappeler souvent, et il est heureux que la médecine introduise, en tant que facteur essentiel de son succès, la collaboration psychologique du patient. Il a fallu, pour cela, renoncer à vouloir tout enfermer dans l'explication scientifique, dans l'omniscience ou la prétention à vouloir tout expliquer et tout comprendre. Or, force est de constater et de reconnaître que « la médecine » ne sait pas tout et ne peut pas tout.

Guérir ensemble

Entretenir une meilleure relation humaine entre praticien et consultant n'est pas un moindre progrès. Cela suppose beaucoup de psychologie et d'humilité pour substituer à l'image du pouvoir l'aptitude à écouter. Certains « patrons » ne le savent peut-être pas encore mais risquent bientôt de se retrouver seuls.

Émettons également le vœu qu'au commerce des consultations de dix minutes succède le temps utile à bien entendre et sentir le malade. Les causes du mal, en effet, sont plus directement dans les soucis de celui-ci et ses « problèmes » que dans son hygiène de vie.

Il importe également que le patient soit aidé dans son besoin de dire, de parler et qu'il ne soit pas tenté de demander au médecin un pouvoir qu'il n'a pas. La guérison commence le plus souvent, mais peut aussi échouer, avec le premier contact. D'importants efforts ont été faits en ce sens et l'un des précurseurs, Balint[1], eut le mérite de sensibiliser l'attention des médecins à la qualité de ces relations. Nous n'en sommes qu'au début, au balbutiement de la psychosomatique et un long chemin reste à parcourir, tant au niveau de la recherche qu'à celui de la pratique.

Mais si vous avez trouvé le médecin avec qui vous pouvez « parler », il vous restera à ne pas le laisser seul « se débrouil-

---

1. Michel Balint, psychiatre britannique (1896-1970).

ler » avec votre mal. Il a besoin de vous, la route de la guérison doit se faire ensemble, car chaque affection du corps demande un travail de recherche personnelle.

À l'écoute de l'autre

Si le corps est malade, c'est qu'il se passe quelque chose dedans qui ne va pas et qui le dit à sa manière, à travers cette affection. On pourrait, par exemple, s'interroger sur ce qu'on a « du mal à digérer » moralement quand la fonction digestive est atteinte, ce qu'on se retient d'exprimer dans les affections de la gorge, ce qu'on a tendance à idéaliser ou à vivre dans la volonté de puissance en ce qui concerne les migraines, ce qu'on a du mal à accepter, à porter, dans les douleurs du dos, pour ne citer que quelques exemples d'expérience rejoignant une déduction de bon sens. Mais rien cependant n'est aussi simple et ce travail de recherche ne se fera pas « tout seul » le plus souvent, car il sera l'objet d'une résistance intérieure plus ou moins forte. C'est pourquoi l'aide de quelqu'un s'avèrera utile, voire nécessaire et, si elle n'est pas trouvée auprès du médecin, elle pourra peut-être se rencontrer auprès d'un ami. Il restera alors, comme pour tout avatar, à accepter de vivre avec, la somatisation étant probablement le résultat d'un refus[1].

L'usage de la maladie

La maladie peut, en effet, être utilisée inconsciemment comme un refuge, éventuellement comme un moyen de forcer l'attention de l'entourage. L'« arrêt-maladie », chacun le sait, est plein d'ambiguïté. D'autres, enfin, se servent de la maladie pour se punir, se mettre dans les conditions d'une privation de plaisir ou justifier une absence, soit à un rendez-vous, soit à une démarche vécue dans la contrainte.

---

1. *Cf.* chapitre 2.

Pour se sortir d'une invitation qu'on n'ose pas formellement refuser, par exemple, il est relativement facile d'être malade.

Il y a enfin ceux qui « s'installent », pour ainsi dire, dans la maladie, durant les années suivant la retraite ou la vieillesse mal acceptée. C'est un moyen qui peut être utilisé pour forcer l'attention sur soi ou, dans l'état dépressif, pour se laisser mourir en démobilisant son énergie vitale.

L'information

Quel que soit le prétexte, aide ou exploitation commerciale, la vulgarisation de la médecine envahit de plus en plus les rayons de nos librairies et de nos kiosques. L'information des médias s'y ajoutant, nous pouvons constater que cette vulgarisation fabrique au moins autant de malades qu'elle n'en fait l'économie. Beaucoup se créent des symptômes après les avoir lus ou entendus ici et là. Les médecins connaissent bien ce phénomène qui guette les angoissés et les hypocondriaques, même si certains s'efforcent de le maîtriser. S'il est vrai que l'information peut parfois « donner des idées », celles concernant les maladies éventuelles suggèrent souvent plus qu'elles ne préservent. Exposer des symptômes et des diagnostics pour faire peur a peut-être un objectif louable, mais souvent aussi un effet pervers. On parle, hélas, plus souvent des peurs qui ont pu guérir que de celles qui ont développé le mal. Il est possible de préconiser une bonne hygiène autrement qu'en « faisant peur ».

Succombe-t-on enfin à la tentation du sensationnel ou au désir d'apporter de l'espoir, quand on annonce, un peu vite, des moyens thérapeutiques encore aléatoires ? Il n'est pas bon de jouer avec l'espoir des sujets fragiles.

la sagesse du Dr Vittoz

C'est toute une manière de vivre qu'implique cette relation corps-esprit et sa dynamique d'unité. Et si cette éducation a manqué durant la petite enfance, il est encore temps d'en faire l'apprentissage durant sa vie adulte.

On voit apparaître, de nos jours, un important éventail de « méthodes » ou d'écoles qui proposent au corps des « mises en forme » assurées ou des thérapies efficaces. Le catalogue est si varié qu'on y trouve un mélange d'entreprises commerciales, quelques intentions philanthropiques et même quelques conseils judicieux.

Le docteur Vittoz [1] est l'un de ceux qui semblent avoir le mieux saisi la nécessité d'apprendre au corps à participer à la totalité de la vie intérieure, à « marcher avec l'esprit », à se faire le compagnon de l'âme et cela, à tout moment du jour et de la nuit. « Vivre le moment présent » était, pour lui, la référence de tous les instants. Les exercices préconisés visent essentiellement à réaliser cette unité de l'être par la rencontre active de l'âme avec le corps en chaque comportement, dans l'espace et dans le temps. L'homme apprend ainsi à voir, sentir, toucher, goûter, poser tous ses gestes avec tout son être, à l'opposé d'un comportement conditionné ou robotique. Il ne marche pas, mais se sent marcher ; il ne mange pas, mais accueille au maximum toutes les perceptions agréables de ce qu'il déguste. Il sent ce qu'il éprouve quand il est assis, ce qu'il éprouve quand il est debout ; il reçoit profondément, à l'intérieur de lui-même, toutes les sensations qui accompagnent sa vision, son écoute, son toucher et toute son activité sensorielle.

Ainsi, se sentant marcher, par exemple, il apprend à découvrir son propre rythme par la perception de son souffle, de ses battements de cœur, de ses contractions musculaires, car le corps prévient, par la gêne ou la douleur, les limites personnelles à ne pas dépasser. Il parvient ainsi à déterminer ses capacités propres et à véritablement se connaître dans son corps. En étant ainsi habitué à vivre à l'écoute de son corps, il reçoit les premières informations chargées de prévenir de la proximité des accidents.

Il est, en effet, une limite à ne pas dépasser et sur laquelle le corps nous alerte toujours : dans le domaine sensoriel

---

1. Médecin suisse (1863-1924), auteur du *Traitement des psychonévroses par la rééducation du contrôle cérébral.*

survient brusquement une sensation de saturation au-delà de laquelle « ça ne fonctionne plus aussi bien ». Ne pas tenir compte de cette alerte, c'est s'éloigner progressivement du point de plénitude et d'équilibre, et s'avancer vers les risques où « quelque chose ne va plus » et menace même de casser.

La différence qui distingue le montagnard du citadin à l'intérieur d'une randonnée en est une illustration classique. Le premier se sent marcher, monter, et règle son pas au rythme de ce que lui indiquent son cœur, son souffle et donc ses muscles, quand le second a tendance à le dépasser jusqu'à atteindre l'épuisement.

C'est le dépassement de notre rythme personnel qui est, le plus souvent, à la base de nos états de fatigue. Le corps a parlé tout au long du parcours, mais on ne l'a pas écouté jusqu'au moment où il n'en peut plus. Découvrir son rythme, recevoir pleinement ce qui s'offre à nos sens, conditionnent l'épanouissement de l'être et la véritable expérience du plaisir. À ce titre, je ne connais pas de moyen plus efficace ni plus constructif que l'apprentissage préconisé par Vittoz.

Les exercices Vittoz permettent également d'apprendre à commander à son cerveau, qui souvent intervient de manière intempestive et fait obstacle au « branchement » corps-esprit. C'est ainsi qu'il se produit certains vacarmes qui n'ont rien à voir avec la vie intérieure et la réalité psychique. Ce sont ces bruits, le plus souvent, qui empêchent l'arrivée du sommeil, ou occasionnent les réveils de la nuit et qu'il nous faut faire taire pour éviter le recours aux subterfuges chimiques ou les fatigues du matin.

C'est par l'éducation des perceptions sensorielles qu'un thérapeute connu, le docteur Tomatis, entre autres, parvient à des résultats notoires dans la rééducation de l'oreille.

La respiration constitue également une richesse appréciable pour qui sait s'en servir. Indispensable pour bien se sentir, elle permet de faire entrer la vie et de disposer du tonus dont l'âme a sans cesse besoin. La respiration offre la sensation de la mise en relation du corps avec l'âme, du véritable courant qui les réunit.

Ces quelques indications résument une expérience dont

peuvent bénéficier ceux qui veulent utiliser leur corps au maximum et donner ainsi à leur âme les meilleures chances de bien vivre. À l'aide de la respiration et de la perception sensorielle développée par la méthode Vittoz, il est possible d'établir une véritable relation entre le cerveau et tel organe ou telle partie du corps. La relaxation conduit déjà à cette relation. On peut ainsi parvenir à sentir une affection comme à faciliter un meilleur fonctionnement.

C'est par cette harmonie, en tout cas, cette sorte de dialogue entre l'âme et le corps, que pourra se découvrir la meilleure hygiène personnelle.

Pour avoir été sensibilisé par l'importance de l'effet psychosomatique, le docteur Vittoz propose là un instrument précieux qui constitue peut-être le meilleur facteur d'unité psychosomatique. En tout cas, c'est à coup sûr un complément d'importance capitale à un traitement psychanalytique.

D'autres techniques ont pour objet de rendre le corps plus réceptif à cette connexion : décontraction, relaxation, yoga par exemple. Quelles que soient leurs qualités, rien ne se fera sans que la pratique soit animée d'un désir profond de réaliser cette réunion corps-esprit. Les techniques sont proposées pour y aider mais ne la créent pas par elles-mêmes et aboutissent à l'échec sans la participation active du sujet.

Liberté et instinct

Pourquoi faut-il apprendre tout cela, ou peut-être réapprendre ce qu'on a perdu ou mal utilisé ? Sans doute parce que nous sommes libres dans la décision et la gestion de notre projet personnel. La liberté, cause à la fois de nos plaisirs et de nos douleurs, bien précieux et délicat, est le propre de l'homme. Chez l'animal, comme en tout ce qui vit, il en est différemment parce que celui-ci obéit à l'instinct. Des chercheurs, par exemple, nous disent que le rat ne peut pas grossir. Si, en effet, on lui greffe une plaque de cent grammes, il s'arrête de manger jusqu'à perdre soixante-dix grammes. Mais l'homme, parce que la liberté lui est donnée, peut rester sourd aux appels de son corps, comme de son âme.

Ces appels à une meilleure régulation constituent pourtant les points communs que nous partageons avec l'animal, l'être animal en nous. Lorsqu'ils sont trop mal reçus et mal intégrés, il nous est plus difficile de mieux accepter notre corps. Il paraîtra paradoxal de dire que pour s'humaniser l'homme doit d'abord s'animaliser, dans le sens de reconnaître et accepter l'animal en lui : un corps qui contient une vie instinctuelle intense et profonde, mais, à la différence de l'animal, qu'il nous faut mettre en place et gérer nous-mêmes.

CHAPITRE 9

LE QUOTIDIEN

Le grand secret pour le bonheur c'est d'être bien avec soi.

Le Bovier de Fontenelle

Chacun doit atteindre l'état adulte, c'est-à-dire élaborer lui-même sa propre vérité.

H. Reeves

LE CONSTAT

Tout homme est à la recherche de son bonheur. Chaque jour et chaque instant est vécu dans cette perspective avec plus ou moins de réussite. Cette préoccupation fait partie de son être et de sa raison de vivre. Son interrogation est permanente mais ne s'adresse pas toujours là où se trouve la réponse. C'est en effet à l'intérieur de soi que se trouve cette réponse. Tout est fonction de l'intégration au Moi et à sa bonne gestion. La condition première est d'entrer en possession de son Moi, c'est-à-dire de ce pour quoi chacun est fait, existe et vit. Cette prise de possession est celle d'un propriétaire et non d'un locataire. Quiconque ne parvient pas ou parvient mal à cette découverte sera toujours plus ou moins atteint du mal de vivre.

Ce mal apparaît le plus souvent dès le réveil, par un malaise, un état de fatigue, une humeur maussade. C'est là qu'il conviendrait de dire qu'on est mal « branché », synonyme de « levé du mauvais pied ». Coupé de ce branchement sur l'intérieur, dans l'ignorance du Moi, on s'en prend alors aux éléments extérieurs que l'on croise sur sa route : personnes, objets, climat, événements. Tout devient plus ou moins difficilement supportable. Ces manifestations indiquent l'état de celui qui est à la recherche de son Moi : il ne sait ce qu'il est, ce qu'il fait, où il va et en ignore le pourquoi. Chaque matin est un travail de naissance, mais il ne sait pas naître.

Vivre, au lieu de devenir une joie, peut se transformer en corvée. On peut faire état de quatre éléments nécessaires au bon fonctionnement du Moi. Il a besoin de trouver son espace, d'avoir un but ou de donner un sens à sa vie, de gérer les valeurs qu'il a mises en place et lui servent d'assises, de s'inscrire ainsi dans le mouvement et l'évolution qui s'appliquent à tout être vivant.

Le Moi sera d'autant plus épanoui, en effet, qu'il se situe dans l'individu qui sait qui il est, pourquoi et avec quoi il agit et où il va. C'est à ce prix qu'il sera lui-même et pourra pénétrer heureux, chaque matin, sur le chantier du monde.

Vivre n'est cependant pas une affaire réglée. Ce n'est pas seulement respirer ou observer les règles d'hygiène qui favoriseraient la santé physique. C'est faire le plein de tout son être dans une entreprise quotidienne. Il faudra se battre contre tout ce qui en nous et autour de nous viendra s'opposer au sujet du Moi.

LES CONDITIONS D'UNE VIE EN MARCHE

Trouver son espace

Trouver son espace est sans doute la condition première permettant de répondre au besoin premier : celui de se situer, d'avoir sa place, sa juste place.

L'espace extérieur

On ne se sent pas bien quand on a l'impression de n'avoir pas sa place, de ne pas être à sa place. On souffre de ne pas se sentir bien où l'on est, de ne se sentir bien nulle part, de se sentir en trop... Là où l'espace manque, c'est le vide. Qui en a fait l'expérience sait combien cette perception est épouvantable jusqu'à être mortifère. Au milieu de ceux qui ignorent ou excluent la présence des autres, de ceux pour qui on ne compte pas, on n'existe pas, on se sent plus ou moins indésirable.

C'est aussi dans cette recherche de l'espace qu'« on ne sait pas où se mettre », qu'il faut expliquer le plus souvent les objets qu'on égare, qu'on oublie parce qu'on ne sait pas où on les a mis.

Une fois l'être humain sorti de la mère, au moins physiquement, se présente la confrontation avec l'extérieur. Il en sera désormais ainsi chaque jour qui s'offre à lui. Il s'agit là d'une vérité qui fait partie de son être et compose même sa définition d'« animal social ». L'insertion dynamique de son Moi dans la société, dans le monde, sa participation active avec sa vocation et son rôle unique, son apport personnel vont pouvoir atteindre toute leur dimension. Cet être humain va se faire connaître et remplir sa fonction, celle qui lui a été assignée de tout temps à lui seul. À travers cette rencontre avec l'extérieur, il va chercher à « faire sa place ». Il y consacrera chaque jour, chaque instant de sa vie. Le résultat favorisera la liberté ou, au contraire, engendrera la souffrance et pourra même déclencher la guerre. Cela commencera avec la famille, puis avec l'entourage progressivement plus étendu, l'un et l'autre composant les espaces de sa vie. La tragédie du chômeur, souvent du retraité, comme des jeunes en particulier de nos cités en béton, vient précisément de la perte de cet espace.

L'espace intérieur

Mais, au préalable, évoquons l'importance de la découverte pour chacun, de son espace intérieur, sans nous y étendre en raison de sa complexité. C'est, en effet, cette expérience qui permet de se rencontrer, de se retrouver en soi, d'entretenir la relation au Moi, de se sentir, et qui permet de dire « quelque chose en moi »... Il ne s'agit pas d'un enfermement, d'un verrouillage qui refuse toute relation avec l'extérieur mais d'une entrée en possession de soi-même dont l'extérieur parfois nous éloigne. Ce rendez-vous avec le Moi au foyer de la vie intérieure favorise l'unité de l'être et l'enrichit pour un nouveau départ ou une action plus juste. Quand il y a encombrement au-dedans, c'est alors qu'on se sent « paumé ». On ne sait plus ce que l'on est.

La maison ou l'espace familial

Dès son arrivée dans le monde des hommes, l'être humain est reçu à l'intérieur d'une organisation. Les premiers effets se situent déjà dans la vie intra-utérine, mais après la naissance, sorti de l'enclos maternel, commence sa mise en place au milieu d'un décor et d'un fonctionnement établis. Son nouvel espace devient celui de la « maison » qui, tout de suite, le marquera profondément. Sans parler pour autant de moule, la physionomie d'une maison reflète, en effet, intensément l'image d'un Moi familial où prédomine le « coup de patte » de la mère et du père avec, plus ou moins, celui d'une civilisation, d'un milieu social. C'est là, pour le petit d'homme naissant, qu'il va falloir vivre ensemble et vivre avec, acquérir l'expérience d'une réalité désormais quotidienne. Quand on entre chez quelqu'un, on reçoit déjà une image révélatrice du Moi investi par les occupants. L'atmosphère, la décoration, l'aménagement, les habitudes font état du statut intérieur, de ce qui s'y vit.

Le premier danger pour le nouvel arrivant réside dans une organisation trop minutieusement préparée, structurée. Or, il s'agit là d'un être vivant auprès de qui, déjà, il y a lieu de guetter les premiers signes révélateurs de sa personnalité. Il respire, se meut et éprouve tout de suite les effets d'une ambiance et d'une cohabitation. Il vérifiera vite s'il est en plus ou en trop, accueilli ou subi, en découvrant la place qu'on lui a réservée.

À l'intérieur de cet espace, chacun joue son rôle, remplit sa fonction, harmonise plus ou moins son existence et son action avec celles des autres membres de la famille. Chacun introduit dans la communauté la pesanteur et le dynamisme de son être intérieur, ce qu'on a l'habitude d'appeler sa nature, son caractère ou son tempérament. C'est dans cet espace que s'expriment la liberté de parole, de mouvement et d'entreprise, le respect, l'initiative et la participation à une organisation commune. C'est l'espace de sa place à table, sa chambre bientôt, « ses affaires ». C'est aussi l'espace de sa parole, son droit à parler autrement que pour réciter sa leçon ou rendre des comptes. C'est le premier champ d'expérience de la vie sociale, la première sensation d'aération ou d'étouffement. Il y fait bon vivre ou on s'y sent anémié, la qualité de l'atmosphère se composant de la respiration de tous.

À l'intérieur de cette organisation, il importera pour lui de pouvoir partager l'espace avec les autres, tout en ayant son espace propre, bien à lui, dans lequel il puisse se rencontrer seul. Témoin l'une des premières manifestations du préadolescent revendiquant une chambre personnelle qui constituera son espace à lui et qu'on ne violera pas. C'est à cette condition qu'il pourra se réaliser lui-même au milieu des autres, comme son statut d'homme le lui impose. Or, chaque cellule familiale figure déjà la vie en société, avec sa forme de pouvoir, autocratique ou démocratique, sa philosophie de l'homme, de la liberté individuelle, sa définition des droits et des devoirs.

C'est donc à l'intérieur de ce contexte, de ce Moi familial, qu'il va falloir, pour chaque arrivant, situer son propre Moi, lui trouver sa place avec son droit d'exister et de s'exprimer. On constate, en effet, que l'image la plus classique du Moi, se trouve habituellement représentée dans les rêves par la maison, le « chez soi ». Ou bien on ne parvient pas à avoir une maison à soi, ou bien on arrive enfin à la découvrir et à l'habiter. Les péripéties qui conduisent à acquérir cette maison bien à soi et à soi tout seul apportent un éclairage important sur l'absence du Moi ou sa conquête.

Parallèlement, dans le vécu quotidien, le besoin que l'on ressent d'être chez soi ou d'en sortir reflète le sens de ce qui se passe en soi. Ce sens est alors différent selon que la maison est vécue comme le nid de la mère qui prend en charge, ou comme un champ ou s'exerce l'autonomie, l'autogestion de son propre Moi. Il y a tout un éventail de significations dans l'investissement de chacun selon qu'il y vit sa « résidence principale » ou « secondaire », le « sans-domicile-fixe », le transitoire, l'aménagement intérieur avec sa rigueur ou son désordre et qu'il serait trop long de détailler ici.

Dans la société, le territoire familial possède, d'autre part, une porte plus ou moins ouverte ou fermée sur l'extérieur, sur le dehors, ce monde aux multiples formes, aux bruits variés, à la fois amical et étranger, chaleureux et agressif, mais sans lequel on ne peut vivre. La cellule réagit alors différemment selon qu'elle vit dans le protectionnisme ou le partage, dans l'isolationnisme ou la participation, l'égocentrisme ou la solidarité. Le pire danger, nous l'avons vu, est celui du clan, de la famille instituée et structurée en église ou en État, patriarcal ou matriarcal, détenteur de la vérité et de la décision, porteur de jugements uniques et sans appel et décidant pour chacun son « plan de carrière » et son désir. Ici, tout, ou le maximum, est fait en famille, prolongement de la génération et du nom, avec son rituel et son règlement intérieur. Il n'y a pas d'espace personnel. À l'extérieur s'ébrouent les infidèles et les hérétiques, les ignorants et les incapables, les méchants enfin dont il convient de se protéger. Ce quotidien-là fixera dans l'infantilisme et l'intégrisme les malheureux pensionnaires qui y auront vécu leur enfance.

À l'autre extrémité fonctionne l'hôtellerie sans âme, ou le pensionnat, qui développe souvent la routine et l'ennui. On y prend ses repas et son sommeil, radio et télévision meublant les vides. On entre, on passe, on sort ou remédie parfois à cet état également par les « invitations », les réceptions, les soirées, les réunions, sans toujours avoir conscience d'aller chercher là des remèdes à l'ennui d'être ensemble. Précédemment, nous étions dans le vase clos, ici c'est le courant d'air ; le premier portant le germe de l'asociabilité ou de l'isolationnisme, le second engendrant l'impersonnalité.

L'événement

Dehors, c'est l'événement qui, de toute manière, dépasse les limites de l'enclos familial. Celui-ci doit aider à le recevoir et à se situer par rapport à lui, pour ne pas être enveloppé ou englouti par lui. À chaque instant, quelque chose se passe et, parfois, certains événements feront choc dans nos vies, créant affects, joies ou peines, à telle enseigne que lorsqu'ils nous atteignent profondément on ne parlera plus que des « événements ». Mai 68, par exemple, est rapidement entré dans la catégorie des « événements ».

Le vrai et le fabriqué

Il y a deux sortes d'événements : ceux qui le sont, pour ainsi dire, par eux-mêmes et ceux qui sont fabriqués, « montés » plus ou moins « de toute pièces » et volontairement, en vue d'attirer l'attention.

Le vrai peut être provoqué par les hommes, lesquels serviront alors de supports et de boucs émissaires à nos réactions. Il en est tout autrement si l'événement est le fait de la nature, car l'homme est impuissant à maîtriser celle-ci, surtout quand elle devient cruelle. La colère pourra peut-être faire quelque chose contre un dictateur, mais elle est impuissante devant les caprices d'un volcan ou d'un cyclone.

Le fabriqué occupe plus de place que l'événement vrai. Y opère la distorsion par les rumeurs, les manies du sensationnel, les innombrables « on dit » et « il paraît que ». L'événement est alors « gonflé », amplifié, déformé et cette défiguration engendre souvent un événement nouveau : le bobard, le canular, la fausse nouvelle, le mensonge dans tous les cas.

Quelle que soit la qualité de l'événement, qu'allons-nous en faire ? Comment allons-nous le recevoir ? Quelle place allons-nous lui donner ou va-t-il prendre lui-même dans notre vie ?

La perception de l'événement et la réaction qu'elle entraîne est différente pour chacun. Nous recevons l'événement avec ce que nous sommes et selon ce qui est touché en nous. C'est dans notre réalité psychologique personnelle qu'il faut aller chercher l'explication de son impact. Chaque événement nous interpelle, même si nous n'en sommes pas conscients. Quelque chose entre en nous, dans notre vie et notre être, laissant des traces jusqu'à « couper le souffle, l'appétit, le sommeil », provoquer la joie ou l'angoisse.

Ce quelque chose affecte une structure de pensée où résonne la voix de l'optimisme et celle du pessimisme, toujours plus ou moins éloignée du réalisme. Tantôt il réveille le désir de domination, de rivalité, tantôt il dérange l'attachement à la tranquillité, au confort. Il révolte les uns et agace les autres. Il engendre l'agressivité ou la peur. C'est la conception de la vie qui est touchée.

Il n'est pas facile alors de déterminer sa place. La société forme un tout et chaque membre est toujours, de près ou de loin, concerné. L'un descendra dans la rue et l'autre restera chez lui. « S'en laver les mains » est un exutoire facile mais en y ajoutant le vœu : « Pourvu que ça ne m'arrive pas demain. » De l'inertie à l'engagement personnel, il faut trouver sa juste place.

Le sentiment de culpabilité entre en jeu à son tour en faisant intervenir l'appel au devoir. La sensibilité à cet appel sera alors très subjective et toute l'éducation familiale remonte à ce moment à la surface.

Tout un arsenal est à notre disposition pour nous déterminer et faire un choix, mais aussi pour se substituer à un sentiment personnel. Autrefois, il y avait les bruits de la rue ou du village, et seulement quelques journaux. Aujourd'hui, avec les moyens de communication et les médias, l'événement a pris une extension considérable, planétaire et quotidienne.

Les médias deviennent présents partout avec leurs images, leurs bruits, la pression sinon de leurs jugements, du moins de leur présentation, leurs incitations, leurs commentaires suscitant les applaudissements parce que conformes ou les protestations parce que subjectifs ou agressants. On transmet tout, une affirmation et son contraire. L'événement est aussi devenu commercial et le journaliste doit approvisionner notre consommation quotidienne.

La responsabilité est grande pour les éditorialistes, chroniqueurs, reporters, historiens, politiciens et philosophes qui font parler l'événement selon leurs convictions personnelles, plus précisément en fonction de ce qu'ils sont, eux aussi, au plus profond d'eux-mêmes.

Comment alors parvenir à laisser l'événement entrer en nous dans son intégrité, avec son propre langage et sa vérité ? Comment recevoir son message, à l'abri des traductions et interprétations extérieures ?

Autrefois, il y avait surtout les « potins du village » ou « de la commère ». Aujourd'hui, l'image, le prophète et le prêcheur entrent dans la maison. Il est bon, certes, que l'événement puisse être connu immédiatement sur toute la planète, mais l'objectivité est sans doute plus difficile alors à respecter. Le danger subsiste de triturer l'événement pour le passer au moule de nos idéologies ou de nos théories, et il est à craindre qu'il en sorte déformé.

Faut-il tout transmettre ? Comment faire pour ne pas favoriser le terrorisme, physique ou moral, ou « donner des idées » ? Là aussi, les techniques sont allées trop vite pour laisser le temps d'établir une déontologie, devenue de plus en plus nécessaire, pour les professionnels de l'information.

Tout cela rend l'accueil objectif de l'événement toujours plus difficile pour l'homme et celui-ci doit être de plus en plus fort pour l'absorber et le digérer, pour résister à l'avalanche des « nouvelles » et protéger l'intégralité de son Moi.

Certes, c'est dans l'atelier familial que l'enfant et l'adolescent devraient pouvoir accomplir leur apprentissage à vivre l'événement. Accepter les choses telles qu'elles sont s'inscrit dans l'évolution de l'être et sa maturité, mais résulte d'une aide pédagogique nécessaire. Il y a, en effet, une réalité qui s'impose à nous sans que nous l'ayons provoquée, comme le climat (ce n'est plus toujours le cas désormais), ou l'humeur des autres et qu'il faut savoir accepter et non pas subir. Cela s'inscrit dans le quotidien que tout homme à besoin de vivre. Le réalisme s'impose à l'abstraction ou à l'idéalisme en ce qu'il est préférable de faire avec ce que l'on peut, plutôt qu'avec ce qu'on voudrait.

Et puis il y a tout le reste : ces événements qui font choc. C'est, dès le début de l'existence, « à la maison » qu'on a pris l'habitude de réagir à l'événement et la manière d'y répondre. Cette éducation est difficile, car chacun réagit avec ce qu'il est et règle le plus souvent avec l'événement ses propres comptes. Les retombées sur les témoins, et les enfants en particulier, sont inéluctables.

Cet apprentissage enfin nécessite de pouvoir, après le choc produit par l'événement, prendre un recul, renouer contact avec soi, accueillir les sentiments qu'il produit, en un mot se retirer pour mieux sentir, « voir plus clair » et passer au crible. Être capable de recevoir objectivement l'événement sans être berné, désinformé, « manipulé », « possédé », « intoxiqué », devient une qualité importante à notre époque pour bien vivre le quotidien. Si cette éducation ne se fait pas, il sera difficile de rattraper le retard et ce manque de préparation à s'inscrire dans l'histoire du monde peut rendre vulnérable à toute compensation illusoire. C'est là, entre autres, qu'on retrouvera le rendez-vous avec la drogue.

AVOIR UN BUT

Trouver sa place équivaut à se situer au milieu des hommes pour réaliser sa mission, pour remplir la fonction qui explique sa raison d'être. Le but d'une existence apportera un sens à la vie. C'est un besoin quotidien.

Le manque de sens

Une vie qui n'a pas de sens se traduit par une errance à la recherche de produits de substitution. Le créateur qu'il est destiné à être se transforme alors en consommateur. Celui-ci recherche ce qui lui apporte le plus de plaisir. Les moins gourmands ou les plus blasés s'efforceront d'avoir le minimum de soucis et proclameront qu'ils veulent d'abord être « tranquilles ».

Il reste que c'est le but ou le sens d'une vie qui procurent l'épanouissement. S'ils viennent à manquer, leur absence ou leur insuffisance suscitent nécessairement le besoin d'y substituer ce qui peut aider à vivre et à vivre mieux. Ces produits de remplacement, destinés à être seulement des moyens, deviennent alors un but : une bonne santé, de quoi satisfaire aux besoins de se loger, se nourrir, se vêtir, avoir un couple harmonieux, des enfants qui « apprennent bien », pouvoir passer quelque « bon temps », avoir assez d'argent. Chacun, selon son appétit, place la barre plus ou moins haut. En réalité, on ne vit pas, on organise, on structure, on s'installe.

Pour ces épicuriens, l'homme vit de besoins et sa vie s'organise autour de nécessités et de satisfactions. Il doit chercher à trouver son bonheur et son goût de vivre à l'intérieur de ce quotidien, et c'est de ce bilan que traitent les réflexions et conversations de chaque jour. Le sommet de l'équilibre ou de la bonne intégration engendre le bonheur et le plaisir de se nourrir, de dormir, de satisfaire aux justes revendications, tant du corps que de l'esprit. En l'absence de ce rituel, « quelque chose ne va pas » dans l'appétit, la digestion, la fonction métabolique, le sommeil, l'activité sexuelle, souvent accompagné d'insatisfaction chronique, d'irritabilité, de morosité, de fuites dans un substitut compensatoire comme l'alcool, le tabac, la drogue, l'étourdissement sous toutes ses formes. Les procédés de répression utilisés parfois par une abstinence ou une réglementation rigide, une ascèse de fausse maîtrise de soi, facteurs de refoulement, encourent le risque de somatisations, d'explosions brutales et destructrices dont de nombreuses victimes emplissent les couloirs psychiatriques.

Les faux sens

L'expérience révèle, plus ou moins rapidement, que ni l'argent ni le confort n'apportent une solution. Les fragilités et les névroses n'épargnent ni les riches ni les pauvres, ni les saturés ni les frustrés.

Le secret du bonheur de vivre n'est pas dans une égalité sociale, matérielle, intellectuelle, une aptitude maximale à la consommation, mais dans la capacité à recevoir et utiliser la réalité présente de tous les instants, en un mot, à lui donner un sens. La gestion du plaisir qui ne s'inscrit pas dans un but et dans un sens sera difficile. Aucune substitution à ce but et à ce sens, dans l'éventail chaque jour croissant des compensations, des consommations, ne les remplacera jamais, ni les plaisirs sensoriels ou intellectuels,

225

ni les possessions de toutes sortes (confort, animaux, voitures), ni les « passions » les plus variées.

Une observation permet de découvrir que tout plaisir qui laisse un goût d'amertume est un acte manqué. Faute de pouvoir se vivre en soi, il y a danger à se vivre à travers un objet qu'on possède, un animal, une habitude, une relation. Tout ce qui les touche ou les concerne est alors vécu comme nous touchant ou nous concernant nous-mêmes et cette identification, comme disent les psychanalystes, peut provoquer les pires souffrances.

Dans la direction du bonheur

Chaque jour naissant devrait toujours faire l'objet d'une recherche unique et essentielle : « Qu'est-ce qui, aujourd'hui, m'apportera le plus de bonheur et d'épanouissement ? » Comment y répondre ? Comment ne pas se tromper ?

Comment démasquer le faux plaisir ?

Comment mettre en place le plaisir dans sa vie ? C'est d'abord reconnaître l'existence des forces instinctives inhérentes à tout être humain et présentes en soi. Il importe, en tout premier lieu, d'être apte à les voir, les reconnaître et les accepter. Pour cela, il est nécessaire de ne pas être nourri, dès le départ, de jugements définitifs et d'interdits.

Un plaisir n'est pas mauvais en soi ; sa qualité est fonction de sa participation à l'épanouissement ou à la détérioration de l'être. C'est alors qu'il devient bon ou mauvais. Manger est un plaisir qui peut épanouir celui qui déguste, et amoindrir celui qui fait autre chose que savourer. Outre la saveur du plat, si l'ambiance du repas se dégrade, le plaisir se transforme en corvée. « Il faut privilégier la nutrition où le plaisir entre en ligne de compte », écrit le docteur Soliman, cardiologue et nutritionniste.

Le plaisir est, en outre, un privilège si personnel, si propre à chacun qu'il fait l'objet d'une recherche et d'une découverte proprement individuelle. Si on copie le voisin, ou « la mode », on se soumet à n'importe quelle loi extérieure, on se transforme en faussaire. On ne peut imposer à un autre sa propre expérience du plaisir. Découvrir ce qui est bon pour soi quant à l'objet et sa consommation constitue le premier pas dans la construction de son Moi, de sa personnalité. L'achèvement se poursuit par la mise en place, dans sa propre vie, d'une organisation qui satisfera au mieux son propre besoin, compte tenu des possibilités et des composantes extérieures.

Cette organisation comprendra, par définition, adaptation et souplesse par opposition à habitude, routine ou manie, car l'appétit peut changer et se mouvoir vers d'autres objets. C'est la condition même de ce qui vit. Quand le chemin du désir est coupé, c'est la route de la vie qui est déviée. Le boulimique, par exemple, comme la maniaque du « grignotage » sont souvent victimes d'un défoulement consécutif au refoulement du désir. L'objet de désir y est vécu exclusivement dans le permis ou le défendu plutôt que dans sa qualité de bon ou mauvais. Quand on a vécu toute une partie de sa journée dans le refus du sentiment ou de l'objet de désir, on retrouve, à la sortie, le « permis » de la mère, avec la réserve du frigo ou le gâteau du pâtissier. Il faudrait alors l'opposition d'un substitut maternel, le médecin par exemple, pour recevoir de lui l'interdit de manger ou de grignoter. Le régime amaigrissant peut également servir de substitut, mais celui-ci, semeur d'illusions, a peu de chances de remettre les choses en place.

Où est la différence ?

Heureux celui qui sait prendre plaisir à ses repas quotidiens, au repos de la nuit. Malheureux celui pour qui « manger » est habituellement une contrainte entrecoupée de quelques jouissances illusoires de « bonnes bouffes » ou de restaurants. Heureux celui qui parvient à vivre dans des circonstances non désirées : climat, voisinage, événements, méformes, frustrations, imprévus, réalités de toutes sortes.

Malheureux ceux qui sont rapidement affectés, « stressés » comme on dit aujourd'hui, par la chaleur, le froid, le bruit, les odeurs, les comportements des autres, les changements, les « jours sans », les « manques » et les échecs.

Heureux pour qui le plaisir s'inscrit dans l'unité de son Moi, seul critère de son choix. Malheureux celui qui a besoin d'une référence extérieure, d'une mode ou d'un argument publicitaire comme celui d'« épater ses amis » ou de faire « comme tout le monde », pour se déterminer.

ÊTRE ANIMÉ D'UNE CONVICTION

Il est, en effet, nécessaire de croire en ce que l'on fait, le doute ou l'incertitude conduisant à l'indécision ou au sentiment versatile. Mais croire à quoi ou comment ? Beaucoup de propagandes extérieures proposent leur vérité, leur dogme et sollicitent quotidiennement notre adhésion. Celui qui est sans cesse à la recherche d'un appui, d'une sécurité, d'un guide qu'il n'a pu trouver en lui est une proie facile au prosélytisme ou aux assauts des militants. Des « idées toutes faites » parcourent régulièrement le monde, créant des « courants » de pensées qui répondent aux besoins des « sans Moi ». Philosophies, idéologies politiques, doctrines religieuses ou Églises offrent tout un éventail et parviendront facilement à réaliser des rassemblements spectaculaires, offrant en même temps des rites ou une liturgie dont l'être humain ne peut se passer. Dans ce domaine aussi, rien n'est mauvais en soi, à condition que l'homme fasse lui-même son choix en vue d'enrichir le but et le sens de sa vie, et non de meubler un vide consécutif à l'absence d'un Moi et donc d'un sentiment et d'une dynamique personnels.

La religion

Comme tout autre concept de référence, celui de religion est porteur d'une forte ambiguïté qui oblige à distinguer son incontestable valeur de l'usage que l'on en fait. L'erreur, en effet, serait de confondre l'adhésion à une vérité intérieure – appelons cela la foi – avec toute institution qui pourrait s'en servir au profit d'un pouvoir, d'une oppression, voire d'un anéantissement de l'humain. On ne peut accorder la même valeur à une entreprise humaniste, comme celle de l'abbé Pierre, et aux répressions de l'Inquisition ou de la Saint-Barthélemy, pas plus qu'à toutes les guerres auxquelles la religion sert d'alibi.

Nous ne nous attarderons pas ici à polémiquer sur le sens du mot religion, laissant ce travail aux intellectuels, mais nous nous contenterons d'observer la réalité du fait religieux. Loin de nous l'importance de « discuter » ou de « prouver » l'existence de Dieu ou la vérité historique de Jésus-Christ. En revanche, nous retiendrons comme une expérience tangible et une observation quotidienne, la manifestation, dans l'être humain, d'une transcendance qui dépasse de beaucoup l'adhésion à une idée, à une définition abstraite.

Le vrai religieux

L'expérience analytique amène nécessairement à observer l'existence de ce « quelque chose » d'invisible, d'indéfinissable, de vivant, d'intervenant continuel à l'intérieur de chaque vie. C'est de cela, sans doute, qu'il est question quand on entend parler de « quelque chose en moi » venant de « quelque part », sans plus de précision parce qu'on ne sait pas quoi ni d'où. C'est aussi invisible et insaisissable, inconnaissable que le concept de Dieu. Nous en constatons les manifestations et les effets, mais ne pouvons en dire plus.

Qu'est-ce qui parle à travers les rêves, les hasards, les actes manqués, les « coïncidences », les signes quasi quotidiens qui sont autant de messages ? Quelle est cette présence que l'on sent en soi ? Cette voix qui s'exprime ou ce sentiment qui se manifeste si fort ? Tantôt épanouissant et vivifiant, tantôt angoissant et meurtrissant. Quel est ce quelque chose que l'on sent vivant et qui a une information à nous transmettre, attirant notre attention, si l'on y prend bien garde, sur l'importance d'une relation permanente et que d'aucuns appellent vie intérieure ? Quelle est cette force inconnue et terrifiante qui décide de la mort de chacun, de son heure et de sa modalité ? Qui répartit la chance pour les uns, la fatalité pour les autres de manière apparemment si arbitraire ? Qui affecte les uns de somatisations, de fragilités et d'autres d'une résistance à toute épreuve ?

C'est de cette réalité inexplicable que la psychanalyse peut témoigner et il importe de compter avec elle si l'on veut respecter la vocation de l'être et sa vérité. Car ce n'est pas un langage général et universel, ni même moralisant ou philosophique, mais un discours direct et adapté, une confidence qui s'adresse à un être précis. Il s'y mêle de la compréhension et de l'amour avec de la crainte et presque de l'effroi, surtout quand il s'agit de certaines missions à remplir, d'actions à entreprendre particulièrement exigeantes, ou de sacrifices et de deuils éprouvants. C'est sans doute cette crainte qui engendre l'idée de culte, le besoin d'apaiser une force insaisissable qui, parfois, s'impose avec brutalité et sans ménagement.

Quoi qu'il en soit, cela fait incontestablement partie de la vérité de l'être humain, de ses composantes essentielles, et permet de dire qu'il y a du religieux, du transcendant en chaque individu. Du même coup, il existe en chaque être un besoin de satisfaire à cette relation intérieure et une nécessité d'en accepter la réalité sous peine de buter sur d'infranchissables obstacles tout au long de la route. C'est vraisemblablement de ce spirituel-là que parle Malraux en disant que « le XXIe siècle sera spirituel ou ne sera pas ». Cela s'appellera, le plus souvent peut-être, religion, philosophie, idéologie, spiritualité, croyances, avec toutes leurs variétés.

Chacun sera amené, sans doute, à adhérer au discours, au rituel et aux entreprises de telle Église, de telle profession de foi ou institution en fonction de l'éducation reçue comme du milieu social où il a évolué. Et c'est en cela que toute expression de foi est déclarée respectable, sacrée, et liée à la liberté de chacun, sans présumer de l'exploitation qui peut être faite de ce besoin religieux de l'individu.

En tant que psychothérapeute, nous avons à tenir compte

de cette vérité initialement présente en chaque être. Plus que cela, nous avons à faire à elle en permanence et à aider chacun à son intégration dans la vie personnelle, comme à la possibilité de mettre en place sa religion. Mais le comment ne nous concerne plus : le choix de son Église, de son idéologie, de sa structure spirituelle, qui se fera en fonction de ce qu'il est, de ses capacités, des autres composantes de son Moi. Les différentes églises ou chapelles, au sens très large du terme, avec leurs structures et leurs appareils, dogmes, professions de foi, cultes et rituels constituent l'éventail de ce qui s'offre au choix de chacun. Ce choix est autre chose que la reconnaissance et l'accueil en soi de la réalité transcendante évoquée plus haut. On peut même « pratiquer » sans être motivé par cette première démarche.

Le sang qui circule et anime notre corps entraîne un besoin de respirer. Cette vérité est tangible, observable. À chacun, ensuite, d'organiser sa vie en fonction de ce besoin. C'est son hygiène personnelle, plus ou moins heureuse et bénéfique. La manière d'y répondre est propre à chacun.

Cette distinction permet de clarifier ce qu'il convient d'entendre par certains jugements portés sur la psychanalyse et la religion. Certains accusent ou suspectent la psychanalyse de conduire à l'athéisme ou, au contraire, à une religiosité particulière, et ont tendance à succomber à la tentation d'attribuer à toute école analytique l'appartenance à une philosophie ou idéologie partisane. La psychanalyse ne doit conduire à l'une ou à l'autre en particulier.

Toute l'influence, quelle qu'elle soit, doit être absente de l'entreprise analytique. Peut-être cette liberté-là et cette neutralité ne satisfont-elles pas les détenteurs de vérité, les docteurs de la loi gênés dans leur désir d'appropriation.

Il ne faut pas, en tout cas, chercher d'autres explications à ces déclarations selon lesquelles la psychanalyse fait perdre la foi. En vérité, elle implique une foi qui donne un sens à la vie personnelle, mais ne professe pas une doctrine particulière et exclusive.

Car, de la même façon que l'éclairage analytique fait ressortir la présence d'une réalité transcendante en tout être humain et les étonnantes manifestations de l'inconscient, il nous est facile d'observer, hélas, tous les dégâts accomplis à travers l'exploitation humaine du religieux. Et si des névroses peuvent trouver leur apaisement dans le cadre de certaines structures, combien d'autres s'y sont abondamment développées. Certains s'y épanouissent et d'autres s'y asphyxient.

Le faux religieux

Nous appelons ainsi tout ce qui se sert de ce phénomène religieux inhérent à tout être humain pour l'exploiter au profit d'un pouvoir, d'un commerce, d'un abus de confiance qui, eux, n'ont rien de religieux.

Dieu au service du pouvoir

On voit l'Église utilisée par les riches pour établir ou consolider leur pouvoir pendant qu'elle est invoquée par les pauvres pour les aider à accepter leurs souffrances et leur misère. On n'hésitera pas à se servir des symboles religieux comme signes de rassemblement pour faire la guerre ou se révolter. Pendant que les uns invoquent Dieu pour les protéger, les autres le supplient de les venger et de punir l'ennemi. Car la soif de pouvoir a souvent mobilisé à son service les secours de la religion. Tant dans sa philosophie, ses origines, sa morale que dans ses structures ecclésiales et temporelles.

Ce fut une erreur tactique des « pères du peuple » communistes que de vouloir supprimer toute expression religieuse à l'homme pour garantir leur propre pouvoir. Ceux d'entre eux qui avaient découvert le pouvoir religieux dans l'expérience du séminaire n'en avaient pas saisi toute la puissance pour prétendre dominer celle-ci.

L'homme, en effet, a toujours éprouvé le besoin de rituels et de cultes, depuis les superstitions jusqu'aux dévotions et idolâtries de toutes sortes. Cela a permis de renforcer des dictatures, d'entraîner des foules et aussi de détruire quantité de vies, d'imposer des souffrances, des injustices et même de justifier des meurtres. On a imposé des cultes, des vénérations sous forme de contraintes et de lois et sous peine de sanctions, au mépris des élans du cœur.

L'exploitation d'un sentiment profond et universel

Nos anciens séminaristes du Kremlin ou autres cathédrales communistes n'avaient pas totalement tort en parlant de la religion « opium du peuple ». On a fréquemment transformé le religieux, force de vie, en une puissance de mort. On a fait dire aux dieux des discours camouflant les pires turpitudes humaines et on leur a attribué des intentions et des interventions facilitant les ambitions des puissants. De nombreux « prophètes » continuent de proclamer un savoir qui prétend se substituer à la voix intérieure de chaque être au nom de la vérité. Tant il est vrai que le faux religieux apparaît, le plus souvent, sous forme d'intégrisme, de fanatisme et s'organise en sectes ou en partis politiques. Même dans les meetings de ces derniers on y célèbre des « grand-messes », dit-on. Mais c'est à l'intérieur de chaque être que le fait religieux est le plus intense.

La relation à l'Autre

Cette relation à l'Autre, dans notre vie intérieure, est une expérience personnelle. C'est à chacun, comme pour toute valeur, de l'intégrer et de la vivre sous la forme qui lui convient le mieux. Cette forme sera donc à la mesure de sa qualité d'intégration. Il y a, sans doute, quelque chose d'anarchique au début, car on sait mal quelle est cette force transcendante qui souffle le chaud et le froid, qui tantôt bénit et tantôt sévit. L'homme a tendance à s'adresser à elle quand il ne peut plus rien. Tout ce que l'on peut alors éprouver dans la vie quotidienne y passe, aussi bien pour implorer vengeance et punition des ennemis identifiés aux forces du mal, que pour remercier du bonheur, exprimer sa joie ou son plaisir, implorer un secours, se plaindre de la douleur ou de l'échec, en un mot tout ce qui échappe à la puissance de la raison, de la force ou du savoir. Pourquoi ne pas laisser parler ce cœur plutôt que de lui dicter ce qu'il a à dire.

C'est aussi en fonction de cette qualité d'intégration que se fera la lecture d'« une écriture sainte », ou l'écoute d'une parole et d'un témoignage prophétique, ce qui explique les multiples interprétations d'un même texte. Cette parole dit quelque chose à certains et autre chose à d'autres, à l'exemple d'une œuvre d'art et même d'un événement. On qualifie ces livres de saints et inspirés et cela est vrai, car il serait facile d'y retrouver le langage auquel l'inconscient nous habitue quotidiennement sur ce qu'est l'amour de soi ou des autres, l'unité de l'homme, sa vocation... Mais l'expérience analytique montre aussi combien, seul en face de ces messages à son adresse, chacun a tendance à y trouver son compte en les faisant parler dans le sens de ce qu'il veut entendre.

La piété

Quant à la sacralisation, il y a lieu, là aussi, de ne pas en usurper ou défigurer le caractère. Certes, si sacré signifie grande respectabilité, il n'est pas de vérité plus respectable que la vérité de chaque être, de son existence et de sa mission, mais l'usage qui consisterait à sacraliser un objet ou un comportement par décret ou par un pouvoir extérieur constitue proprement un blasphème ou un sacrilège. On n'a jamais le droit de vouloir imposer à un autre un sentiment qu'il n'éprouve pas lui-même. C'est ce sentiment personnel qui inspire véritablement la piété. Il ne s'impose pas du dehors. On l'éprouve ou on ne l'éprouve pas, et la véritable profanation n'existe que dans le manque de respect du sentiment de l'autre, car, dans la relation religieuse intérieure, il ne peut y avoir de sentiment condamnable. Certes, il existe une force du mal dont la puissance est parfois terrifiante. Il est donné à chaque psychanalyste d'en découvrir l'existence. Est-ce du domaine de la transcendance ? Peut-être, mais il est difficile de dire que cette force se substitue totalement à celle qui aide le Moi à se

234

réaliser. En certains cas, on serait porté à le croire, mais on reste impuissant pour savoir si elle sera ou non maîtrisable ou dominatrice.

La force du mal

Sa réalité appartient à l'ordre de l'invisible et de l'irrationnel. On en constate, là aussi, l'existence sans pouvoir en dire plus, et ceux qui prétendent en savoir davantage sont bien imprudents sinon prétentieux. C'est à partir de cette imprudence, en particulier, à rendre quelqu'un « responsable » d'un acte que l'on juge et que l'on condamne, sans savoir ce qui agit en lui, l'importance de la force qui est présente en lui et d'où elle vient. Car, cela, personne ne peut le savoir et ne le pourra jamais. Terrible pouvoir que celui du juge officiel chargé de déterminer le degré de responsabilité d'un acte. Terrible attribution que celle du psychiatre « expert », chargé de l'apprécier dans une action de justice.

La nécessité de priver de liberté les auteurs de crimes ou de méfaits, parce qu'ils pourraient peut-être recommencer à nuire aux autres, s'avère inévitable dans la société des hommes. Celle-ci, en effet, de par ses limites et ses insuffisances, ne peut empêcher d'en avoir dans ses rangs, de les produire même.

Il lui faut reconnaître que les pensionnaires des prisons sont souvent le fruit d'une société qui les fabrique et s'avoue impuissante à leur venir en aide pour qu'ils s'en sortent. Qui les a rendus tels qu'ils sont ? Personne ne peut répondre et donc n'a le droit de juger un autre, car il n'en a pas et n'en aura jamais le pouvoir. On peut juger la qualité d'un acte selon des principes moraux, on ne peut jamais apprécier la responsabilité de l'auteur. On voit dès lors la fragilité de la justice des hommes, toute la subjectivité contenue dans les jugements et, du même coup, des condamnations qui s'en suivent. Là se concentrent, à dose massive, tous les comptes à régler avec soi-même. À travers les accusés et les condamnés, c'est tout ce que nous ne voulons pas voir et avec quoi nous avons affaire, « la poutre et la paille, le pharisien... » Nos colères exprimées sont les colères que nous entretenons inconsciemment envers nous-mêmes, dans le prolongement et la logique de l'« éducation » que nous avons reçue. L'éducation rigide risque fort de faire des citoyens rigides et inversement.

Il est bien dommage de laisser ces vérités psychologiques fondamentale dans l'ignorance, quand le pouvoir désigne les responsables des magistratures et reconnaît officiellement « une erreur de justice sur quatre jugements ».

L'argent

Parmi les objectifs qui mobilisent les énergies, il y a celui de l'argent dont la place est si souvent envahissante, « déboussolante » même, qu'il semble important de l'évoquer ici. Voilà bien un sujet facilement laissé dans l'ombre, même au cœur des sujets d'études ou des conférences des penseurs de la psychanalyse. Nos chers maîtres n'ont pas échappé à la pudeur qui entoure la recherche de tout ce que revêt et camoufle la relation à l'argent et son usage, mis à part un principe absolu que tout patient qui veut s'investir efficacement dans une démarche analytique doit pourvoir lui-même à son financement. On précise, en outre, que cela doit « coûter », ce qui expliquerait peut-être le tarif surprenant de certains praticiens. Mais tout cela n'explique pas comment chaque sujet s'investit dans cet argent ni les comportements les plus divers qui illustrent les manipulations du radin ou du dépensier, les amitiés rompues ou transformées en haine, les injustices, rancœurs, blessures, agressions et crimes ouverts ou cachés qui détruisent tant d'amours et tant de vies. Faute de pouvoir bénéficier de l'expérience ou de la recherche des autres praticiens, mon constat se limite à différentes observations. Bien sûr, comme pour le reste, le comportement de l'entourage familial sera souvent déterminant dans celui de l'enfant.

– Moyen de prise en charge, l'argent peut être considéré comme une exigence mal vécue : on ne paye pas la relation à la mère, celle-ci devant être gratuite. Pourquoi donc payer l'analyste ? Cette réaction n'est pas rare chez les enfants uniques pour qui payer pour être aimé et pris en charge est inconcevable. D'autres, en revanche, engageront des dépenses importantes pour s'assurer une meilleure protection. Dans ce dernier cas, l'argent sert bien à « acheter », acquérir pour soi, posséder.

– Moyen de pouvoir, de puissance, de domination et là aussi, possession. C'est l'équivalence d'une promotion sociale, la « poudre aux yeux », l'étalement d'un vestiaire et d'un équipement supérieur. Pour ceux-là, l'argent déterminera la valeur individuelle, souvent associée à l'arrogance ou au protectionnisme. C'est au nom de ce pouvoir que des autorités politiques ou des États puissants manifestent leur mépris des droits de l'homme proclamés par ailleurs. L'étalage des richesses de cours et de châteaux a toujours été utilisé pour symboliser leur puissance.

– Moyen de rachat, d'apaisement de conscience, l'argent peut aussi s'habiller de vertu pour créer ou encourager des « œuvres ». Les pauvres et les miséreux deviennent alors une nécessité pour y satisfaire et compléter le personnage. Entre celui qui fait l'aumône et celui qui la reçoit, le problème se pose de savoir qui donne vraiment à l'autre. Une réflexion de Henri de Saint-Simon objective bien l'étendue de ce geste : « Les riches, en accroissant le bonheur des pauvres, amélioreraient leur propre existence[1]. »

– Moyen de sécurité pour l'avenir. L'inquiétude du lendemain siège souvent au cœur de ceux qui l'ont vécue dans leur milieu familial comme de ceux qui n'ont jamais pu trouver leur sécurité en eux-mêmes. C'est pourquoi il existe encore des fortunes qui ne « serviront » jamais, pour avoir été entassées en vue d'un avenir, d'un « on ne sait jamais » qui n'est jamais venu.

Notre époque a fait surgir une génération nouvelle tout à fait opposée, du moins apparemment, celle du crédit. L'endettement à tous crins, cette habitude doublée d'irréalisme, est, pour beaucoup, le prolongement d'une surprotection maternelle. Il n'y a pas lieu de s'inquiéter du lendemain, pense-t-on, il y aura toujours une protection « maternelle » pour y pourvoir.

---

1. Dans *Nouveau Christianisme*.

– Moyen de consommation qui, lui, est devenu l'urgence et la nécessité de notre époque. Pas de progrès sans production, mais pas de production sans consommation, y compris celle des plus pauvres. Aux « systèmes économiques » érigés en principe politique viennent prêter main forte – et quelle main – tous les moyens publicitaires désormais mis en place. Il faut impérativement, en effet, inciter à la consommation. Cette mentalité pèse d'un lourd impact sur la nouvelle génération qui a tendance à vouloir « du fric tout de suite ».

Nous touchons là, sans doute, ce qui a été évoqué dans la capacité d'organisation du désir, de la vie instinctuelle. Un comportement anarchique dans cette organisation du désir se retrouvera dans l'usage qui sera fait de l'argent et la manière de le gérer. Le vœu de pauvreté dans la vie religieuse symbolisait le « renoncement aux plaisirs de ce monde ». On a évoqué alors le « sale argent » voisinant avec la honte et le libertinage. Au nom du progrès économique, la vertu a changé de camp. Certaines argumentations établissent même qu'il faut des riches pour pouvoir aider les pauvres... comme il faut des gens imbus de pouvoir pour servir de sécurité à ceux qui sont incapables de la trouver en eux. Cette philosophie méconnaît l'amitié et justifie ce que l'expérience quotidienne de la vie nous révèle rapidement et avec amertume : que si l'on veut garder un ami, il importe de rejeter absolument de la relation tout problème d'argent.

LA MARCHE VERS L'ACHÈVEMENT

Tout être vivant suit un parcours, de la naissance à la mort, qui le fait passer par une évolution progressive. Les hérésies d'une mauvaise intelligence économique, entre autres, se sont emparées de cette loi du progrès pour en faire une priorité, souvent au détriment des exigences humaines. La progression de l'être humain s'imposera de toutes manières, car le processus de maturation fait partie de la condition humaine et constitue la définition même de la vie.

La vie est un mouvement

S'il n'y a plus mouvement, il n'y a plus de vie. C'est pourquoi chaque jour, chaque instant de la journée s'inscrit dans une marche, l'itinéraire d'un pas qui avance. Cette marche implique un but, un objectif sans lequel tout devient rapidement routine et bientôt ennui. Elle invite celui qui ne veut plus bouger à sortir de sa stagnation. Le conservatisme est souvent une illustration de cet état qui s'oppose, parfois avec violence, au changement venant troubler ses habitudes. Cet être-là est déjà mort, figé, sclérosé, quand il n'est pas déjà devenu un poids pour la société.

La vie implique, de la naissance à la mort, un processus continuel de maturation. Cette expérience prend nom de civilisation, évolution, développement, accroissement, autant de mots synonymes de vie. Malheur à celui qui s'arrête ou prétend en avoir fini avec son accomplissement, sa participation à l'évolution de la société des hommes. Cela respire déjà l'atrophie, car on ne fige pas la vie. Même si l'on est parvenu à la « retraite », terme souvent dévitalisant parce que signifiant trop le retrait, le « retiré des affaires », l'inapte à remplir sa fonction d'hier, il y a place pour un autre genre d'action, tout aussi important, un nouveau monde de présence et de participation au mouvement de l'ensemble, à l'évolution cosmique.

Même si la femme est devenue physiquement stérile, elle entre dans un monde qui a besoin d'elle autrement. Même si la « personne âgée » est inactive et matériellement improductrice, une présence est toujours irremplaçable par son rayonnement, son témoignage, son discours. Mais cette reconversion dépend beaucoup de la place accordée à chacun, handicapés et personnes âgées compris. Il y a parfois comme un relent de génocide dans la manière dont ces apparents « improductifs » sont considérés et traités, en particulier dans notre société dite économique.

La révolution dans l'évolution

Ce processus d'évolution inscrit dans le mouvement de la vie s'impose à nous dans la croissance physique de l'être humain, mais aussi dans le développement psychique. À la croissance du corps doit correspondre un mûrissement de l'âme et de sa vie intérieure. L'éducation n'est totale que si elle facilite cette accession à ce qu'on appelle l'état adulte, ou plus concrètement l'autonomie et la plénitude de ses capacités. C'est ce que l'homme, universellement, a toujours compris et signifié à travers, par exemple, les rites initiatiques imposés à l'adolescence.

Par la coordination et l'organisation de ces évolutions individuelles, la société (le « monde »), développe sa connaissance, sa culture, son aptitude à mieux comprendre et à mieux vivre. La paix tend à s'imposer face au rapport de forces, et les valeurs humanistes sont de plus en plus reconnues. Mais il semble bien inscrit dans la nature que toute évolution passe par des révolutions. Le virus de la stagnation, évoquée tout à l'heure, peut trouver son explication dans un dérangement consécutif à la nécessité d'accepter un deuil, une mort. La perte doit faire place ensuite à une nouvelle naissance, à un produit nouveau, une manière d'être et d'agir plus riche d'humanité. Cet homme nouveau, pourvu de l'expérience du passé, est encore plus homme et participera à la construction d'une société plus humaine.

Bien sûr, cette révolution jusqu'ici n'a guère su se faire sans violence et sans désordre. Parce que le mouvement qui l'animait n'était pas toujours conscient. On l'a souvent ponctué de cris de liberté, sans qu'il fût toujours possible de bien définir ce qu'elle signifiait, ni surtout la totalité de ce qu'elle impliquait. La conquête d'un avantage a été trop longtemps considérée comme le résultat de l'écrasement de l'autre. Mais, en tant que psychologue, c'est plus au contenu du cri qu'à sa manière de se manifester que notre observation s'attache.

En effet, en tous ces mouvements de révolte résident un message, une demande, une supplique, qui revendiquent un mieux être, une plus grande attention au respect sinon à l'amour de l'homme. À un pouvoir qui veut imposer ses idées par des structures et par la force – et qui a souvent été le fait d'un seul homme – on demande une autre manière de penser et de faire qui laisse place à une plus grande participation. Ce qui signifie être plus responsable, plus homme. On parle alors de changement de mentalité, de politique, de révolution culturelle.

L'histoire de toute communauté d'hommes, et donc de chaque pays, est ainsi jalonnée périodiquement de ces « temps forts » révolutionnaires. Car il en est de la société des hommes comme de chaque individu, rien ne peut être statique ni figé et tout évolue. L'homme ne naît pas adulte, mais doit passer par des étapes successives de croissance avant de pouvoir atteindre sa plénitude. Il convient de noter que l'évolution ne s'arrête pas avec le vieillissement, car c'est intérieurement que l'homme grandit. La révolution la plus proche de nous est, sans doute, celle de Mai 68.

Mai 68

Il est facile d'observer que les contemporains d'une révolution se répartissent à la manière dont ils sont aptes à la recevoir ou à l'entendre.

Il y a ceux qui sont capables de s'investir activement dans une évolution, ceux qui adhèrent intellectuellement et même intérieurement à cette mutation mais sont encore trop prisonniers de l'enfermement traditionnel et conservateur ; ceux, enfin, qui se sentent insécurisés par tout changement ou remise en question et se pelotonnent dans le passé.

Les premiers ont reçu ce mouvement comme une bouffée d'air libératrice. Parmi eux, les réprimés et refoulés qui pourront bousculer avec quelque violence les derniers obstacles à leur besoin d'expression. Les deuxièmes se sont servis du mouvement pour y projeter la sécurité d'un ordre extérieur permissif, une image maternelle libérale s'y engouffrant de façon plus ou moins anarchique. Les troisièmes, qui ont eu très peur, vous déclareront, une fois l'orage calmé, qu'il ne s'est rien passé, en dehors des exactions de gamins qu'on aurait dû réprimer plus sévèrement. Beaucoup ramasseront les débris en essayant de récupérer les vieux souvenirs jetés sans respect dans les caniveaux pour les remettre à leur place d'honneur.

Si une révolution entraîne toujours, dans son cortège de cris et parfois de désordres, plus ou moins de violences et de casses, elle manifeste aussi la revendication d'un sens nouveau, une explosion de maturité dans les discours et les actions. Chacun n'en retiendra que ce qu'il est capable de recevoir, mais, pour tout le monde, une avancée s'est produite. En dépit des nostalgiques, il n'y aura pas de marche arrière, tout au moins durable.

L'effondrement des bastions

C'est, en effet, à partir de Mai 68 que, brusquement, comme un château de cartes, se sont effondrés les autorités et les pouvoirs de la veille : politiques, administratifs, philosophiques et religieux des partis, des écoles et des Églises. La pratique religieuse et les vocations disparaissent subitement, les interdits volent en éclats, les valeurs de référence sont remises en question, épurées, réajustées, les morales libérées des diktats de leurs prêcheurs pour mieux répondre à l'épanouissement de l'être humain, les structures repensées en vue d'une plus grande responsabilité et d'une plus grande liberté individuelle. Le personnage et l'autorité des « grands » n'engendrent plus la crainte et la soumission muette. Hier, on tremblait devant eux, aujourd'hui, on est prêt à en rire. La pensée a fait soudain un bond prodigieux dans tous les domaines y compris philosophiques et théologiques, et bien des ouvrages de bibliothèque sont devenus tout à coup périmés et « jetables ».

Le progrès technique aidant et la culture se développant, on assiste alors à une mutation fulgurante dans la vie sexuelle et l'hygiène appliquée : on va, grâce à la pilule, pouvoir faire des enfants quand on veut, pour la première fois depuis le début de l'histoire des hommes. Ce qui, hier, était utilisé pour « habiller » le personnage, comme l'usage de la cigarette, symbole de l'adulte important, se transforme aujourd'hui en signe d'impuissance et de faiblesse que l'on montre du doigt, dans les lieux publics, les trains, les avions, et bientôt les restaurants et les hôtels.

Les fonctions, dites autrefois « de vocation » (« il faut avoir la vocation pour faire cela »), faisant le plus souvent appel au dévouement et au bénévolat au service des faibles, sont désormais remplacées par des professions rémunérées et donc devenues des métiers. On accepte de moins en moins l'aide sociale bénévole, considérée comme du protectionnisme et on entretient moins l'admiration pour les « vocations » et les « dévouements ».

On n'accepte plus de pouvoir qui soit entre les mains d'un seul ni de décisions qui ne tiennent compte d'un échange d'idées ou d'expériences. On revendique plus de place pour l'homme, plus de possibilités de s'exprimer et de créer, plus de responsabilités, de considérations pour la valeur personnelle, et l'homme exige qu'on ne le prenne plus « pour un gosse » ou pour un inculte, faisant ainsi reculer encore davantage l'assujettissement. Car toute révolution est une crise de croissance, le passage à un état de plus grande maturité. Parmi la foule roumaine en décembre 1989, on entendait, dit-on, ce cri : « Nous sommes devenus adultes. » Cette poussée de croissance est telle que même chez les enfants qui naissent désormais, on reste bambin moins longtemps et une précocité se manifeste de façon étonnante, dans l'expression et le comportement. Ce besoin de croître, de grandir et de se développer est bien une loi naturelle à laquelle tout être humain, et sans doute tout être vivant, est soumis. Mais cette croissance exige l'aide de l'environnement pour faciliter son expression, sa créativité. C'est pourquoi elle est inégale selon les territoires et les pays.

L'être humain, maintenu dans son état primitif ou originel, tâtonne et fait ce qu'il peut sans pouvoir beaucoup évoluer. Mais, malgré les pressions qui viseraient à traiter l'homme en objet ou en animal dompté, le dynamisme constructif de cette nature humaine imposera toujours, à plus ou moins longue échéance, sa revendication de liberté et d'évolution. Durant les événements de Mai 68, un médecin de la région parisienne observait qu'il n'avait pas eu un seul malade psychologique à sa consultation. C'est pourquoi il y aura toujours des révolutions, des explosions consécutives à l'expression des forces refoulées.

Un cri planétaire

À partir de Mai 68, il semble que l'humanité ait franchi une étape importante dans sa progression, car le mouvement n'était pas seulement circonscrit à la France. Il y a désormais chez la majorité des hommes un rejet de la guerre. Le témoignage que nous livrent les pays communistes, semble bien l'illustrer. La marche pour le désarmement prend de plus en plus d'ampleur. Les dictatures semblent désormais vouées à l'échec. Il restera des violences sporadiques durant quelque temps encore, derniers soubresauts d'éléments résistants à l'évolution, comme l'enfant qui refuse de grandir.

Il faut du temps pour que la maturation touche toutes les catégories, car il y aura toujours des infantiles et des névrosés irréductibles. Ceux-ci, comme nous l'avons vu, sont demeurés bloqués dans leur processus de développement et continueront à manifester, de quelque manière que ce soit et plus ou moins intensément, un comportement puéril ou adolescent, celui dans lequel ils sont restés figés parce que sans réponse. Il est trop tard pour eux et une évolution les affecterait plus qu'elle ne pourrait les aider. C'est pourquoi, si ces périodes révolutionnaires favorisent les poussées de croissance des uns, elles suscitent à l'encontre des régressions vers le conservatisme plus sécurisant chez d'autres. L'évolution, en effet, engendre l'insécurité et il ne suffit pas de crier : liberté ! liberté !, pour se rendre capable d'être libre.

La liberté

La liberté alors enthousiasme et fait peur en même temps. Tout au long de la route, les forces de récupération sont postées pour entretenir cette peur et rétablir leur pouvoir de possession, de remise en dépendance. Beaucoup

244

de soixante-huitards, même parmi les chefs de file, sont devenus par la suite des traditionalistes bien installés.

Car si le cri révolutionnaire clame toujours une plus grande liberté, ceux qui émettent ce cri découvrent rapidement que la liberté n'est pas un don, une permission accordée de l'extérieur, mais une capacité personnelle intérieure à se réaliser soi-même, à marcher dans le sens du Moi. La liberté physique, matérielle, comme nous l'avons vu au chapitre des loisirs, ne peut qu'être l'expression d'une liberté intérieure. Cependant, un homme peut être contraint dans son corps sans que l'intérieur y consente. L'absence de liberté intérieure enlève le pouvoir de choisir et de demeurer fidèle à son sentiment. Sans elle, il ne peut y avoir de liberté extérieure ni de liberté tout court. Malheureusement, là aussi, la pression de certaines influences extérieures durant l'enfance a pu bloquer l'évolution de cette capacité de liberté. La société ensuite, où l'on ne cesse de cultiver les moyens psychologiques aptes à entretenir l'échec initial, prend le relais dans cette atrophie de l'âme.

Le recours aux procédés comme les tortures ou la drogue, ou l'intoxication idéologique, peut avoir raison de la résistance d'une personnalité au point de la rendre incapable de crier encore son appétit de liberté. On parvient même ainsi à obtenir des confessions, des aveux ou des reniements dénués de toute objectivité. On a anéanti l'expression du Moi.

NATUREL ET NATURE

Si l'on estime que l'évolution est inscrite dans la nature de l'homme, et que ce qui est naturel est vérité intouchable, il importe toutefois d'éclairer, là aussi, ce concept pour éviter toute confusion. Si l'on convient, comme dans le dictionnaire, de déclarer naturel ce qui est propre à une réalité, si l'on accorde au mot naturel ou nature un synonyme de vérité, il est prudent de préciser de quoi on parle.

Quand nous évoquons ce qui est inscrit dans la nature de

l'homme, nous faisons habituellement état de ce qui doit être respecté pour que l'homme atteigne son plein épanouissement. L'évolution en fait partie et c'est de cette nature-là dont parle le proverbe : « On ne commande à la nature qu'en lui obéissant. » Mais nous parlons aussi de nature quand nous évoquons les imperfections de l'être, ses cruautés, ses forces brutales, sa perversité, ses vilenies en déclarant que « c'est dans sa nature ». Et là, on ne peut lui appliquer la même appréciation ni le même traitement. Il est aussi naturel de poser un acte bon que son contraire. Il est aussi naturel, en effet, pour l'homme de désirer vivre son sentiment qu'il est naturel à une influence extérieure de l'en priver.

Or, on ne peut confondre la nature signifiant ce qui est à l'origine et fait partie de l'être, en vue d'un projet de construction, avec la nature du comportement issu des forces négatives et destructrices opposées à ce projet. La confusion de ces deux plans suscite l'ambiguïté. La pression d'une influence extérieure peut, en effet, changer le schéma originel du projet personnel et créer des comportements et des déterminations qui ne sont pas propres au Moi du sujet, mais le produit de cette influence. Nous l'avons expliqué dans la fabrication du personnage. Et quand on parlera de ce « quelque chose qui est plus fort que soi », ce n'est pas nécessairement du Moi naturel ni du Moi d'origine qu'il s'agit, mais du résultat d'une construction venue du dehors.

Spontanéité et envie

Ainsi en est-il de la spontanéité ou de l'envie. « Ce qui vient tout seul », ce dont on a si fortement envie n'émane pas nécessairement de la nature de notre Moi, mais peut être le fruit d'une intervention étrangère à ce Moi, comme nous l'avons vu dans les premiers chapitres. L'envie ne porte pas nécessairement la marque du sentiment, c'est-à-dire de ce qui est bon pour soi. Il arrive de ne pas avoir envie, d'être amené à « se forcer » plus ou moins et à s'étonner, l'action enclenchée, d'y trouver son plaisir et, au bout du compte, son véritable épanouissement, celui qu'on ignorait ou rejetait au départ. Tout le monde a fait cette expérience qui trouve, sans doute, son explication dans un mécanisme mis en place dès le début de l'existence.

Ce mécanisme, nous l'avons vu, consiste à utiliser le dynamisme de chaque être au service d'un programme extérieur en niant toute envie ou tout désir d'aller dans un autre sens. De la même manière, la tendance à tout enfermer dans la technologie risque d'y inclure le domaine du sentiment. On n'est pas loin d'une technologie de l'amour, du couple, de la famille, de l'éducation, de la relation. Dès lors, on ne saura plus bien, par la suite, à quelle nature, à quelle facture appartient telle envie. Le plaisir naturel peut être transformé en devoir, en corvée, et perdre alors tout son attrait. Ainsi peut-on parvenir à ne plus trouver de plaisir à manger, à dormir, à faire l'amour. On ne sait plus si le sentiment qui accompagne cette envie est de l'ordre du Moi ou de cet ordre extérieur qui s'approprie la dynamique du Moi à son profit.

Ce même mécanisme contribue certainement à engendrer cet état psychologique bien connu, par lequel on ne sait plus ce dont on a « vraiment » envie ni où est notre « vrai » sentiment. On peut dire que nous nous trouvons là en face de la complexité et du mystère de la nature humaine et même de la nature tout court. Laissons aux philosophes le soin d'en débattre. Notre rôle s'arrête à observer et à faire avec, à échapper à une sorte de « naturolâtrie » qui s'accorde mal avec ce qui est bon pour l'homme. Le parcours analytique a précisément pour but de faire ce travail de déblayage et de tri qui permet, en entrant plus au contact du Moi, de faire la distinction entre ce qui est de la nature du Moi et ce qui résulte d'une pression extérieure.

Il permet aussi de découvrir, dans la nature de ce Moi, les forces mystérieuses et invisibles, constructrices ou destructrices qui le composent. Enfin, l'objectif, pour le sujet, est d'y voir assez clair et de prendre en main l'organisation de ces forces en ne permettant à aucun autre de les accaparer au profit d'un autre projet. Ceci est de la nature du Moi.

L'homme fait alors sa route en sachant au mieux ce qui est à lui et ce qui est autre, ce qui lui est naturel et ce qui est d'une autre nature. Quand il y parvient, il se sent « dans sa peau ».

CHAPITRE 10

LA MORT

La mort n'est pas une destruction. Elle est l'accomplissement de la transformation dans un monde physique fondé sur d'incessantes mutations.

Yi-King, hexagramme 5

C'est quand on intègre la mort que l'on aime vivre et que l'on est pleinement vivant.

G. Jouin et G. Borie,
Le Taureau

Sujet difficile. À la seule lecture de ce titre de chapitre, beaucoup se sentent peu à l'aise, certains peut-être crispés ou angoissés. D'aucuns traînent même cette peur toute leur vie au point d'y perdre une partie de leur dynamisme et de leur joie de vivre. On a alors tendance à fuir une confrontation qui pourtant s'impose parce qu'elle est une réalité à laquelle personne ne peut se soustraire, quelles que soient sa race, sa culture, sa prétendue notoriété ou qualité. On ne veut pas en parler ni en entendre parler.

L'image de la mort, avec son squelette armé d'une faux ou son cadre de couleurs et de rites macabres, apparaît aussitôt, assortie de frissons, de larmes et de tristesse, de désespoir même. Certaines philosophies ou religions ont tenté d'y introduire un sourire en essayant de persuader d'une mort qui n'en est pas une : la vie se prolongeant sous une autre forme, en une autre vie, dans un autre espace. Mais, souvent, ce bénéfice, ne se méritant qu'au prix d'un comportement de grande vertu et dans la hantise d'une sanction plus ou moins impitoyable, rassure peut-être quelques-uns, mais provoque chez la plupart une peur encore plus importante. Chacun souhaiterait bien une amnistie générale et ce n'est pas le cas.

Quoi qu'il en soit, une réflexion sur la mort est inévitable comme réalité même. On ne peut, d'autre part, prétendre à la plénitude de la vie tant que cette réalité n'est pas intégrée et cette intégration ne pourra se faire tant qu'on ne lui a pas trouvé un sens.

LE CONSTAT

Même si on se refuse à y penser, la mort avec tout son cortège de questions s'imposent à chacun de nous, de manière plus ou moins directe et tenace.

La plupart des hommes ont peur de la mort, à commencer par la peur. Certains prétendent échapper à cette peur mais cela est une illusion que La Fontaine[1] a très bien démasquée. On explique que la vie est belle et qu'on voudrait bien ne jamais la quitter. Et si d'autres estiment parallèlement que la vie ne vaut pas la peine d'être vécue « dans ce monde pourri de méchants et ces trop lourds combats contre la misère et la souffrance », ils ont bien du mal, eux aussi, à accepter facilement de quitter cet « ici-bas ».

L'angoisse de la mort est déclenchée à partir de sentiments de rejet, d'œuvre inachevée, de licenciement de l'entreprise de la vie, de punition, d'injustice.

Différents regards

La peur de la mort des autres est au moins aussi grande que celle que l'on éprouve pour soi-même. Ils sont nombreux ceux qui déclarent préférer mourir que de voir mourir un proche très cher. Il est plus important pour eux de « perdre » cet être cher que de perdre la vie.

Certains enfin accepteraient de mourir, mais supportent mal de penser à la peine que leur disparition provoquerait chez ceux qui restent. Ceux qui souffrent de cette peur de la mort ont évidemment un contentieux avec elle qui les fait « lutter contre ».

Que se passe-t-il, par exemple, dans ces prétendues « victoires sur la mort » ? Chez ceux qui parviennent à dérouter les diagnostics ? Chez ceux, en revanche, qui voudraient bien « en finir avec la vie » et qui attendent leur heure en vain,

---

1. *La Mort et le bûcheron.*

dans l'ennui ou la souffrance ? Agressante pour les uns, oublieuse pour les autres, la mort nous laisse, en tous les cas, démunis de ne pouvoir traiter avec elle.

Mais il faut parler aussi de ce qu'on pourrait presque appeler les amoureux de la mort, ceux qui sont fascinés par elle ou qui s'en serviraient volontiers comme complice pour attirer l'attention sur soi. Qui n'a pas eu, un jour, à faire avec un désir de mort de l'autre ou même une idée de meurtre ? N'y aurait-il pas en chacun de nous un meurtrier qui s'ignore ? Qui surgit, en particulier pour se débarrasser d'un rival qui encombre la route vers la puissance ou le pouvoir. Honteux ou effrayé d'une telle pensée on la tait et, rapidement, on s'en culpabilise. Certains, hélas ! passeront à l'acte, mais ceux qui vivent avec cette composante sont bien plus nombreux qu'on ne peut l'imaginer.

C'EST QUOI LA MORT ?

Pour ceux qui ne sont pas encore nés

Pour ceux qui ne sont jamais nés, la mort peut, le plus souvent, n'avoir aucun sens. Les « jamais nés » sont ceux qui, même sortis physiquement du ventre de la mère, y sont demeurés plus ou moins étroitement enfermés au point de ne pouvoir investir leur personnalité propre. Ils dépendent d'autre chose que d'eux-mêmes.

Une véritable naissance est réalisée à partir du moment où un petit être nouveau se lance dans les chemins aventureux de la vie pour réaliser sa mission. Dans le monde des hommes, il a quelque chose à faire qui lui est propre. C'est cela naître à la vie. C'est aussi le « to be or not to be ». Mais à partir de là, la mort viendra y mettre fin[1].

---

1. Le mot défunt, du latin *defunctus*, signifie : sorti de sa mission, qui a accompli sa tâche.

Naissance et mort sont deux réalités de la vie humaine :
tout ce qui est né est destiné à mourir.

Au terme de sa mission, la mort intervient pour ouvrir la
place à une nouvelle naissance, l'entrée en vie d'un autre
être. Il n'y a pas de mort définitive. Accepter de naître, c'est
donc accepter de mourir, tel est le contrat inhérent à tout
être humain.

Désir d'achèvement

La mission de chacun de nous n'a qu'un temps, avec un
commencement qui est la naissance et une fin déterminée
par la mort. Mais pour ceux qui ne sont pas nés, la vie
est plus proche d'une exécution que d'une création. Elle
consiste à exécuter le plan d'un autre, à participer à la
réalisation d'un plan extérieur à soi-même.

S'il s'agit du plan d'un autre, l'action est limitée à la
durée de ce plan. Or cette durée, le plus souvent, n'a pas de
fin, car il s'agit d'œuvrer à l'entretien et au développement
d'un héritage pour le transmettre ensuite à d'autres, la
génération suivante. La vie a donc pour sens de pérenniser
un patrimoine, de perpétuer un nom, d'assurer le triomphe
d'une idée, d'une doctrine. Certes, la mort peut y trouver sa
place, comme dans une organisation bien agencée qui
prévoit, et assurer les relais et le maintien d'une main-
d'œuvre suffisante, mais comment la justifier ?

Construire aujourd'hui en acceptant que demain l'ouvrage soit détruit a difficilement un sens. Si la mission de
l'individu est fabriquée de toutes pièces par l'entourage dès
le début de l'existence et qu'elle s'avère tout à fait différente, sinon opposée, à celle inscrite au plus profond de
l'être personnel, l'angoisse de la mort sera beaucoup plus
forte et envahissante. Un objectif trop idéalisé, comme c'est
souvent le cas, contient de si fortes exigences qu'il a vite fait
d'engendrer découragement et désespoir. Bien des suicides
trouvent là leur explication, comme les évasions vers la
drogue ou autre subterfuge : on se sent incapable de réaliser
l'œuvre commandée qui permettrait d'être reconnu. Comment accepter les limites de son existence quand on lui

attribue une dimension bien au-dessus de celle qui lui est propre ? C'est l'imperfection pourtant qui peut être véritablement génératrice d'espoir et une vie sans espoir est une vie « morte ». « L'espoir fait vivre. »

Dans tous les cas, l'angoisse de la mort naît de la peur de ne s'être pas réalisé, de n'avoir pu mettre la dernière main au projet de sa vie, certains diront de son ambition, de son idéal. Beaucoup, en fonction de leur désir ou autre motivation, ont « rêvé », sinon construit, un plan pour l'avenir. Tout alors est programmé, pourvu que la mort ne vienne pas anéantir la belle construction. Cette crainte commence à s'exprimer, à mesure que les années s'écoulent, dans le regret de n'avoir pas su ni pu mieux faire : « Si c'était à refaire... », ou dans l'amertume de ne pouvoir recommencer ou achever.

Encore le personnage

Le culte du personnage s'accompagne, en outre, de l'inquiétude entretenue par le souci de l'image « laissée derrière soi », du sentiment que l'entourage conservera à son égard, en particulier à partir des dernières années de vie et de celles qui suivront la mort. On a peur alors de celle-ci car elle casse les projets et peut réduire à rien tant d'efforts investis. Cette image peut les rendre ridicules ou, en tout cas, provoquer l'indifférence. Ses effets destructeurs sont imprévisibles et impitoyables, assez souvent cruels et pétris d'injustice. La « grande faucheuse » prend ainsi un visage de justicier, de vengeresse, sanctionnant les erreurs et punissant les excès, les faiblesses ou les imprudences.

La mort des autres

La mort est encore plus détestable quand il s'agit des autres, plus spécialement de ceux qui nous sont chers. Nous retrouvons alors la fragilité de nos dépendances et de nos projections. En effet, moins on est proche de la réalisation de soi et plus on est resté dépendant des autres, de quelques-uns en particulier auxquels on demeure « attaché », fixé, ceux dont on dit volontiers qu'on ne peut vivre sans eux. On est alors beaucoup plus vulnérable à l'emprise des menaces de séparation ou de mort. Celle-ci, en effet, peut séparer en brisant une union et parfois brutalement. Et ce traumatisme provoqué par la mort des autres ne résulte pas seulement de la disparition de membres de la famille, mais aussi de personnes jamais physiquement rencontrées comme certaines vedettes.

La mort par procuration

L'identification, nous l'avons expliqué, est un phéno-mène courant et quotidien qui commence avec le désir de ressembler à une figure reçue comme modèle et se poursuit parfois, dans l'adolescence en particulier, avec la quête d'un héros, par l'imitation, la vénération ou le culte. Cet autre contient en lui, tout au moins dans l'image qu'il donne, ou que les médias donnent de lui, ce que ses admirateurs aimeraient être, le personnage que beaucoup applaudissent ou idolâtrent.

Cette identification peut conduire jusqu'à l'appropria-tion. La vedette alors ne s'appartient plus. Dans la mesure où on en a fait presque un dieu, une idole, il n'a plus le droit de mourir. Sa mort, en effet, correspondra du même coup à la mort du personnage identifié qui perd son support. Quelque chose de soi-même, qui semble très important au sujet, disparaît et son deuil provoque de profondes souf-frances. Il va falloir rechercher, découvrir et mettre en place un nouveau modèle. Certains retarderont l'échéance de cette substitution en prolongeant le culte du héros dans la vénération ou l'exaltation de ses reliques ou des évocations de son passé. Les exemples sont nombreux principalement chez les stars : Claude François, Luis Mariano, Gérard Philipe, Marilyn Monroe, Cerdan, Anquetil, sans parler de certains pionniers avides d'aventures, d'hommes politiques ou de saints de l'église catholique.

La perte de l'autre

Dans la mort de l'autre, le « je ne peux vivre sans toi » prend une dimension pour ainsi dire ontologique comme si, en effet, la vie ou l'existence était restée rivée à la vie ou à l'existence de cet autre. Le corps est détaché mais l'être intérieur est de quelque manière encore présent, objet d'appartenance, propriété, il est resté la « mère » dont « l'enfant » continue à dépendre. Ce peut être la mère personnelle ou son substitut. Sa disparition met alors en péril l'existence et la vie de l'orphelin, proportionnellement au degré d'autonomie partielle qu'il a pu acquérir. La mort de l'autre ne peut alors être vécue et intégrée que dans la mesure où celui qui est resté le petit enfant est capable de faire le deuil de cette protection ou prise en charge. La profondeur de l'impact douloureux sera fonction de l'importance de la dépendance dont le sujet endeuillé sera affecté. Nous pouvons même entendre celui-ci parler de son indifférence face à sa propre mort en comparaison de la mort de l'autre, primordiale et essentielle pour lui : « Je préfère mourir plutôt que de voir l'autre mourir... je veux mourir avant toi, mourir le premier... Que ferais-je sans toi, elle (ou lui), ma vie n'a plus de sens... »

La perte de l'autre est vécue comme une mutilation plus ou moins grande, une asphyxie, une chute brutale dans une solitude que jusqu'alors on n'a jamais pu assumer, une infirmité ou un anéantissement, parce qu'on s'est vécu dans l'autre. Avec l'autre, c'est une partie plus ou moins importante de soi qui meurt.

La déraison

Pour tous ceux-là, la mort ne peut être qu'une ennemie implacable, comme elle l'est aussi pour tous ceux qui ne supportent pas l'imprévision, l'irrationnel, l'injustice, l'impuissance. La toute-puissance de la mort leur est insupportable.

Quel est le maître de la vie de chacun ? Quelle est cette puissance qui décide et sur quels critères ? Où aller chercher ce droit ou cette délégation pour décider de l'acte de mort par l'avortement, l'euthanasie, à la cour d'assises ou au tribunal d'exception ? Sur quelles motivations qui ne soient pas celles de la colère, de la haine, de la cruauté, de la vengeance, du pouvoir suprême, c'est-à-dire le droit de mort sur autrui, ou de je ne sais quel sentiment caché qu'on voudrait étranger à l'homme ? Tout échappe au rationnel et à la connaissance humaine. La condamnation à mort institution, encore en pratique dans certains pays, est un acte d'impuissance et d'échec de la société et du pouvoir : ceux-ci, en effet, n'ont pas trouvé d'autre solution à la délinquance que d'en éliminer définitivement les auteurs, incapables de les aider à retrouver leur équilibre et un but à leur existence. Pour d'autres, c'est la vengeance, la punition du coupable qui se réveille au fond de chacun. Pour certaines personnes enfin, c'est la recherche de sécurité qui compense leur impuissance à se sécuriser elles-mêmes. La mort heurtera toujours notre appel à l'amour ou à la justice, au bonheur d'une famille ou d'une société. Personne ne pourra jamais expliquer la mort d'un enfant, d'un jeune, la durée d'une maladie, d'une souffrance qui n'en finit pas. Il n'appartient à personne de dire qu'une mort est bête ou intelligente : les critères feront toujours défaut pour cela. C'est le grand mystère, indéchiffrable, insaisissable, car il n'appartient à personne de décider de son histoire.

Dans le suicide, tout risque d'explication est également aventureux, même si l'entourage ou l'intéressé s'applique à en donner. A-t-on voulu tuer en soi quelque chose ou quelqu'un qui fait barrage à la vie du Moi ? Pourquoi a-t-on choisi l'action directe et violente, pourquoi se laisser mourir par le moyen détourné de la maladie, du manque de soin, du manque de vie ou de conscience de la vie ?

L'euthanasie

Sous son apparente rationalisation, la défense de l'euthanasie elle-même aura du mal à donner un sens ; on ne pourra jamais légiférer, quantifier à partir de quel degré de souffrance une vie ne rime à rien.

La délivrance

Il existe aussi une autre euthanasie, plus camouflée celle-là et proche du suicide, qui consiste à appeler la mort ou à se laisser mourir. Le concept de l'au-delà, en effet, peut aider à vivre, souvent à subir la vie, mais peut aussi contribuer à mourir. Combien, en s'y référant, se sont ainsi « laissés aller » à la mort, déclarant que la vie ne vaut pas la peine d'être vécue, aspirant à une béatitude qui les arrachera à ce monde. L'exemple n'est pas rare : quand on n'a pu supporter la mort du partenaire dans le couple ou de l'enfant sur la présence duquel toute une vie s'appuyait, on aspire à les rejoindre et à revivre avec eux au plus tôt, dans un lieu paradisiaque. Un refuge et un moyen de s'opposer à la vie, l'arme du désespoir, la mort délivrance : pour beaucoup, la mort est aussi cela.

Elle devient même la mort récompense quand il s'agit de donner sa vie pour une « grande cause » comme la patrie, la religion, une grande entreprise. Ce genre de mort a paradoxalement deux faces : celle de la victime qui déclenche respect et admiration, provoquée par un meurtrier qui, lui, est condamné et voué à tous les mépris. Avec plus de maturité, la société nouvelle commence à saisir la tromperie qui consiste à faire des héros ou des martyrs pour entraîner l'homme dans une entreprise de domination. Encore un sens, celui du martyr, qui progressivement s'écroule, mais qui illustre bien comment il a pu entraîner à « se dépasser » des êtres qui n'avaient pas encore assez grandi ou qui ont trop idéalisé – des êtres pas encore nés.

Pour ceux qui sont nés

Ceux qui ont intégré leur naissance et leur mission, les authentiques vivants, parce qu'ils sont capables de vivre, sont alors capables de mourir. Faire l'apprentissage de la vie inclut la préparation à la mort. Cela peut paraître paradoxal et pourtant, comme d'autres l'ont écrit : « C'est quand on intègre la mort que l'on aime vivre et que l'on est pleinement vivant. »

Être prêt à vivre revient à se tenir prêt à mourir, non pour paralyser le dynamisme vital contenu en chaque individu, mais au contraire pour le stimuler. Il nous faut, pour cela, découvrir en nous ce que l'on pourrait appeler l'être éternel.

L'être éternel

Si la mort, en effet, vient anéantir la vie, à quoi cette vie a-t-elle pu servir ? Quel a pu en être le sens ? Celui qui disparaît au cours de sa mission continue d'être présent par le souvenir et les empreintes de son action. La mort de l'être n'existe pas. Chacun, qu'il le veuille ou non, laissera dans le monde et dans l'histoire des hommes des traces de son passage.

Naître à la vie, c'est entrer dans cette histoire pour y mener à bien l'accomplissement d'une mission attribuée à chacun, inscrite en lui, tout en bénéficiant lui-même de l'édifice construit par les générations précédentes. Cela commence avec le tout début de notre existence. La perspective et la conception d'un enfant introduisent déjà les premières lignes de son histoire. Sa présence aura un impact sur la vie de ses proches, le premier instant de sa présence, son premier sourire, son premier regard commencent déjà à laisser des marques qui sont indélébiles et s'inscrivent dans une histoire. L'évolution de la technique audiovisuelle aide davantage à les fixer et à les conserver.

Toute présence laisse d'abord des souvenirs et marque l'espace et le temps. Chacun porte avec lui son humeur, son sourire, sa mélancolie et participe à une ambiance. Cette ambiance a une influence sur les témoins. Tout cela se passe souvent inconsciemment mais réellement. L'ambiance, c'est ce que l'on respire moralement, psychologiquement, qui fait du bien ou étouffe, vivifie ou détruit. Cela explique pourquoi, par exemple, on aime se retrouver avec certaines personnes et pourquoi on en évite d'autres [1]. Cet impact se reproduit partout dans le milieu professionnel, social, fami-

---

1. *Cf.* chapitre 4.

lial. En outre, dès que cette présence s'anime, elle émet des idées, exprime des sentiments, suggère et intervient avec plus ou moins de forces. Certains en seront peut-être marqués pour leur vie. Chacun garde le souvenir de quelqu'un qui, par la parole ou le comportement, a laissé une empreinte sur sa vie, parfois indélébile : « On y songe encore... On en parle encore... On l'entend encore... On le voit toujours... Je m'en souviendrai toute la vie. »

Mais, quoi qu'il fasse, chaque homme possède une influence sur son entourage et lui-même est marqué plus ou moins profondément, mais réellement, par ceux et celles qu'il rencontre. Il n'est que de voir l'ensemble impressionnant des individualités et des collectifs qui apparaissent dans ses rêves pour se rendre compte de tout ce qui l'a « marqué » durant sa vie, sans que ces individualités et ces collectifs le sachent. Et là réside l'élément primordial et dominant qui nous révèle que l'effet d'une vie sur ses contemporains dépend moins de l'intention du sujet que de ce qu'il est en vérité, le plus souvent sans le savoir. Ce n'est pas, en effet, notre projet conscient d'influencer les autres qui pèse le plus, mais bien ce que nous sommes en vérité, sans le savoir, tout au long de nos journées.

Les traces sont encore plus prégnantes à travers les actions, les créations de l'homme. Outre la création de l'enfant, pour la plupart, il y a celle de l'esprit, des mains, du sentiment, de l'imagination : l'écriture et la parole, la construction ou la réalisation d'un ouvrage, la production d'une œuvre d'art, les inventions, pour la contemplation comme pour l'utilité pratique, le développement de la pensée et de toutes recherches.

Peu importe que le nom de leurs auteurs ne figure pas dans les encyclopédies ou au coin des rues, cela n'empêche pas le monde d'avoir reçu de leur participation quelque chose qui l'a changé, qui l'a fait grandir et continue encore souvent à le faire vivre. « Ça m'a donné le courage de... », entend-on dire parfois. De cette façon, ils sont devenus partie prenante de l'histoire des hommes dans sa totalité. Le fait que cette participation soit ou non connue n'y change rien. Mais peut-être ces traces laissées derrière soi rendent-elles éternel, comme tout ce qui est inscrit définitivement dans le temps et dans l'histoire. La mort de l'être humain comprend toutes ces données et, quelle que soit la philosophie qui s'empare de cette réalité, aucune ne pourra dire qu'après la mort d'un homme il ne reste rien de lui.

Valeur du passage

Chacun, après sa mort, continue à vivre par ce qu'il a semé durant sa vie, en bien comme en mal. On peut toujours discuter de la valeur de ce reste. Les traces laissées sont-elles conformes à ce que sa vie avait pour mission de construire ? Sont-elles, au contraire, le résultat d'une usurpation de son destin au profit de je ne sais quelle déviation engendrée par une influence extérieure ? Les témoins en parleront, des historiens peut-être jugeront, mais qui pourra estimer objectivement la valeur de ces vies ? Aucune apologie, fête, anniversaire ni célébration, aucun monument ni stèle ne saura l'affirmer. Les apparences également devront être appréhendées avec prudence. On a vu tant de louanges se transformer en anathèmes, comme des condamnations devenir plus tard des éloges. Après tout, peu importe, ce n'est pas à l'homme de juger son semblable, puisqu'il ignore tout du destin de chacun. Seule certitude : chaque vie, en ce monde, si discrète soit-elle, a participé et participe à notre histoire.

La vraie mort

Ce phénomène est la conséquence du projet individuel inscrit en chaque être humain, si profondément qu'il n'échappe à aucune sensibilité personnelle. Chacun, en effet, comme nous l'avons évoqué dans le chapitre « profession », sent qu'il a quelque chose à réaliser en ce monde. Il perçoit même qu'il découvrira dans cette entreprise l'épanouissement de son être et sa joie de vivre. En l'absence de cette perception, un véritable désarroi prive l'homme du sens à donner à sa vie, parce qu'il a l'impression d'être inutile ou, à plus forte raison, pesant pour les autres, voire intrus ou gênant. Là se situe la véritable mort, celle de l'être intérieur, l'anéantissement cruel et insupportable, la réduction à rien.

Notre immortalité

Notre projet d'influence mourra ou, le plus souvent, manquera son objectif, mais ce que nous sommes en vérité, avec tout ce que nous efforçons de cacher de cette vérité, déposera son empreinte de manière indélébile et immortelle. Là se situe sans doute notre immortalité, car c'est en cela que la vie de tout individu en réalité ne connaît pas la mort. Et c'est ainsi que chacun disparaît de l'histoire contemporaine en laissant des traces, y compris celles qu'il n'aurait pas voulu laisser.

Vivre et intégrer sa mort, c'est accepter le rayonnement que nous n'avons pas consciemment projeté, mais qui est essentiellement composé de ce que nous avons été jusqu'au bout, en vérité. Et personne ne pourra nous dire s'il valait mieux pour chacun « qu'il ne fût jamais né ». Le « ne que » déjà évoqué comme leitmotiv de toute vie[1] va jusque-là. Aucun éloge funèbre n'y changera quelque chose, ni les souvenirs que chacun aura voulu laisser comme garants de l'efficacité de sa vie. L'impact d'une vie personnelle, en effet, se produit dans le secret de l'être et l'ignorance de l'entourage. Force nous est d'admettre ce « ne que », et seuls ceux qui peuvent l'accepter sont en mesure de vivre et d'intégrer leur mort.

D'où vient l'angoisse ?

Peut-être est-ce dans la difficulté de cette intégration qu'il faut aller chercher l'explication de la mort vécue, pour beaucoup, comme une peur ou une angoisse ? Peut-être est-ce dans la prolongation de ce personnage qu'on aurait voulu être et que l'on craint d'avoir raté, cette mission que

---

1. *Cf.* chapitre 3.

l'on a voulu s'attribuer dans le programme imposé de l'extérieur. Avons-nous été ce pour quoi nous sommes faits ou ce qu'on a voulu faire de nous en dépit de notre Moi ? Car là est la véritable question et non pas dans ce qu'on pourra dire de nous au lendemain de notre passage dans la société des hommes.

Quand l'heure sonnera

Rapidement conscient de l'étendue du chantier où l'homme est invité à remplir sa fonction personnelle, conscient aussi que l'œuvre est loin d'être achevée, il désire poursuivre encore longtemps son travail, sa mission, maintenant que sa vie a un sens et y trouve sa plénitude. Or, nous en ignorons la durée. Nous savons seulement qu'un jour cette mission prendra fin. Le temps sera achevé pour nous de participer à cette immense entreprise cosmique. Cela fait partie du contrat et il importe à chacun d'en accepter les composantes dès le départ. Ce jour-là, il faudra pouvoir l'accepter, être prêt à quitter le chantier en abandonnant derrière nous l'œuvre à laquelle nous nous sommes livrés et dont nous ignorons la portée et la valeur. D'autres prendront le relais pour la poursuivre.

Toute autre perspective échappe à la condition humaine et risque d'engendrer échecs et déboires. Heureux celui qui se présente devant la mort avec la sérénité de l'ouvrier qui a réalisé de son mieux le travail qu'on lui avait confié, laissant derrière lui les traces de sa participation et continuant ainsi, d'une autre manière, à vivre parmi eux.

En effet, tout n'est pas fini. Il est frappant de constater que les rêves précédant la mort n'annoncent pas celle-ci comme un événement dramatique, mais comme s'intégrant dans un processus de continuité de l'être, sinon de la vie de l'être. Jung tend à dire, dans son expérience du message des rêves, que ceux-ci ne font jamais état de la fin de quelque chose, d'un être, d'une existence, d'une mission, mais plutôt d'un passage.

264

Accepter de ne pas savoir ni comprendre plus

Toute la réalité de la mort est faite de « pourquoi » sans réponse et son intégration fait appel, une fois de plus, à beaucoup d'humilité. Il nous faut, plus que jamais peut-être, baisser la tête car son sens, le plus souvent, n'est pas le nôtre. Le plus difficile, sans doute, sera d'accepter l'impuissance devant le choix du mode de passage. Quel genre de fin sera la nôtre ? Maladie, longue ou rapide, calme ou violente, accident ? Cette ignorance fait partie de l'aventure de la vie.

Naître et mourir

Accepter de naître, c'est donc aussi accepter de mourir. Cela commence avec le tout début de l'existence. On peut dire, en effet, que chaque instant de la vie est à la fois une mort et une naissance : la mort du passé, la naissance du présent. Au début de sa vie, l'être humain est encore assujetti à une dépendance qui l'entraîne à vivre à travers les autres, sa mère d'abord. Son évolution, la réalisation de son Moi impliquent des détachements progressifs qui sont autant de deuils pour faire naître sa personnalité propre, sous peine de demeurer un enfant fixé à la protection maternelle. Seuls ceux qui sont parvenus à cette maturation sont en mesure de pouvoir intégrer leur propre mort et la mort des autres. La mort de l'autre passe par le désinvestissement de ce qu'on faisait porter à cet autre de sa propre vie. Selon le poids et l'importance de ce délestage, on sera plus ou moins capable d'affronter ce deuil. Bien des névroses séniles trouvent en cette impuissance leur explication. Ceux qui ne sont pas engagés trop loin dans le parcours de leur vie pourront encore entreprendre ce travail de « re-naissance », proportionnellement au dynamisme qui leur reste pour y satisfaire. Voici peut-être le sens contenu dans les paroles bien connues du condamné à mort : « Ne pleurez pas sur moi, mais sur vous... ».

LA MORT DE L'ÂME

La mort détruit le corps mais les traces de son passage demeurent, celles du temps où l'âme l'habitait. La vie de l'être humain n'est pas seulement végétative. Ainsi, tout ce que contient et représente un corps animé fait l'objet du deuil. Bien sûr, sans l'animation de ce corps, la vie intérieure ne s'exprime pas et l'absence de cette vie intérieure engendre le concept de mort. Et là, nous n'avons que le « plat » cérébral pour la déceler.

Le désir ou la croyance en la réalité d'un au-delà survient aussitôt pour maintenir une relation à cet être qu'on a aimé et dont on voudrait garder la présence. C'est sans doute ce désir que l'on rencontre chez toutes les civilisations depuis l'origine et qui trouve satisfaction dans toutes les religions et rites ancestraux. Le « culte des morts » entretient ce besoin de garder relation avec celui ou celle dont, pour de multiples explications psychologiques, notre vie est demeurée plus ou moins dépendante.

Mais on ne parle pas de la pire des morts. Celle de l'âme, sans doute moins spectaculaire que l'inanition définitive du corps. Et pourtant, combien sont déjà morts intérieurement au sein d'un corps physiquement vivant ! Combien de tortionnaires et de meurtriers de l'âme sévissent en toute impunité au milieu des familles, des groupes et des sociétés ! Le droit de chacun à cette vie intérieure n'est-il pas encore plus sacré ? Il est, évidemment, bien difficile de définir ce droit de tout homme de vivre en plénitude. C'est pourtant à l'intérieur de ce corps, fût-il handicapé, que vit une personnalité unique, véritable participante à l'histoire des hommes.

« Faire du mal à quelqu'un » dans son âme est certes beaucoup plus grave que blesser son corps. Ce mal ou cette blessure intérieure ne peut s'énoncer à travers une liste de comportements, tant il est subjectif, fonction de la qualité de l'agresseur et de la sensibilité de la victime.

D'aucuns, parce que plus fragiles, assument moins facilement que d'autres une injure ou une agression. Les uns en meurent plus aisément que d'autres. Certains en sont mutilés à vie et ne s'en relèveront jamais. C'est à partir de l'éducation première de l'enfant qu'il importe de faire l'expérience du mal commis envers l'autre, non pas seulement au nom d'une morale ou d'une philosophie, mais d'une sensibilité permanente au respect de l'autre, de tous les autres.

Recourir à la tolérance est un bien petit discours. Peut-on parler de celle-ci, en effet, comme d'une vertu ? Le respect de l'autre est autre chose que de tolérer son existence ou sa particularité. Il nous faut arriver à découvrir et comprendre que la vie de chacun participe à la vie de tous, comme la vie de tous les autres participe à la nôtre. Le véritable crime réside dans tout comportement qui empêche l'autre de vivre intérieurement, totalement, mais cette appréhension n'est pas facile. Il nous faut, en effet, admettre que chacun de nous est, à tout instant, un assassin en puissance pour beaucoup de son entourage, qu'il y a en nous tantôt des semeurs de joies, tantôt des semeurs de morts, des vivifiants et des mortifères, celui que l'on aime rencontrer ou qu'on s'ingénie à fuir. Tout psychothérapeute peut quotidiennement en témoigner. Posséder et intégrer le sens de la vie implique en premier lieu la perception de cette vie intérieure à chacun et permet ainsi de participer à l'épanouissement ou à la plénitude de la vie par notre action. C'est cette perception qui offre la possibilité de vivre et de faire vivre.

La réalité de la mort doit pouvoir donner envie de vivre le plus intensément le moment présent. Tout le sens de la vie est concerné à travers la mort, c'est pourquoi fuir la réalité de celle-ci met en péril l'accueil objectif de ce sens. La peur de la mort ne peut qu'entraîner la peur de la vie.

Une évolution semble se faire toutefois dans notre société depuis quelques années. Les médias ont tenté de se saisir du sujet pour aider l'homme à mieux accueillir cette réalité inéluctable de la mort, à l'apprivoiser. Les essais, pour l'instant, paraissent encore bien timides, les effets peu tangibles, tant l'entreprise est gigantesque ; il faudra aux pionniers de ce projet du temps et de la patience pour avancer sur le chemin de l'achèvement.

CHAPITRE 11

LA PSYCHOTHÉRAPIE

On est toujours dans le noir sur sa propre personnalité, on a besoin des autres pour se connaître.

C. G. Jung

Nous naissons tous fous, quelques-uns le demeurent.

S. Beckett, *En attendant Godot*

... Cet espace de liberté intérieure qu'aménage, à son terme, une psychanalyse bien conduite.

F. Giroud

Pour moi la psychanalyse est un élément extrêmement important de la vie. J'en ai fait une qui m'a apporté énormément de connaissances sur moi-même.

H. Reeves

Au terme du parcours que nous venons de faire, la récolte a été plus ou moins fructueuse selon la réceptivité de chacun. De toutes manières, il en restera quelque chose. Mais certains vont peut-être se demander s'ils ne désirent pas « aller plus loin ». Ce livre n'a nullement pour objet d'inciter à une démarche psychanalytique, mais, pour quelques-uns et pour les motifs les plus variés, cette conclusion devient inévitable. C'est pourquoi il peut être utile, nécessaire même, d'examiner tout ce que cela implique et de quoi il s'agit.

LA PSYCHOTHÉRAPIE, LA PSYCHANALYSE
QU'EST-CE QUE C'EST ?

La psychothérapie est une aide à se reconnaître, à s'accepter et à vivre avec. Dans une démarche plus approfondie, et donc plus exigeante, ou entre en analyse ou en psychanalyse. Celle-ci ambitionne d'aider à une plus grande découverte de ce qui constitue sa personnalité propre, son Moi, afin de le vivre et d'approcher au mieux l'unité de son être, ce que l'on a l'habitude d'appeler, sans doute, l'équilibre.

Se reconnaître

Se reconnaître n'est pas une entreprise facile, surtout

quand on a été incité, au départ, à se modeler sur une « manière d'être », imposée de l'extérieur.

Pour accepter et réussir la démarche de cette « connaissance de soi », il faut, en effet, renoncer à l'obligation d'un modèle. Se conformer à un modèle constitue une dépersonnalisation par une reproduction ou une imitation. Or, les êtres humains, par définition, ne sont pas identiques, mais on ne cesse, dès le début de l'existence, et durant les longues années qui précèdent ce qu'on a l'habitude d'appeler l'état adulte, de préconiser des modèles, parfois même de les institutionnaliser par des galeries de héros, de patrons ou de saints. Ce « modélisme » méprise ce qui constitue l'originalité, la personnalité de l'individu avec son caractère propre et son projet unique. Le poids de ces références est tel qu'il faudra, par la suite, consacrer un énorme effort pour contourner cette erreur et partir à la recherche de ce que nous sommes en vérité et destinés à être. Qui prétend même se bien connaître est le plus souvent dans l'erreur, tant il est difficile d'y parvenir. Et les descriptions de comportement, recherchées dans les tests, les astres, les cartes ou les boules de cristal, ne permettent pas une véritable connaissance de soi.

Si, en effet, depuis quelques années surtout, la connaissance de soi (ou de l'autre) est devenue un sujet à la mode qui se vend bien, on a eu peut-être trop tendance, de ce fait, à attribuer aux sciences dites psychologiques un éclairage abusif ou un discours péremptoire. Or, il y a lieu sur ce point de rappeler que la qualité de la lumière dépend davantage de celle du praticien que de l'outil dont il se sert. On peut même être préoccupé de l'usage qui est fait parfois de certaines connaissances psychologiques, expérimentales, graphologiques, morphologiques, astrologiques et autres, pour établir un jugement et proclamer trop aisément des certitudes sur un individu, en particulier dans les décisions d'embauche ou l'attribution de responsabilités. Ces connaissances, certes, peuvent apporter une aide, mais constituent des armes dangereuses entre les mains de certains. Il ne s'agit pas ici, en tout cas, de cette connaissance-là.

La connaissance de soi, en effet, n'est pas qu'une prise de

conscience de son comportement ou de ses réactions, mais aussi une découverte de leurs causes profondes. Se reconnaître, c'est se réconcilier avec soi-même, se mettre, en quelque sorte, dans sa peau. Cela suppose de s'aimer avant même de savoir qui nous sommes. Mais si on interpose un modèle à admirer pour l'imiter, on dresse un obstacle certain au désir de la découverte de soi-même. Je suis, en effet, pour tout le monde et pour moi-même, un inconnu. La connaissance de moi-même est une marche vers cet inconnu, qu'il me faut garder pure et non pas déjà déformée dans mon regard sur moi par l'écran d'un modèle.

Cette marche ne pourra s'effectuer que dans un souci total de vérité. Il sera impossible de tricher longtemps, et cela nécessitera donc l'accompagnement par un autre, une présence, un témoin qui, par ce qu'il est, sait reconnaître et aimer l'homme tel qu'il est. Partir à la rencontre de soi-même est une aventure tellement génératrice d'angoisses et d'insécurité, qu'on a besoin de quelqu'un qui accompagne et rassure par son expérience d'un tel parcours et de la connaissance de l'être.

L'emprise du modèle imposé par l'extérieur peut être telle, avec son accompagnement de menaces, d'étroitesse, voire de sectarisme, qu'on se trouve face à un interrdit ou à une disqualification dès qu'on serait tenté d'être ou de vivre ou, à plus forte raison, de s'aimer autrement. Plus on a entendu qu'être autrement est une honte, une faute, une cause de rejet ou de mépris, plus la peur est grande de se découvrir différent. Il ne pourra donc y avoir psychothérapie que si une autre voix, à qui l'on fait confiance, ne juge ni ne condamne et surtout n'empêche pas de s'accepter, de se reconnaître et de s'aimer.

La route de la connaissance de soi conduit à accepter d'être soi et non pas d'être comme, sachant qu'être comme, c'est être tout et qu'être soi, c'est n'être que.

S'accepter

C'est souvent, nous l'avons vu, l'obstacle le plus difficile à franchir. « Je sais qui je suis » ne signifie pas pour autant :

je m'aime comme je suis. La psychothérapie sera un échec si elle ne parvient pas à faire passer cette barrière, et l'on peut dire que la permanence du « ne que » établit la durée et la solidité de la thérapie.

Parmi les signes susceptibles de traduire la qualité de cette intégration de soi, on peut noter la capacité à s'entendre dire ce qu'on est, et à un degré supérieur, l'accepter avec le sourire. Il s'agit, bien entendu, des « défauts », des insuffisances ou des erreurs. Entendre des louanges à son propos n'offre pas de difficultés. Chacun sait combien l'homme a du mal à s'entendre énoncer ou dépeindre ses faiblesses ou ses échecs, même s'il se hasarde parfois à les confesser lui-même, ou à demander qu'on les lui fasse remarquer. C'est d'ailleurs souvent à partir de là que les relations se refroidissent ou se brisent, ou même que les haines et les conflits se déclenchent. Il faut beaucoup de doigté, de connaissance de soi et d'amour pour être entendu dans un tel discours, même par son meilleur ami. Cela s'explique par le mépris, la condamnation impitoyable de ces faiblesses dès l'enfance, et dont on a fait longtemps un principe pédagogique. Ces faiblesses, rapidement transformées en défauts ou en fautes, étaient toujours accompagnées de sanctions de toutes sortes, physiques ou morales, parfois violentes, tendant à rejeter ou exclure le coupable. Il y a là tout ce qu'il faut pour s'interdire la reconnaissance de ces « tares » et devenir sourd et aveugle à leur accueil, pour se révolter et même agresser celui qui prétend nous « traiter » ainsi.

Là aussi, la présence de quelqu'un capable d'accepter l'individu tel qu'il est s'avère nécessaire, ne serait-ce que pour rendre moins pénible l'isolement auquel l'intéressé se trouve plus ou moins brusquement confronté.

Vivre avec

La psychothérapie est une nouvelle naissance, la naissance à soi-même, à son véritable Moi ou personnalité. Et de même que l'être qui naît a besoin d'être accueilli et reconnu, la psychothérapie, et encore plus la psychanalyse, doit aider l'homme à être un homme, et non pas l'homme à être un dieu. C'est une école de liberté, la liberté d'être soi.

Quand Jung déclare : « Faites ce que vous voulez, pourvu que vous sachiez pourquoi », il faut bien en comprendre tout le sens. En effet, il ne suffit pas pour l'homme de savoir ce qui est mauvais pour soi pour s'en libérer aisément et aussitôt. Chacun connaît bien ce sentiment éprouvé du « je ne puis m'empêcher de... », même dans le combat qu'on livre pour « s'en sortir ».

La remarque de Jung veut être alors un encouragement à poursuivre l'effort. Eh bien, tant pis, faites-le quand même, mais sachez que vous ne pouvez pas vous en empêcher parce qu'il y a en vous telle faiblesse ou telle insuffisance. La prochaine fois, et progressivement, il sera plus facile d'arriver à s'en défaire. Précisons qu'il s'agit là d'actions menées contre soi-même, et non de celles qui agressent la liberté des autres. Le « pourvu que vous sachiez pourquoi » est essentiel pour maintenir en nous le redressement thérapeutique du « je ne suis encore et vraiment que... »

À la recherche du Moi

Cette acceptation de soi, tel qu'on est, rappelons-le, s'oppose au « vouloir casser la gueule » de ce fameux complexe qui nous malmène ainsi. Ce projet de destruction aboutit toujours à un mauvais résultat. Il est le fruit d'un vieux réflexe introduit dès le début de son existence par une philosophie judéo-chrétienne, sans doute, qui impose des résolutions et des répressions violentes contre tout ce qui est de l'ordre du mal. Or, décider, prendre une résolution, ne suffit pas et, le plus souvent, va même à l'encontre de toute évolution. On ne fera jamais valablement ce pour quoi on n'est pas prêt ni mûr au plus profond de soi-même : on ne fait bien que ce qu'on aime vraiment. À cette phrase, on a l'habitude d'opposer cette autre : on ne fait pas que ce qu'on aime. Les deux sont vraies à partir du moment où on accepte de distinguer la différence entre faire et faire bien, exécuter et créer. L'exécution est mécanique, robotique, sans âme ; la création est le fruit d'une unité, d'une sorte de complicité entre l'action et son objet. C'est son affaire, le Moi y est impliqué. L'action du sujet est vécue et réalisée à sa manière, et l'objet créé possède la marque de son créateur. À plus forte raison, il n'y a pas refoulement ou rejet d'une force qui fait partie de nous-mêmes.

On sait maintenant que cette sorte de compression est génératrice, à plus ou moins longue échéance, d'explosions incontrôlables. Le succès de ce « matage », quand il existe, n'est souvent qu'apparent et plus moins éphémère, car on s'est lancé dans un combat contre un ennemi toujours plus fort que soi. L'échec de ce qui a été, pendant longtemps, un système d'éducation a donné naissance parfois à son contraire, libéral et laxiste celui-là. Le résultat sera identique. Reconnaître l'existence d'une force négative est autre chose que de vouloir la détruire par la violence ou lui laisser libre champ jusqu'à être possédé par elle.

Dans la réalisation du Moi, la mise en place se fait toute seule. Une dynamique intérieure y procède à la condition qu'on lui fraie le chemin. Le travail analytique a pour but de découvrir ce chemin afin d'y laisser passer le Moi. Mais pour que cette entreprise ait des chances d'aboutir, il importe de commencer par se rendre compte qu'on n'est pas dans la bonne direction, et désirer reconnaître la vraie route du moi, même si on ne sait pas encore expliquer précisément la cause de ce qui nous en a déviés. Une inversion des valeurs se met en marche. Cette disposition est nécessaire, mais peut aussi suffire pour démarrer l'entreprise.

Ce cheminement exige de chacun plus une aptitude à se sentir qu'à se savoir : à faire abstraction des certitudes pour être le plus possible disponible à l'inconnu ou à l'imprévu, en un mot à renaître.

La recherche du Moi, qui accompagne la démarche analytique, n'est pas une entreprise qu'il convient de conseiller systématiquement à tout le monde. D'abord, parce que tout le monde n'est pas capable de la réussir et que, pour certains, le remède pourrait s'avérer pire que le mal. Un confrère analyste me déclarait un jour qu'à son avis, un tiers des hommes était capable d'entreprendre efficacement une analyse, un tiers capable d'en tirer quelque profit, et un tiers incapable. Sur un sujet où il est bien difficile d'établir des statistiques, il apparaît néanmoins, nous le verrons plus loin, que la capacité dépend autant des conditions extérieures, (et en particulier de la qualité comme de la quantité des analystes) que des dispositions intérieures de chaque être.

Dans une dynamique personnelle

À la différence de la thérapeutique médicale où, même si l'on reconnaît l'importance d'une certaine collaboration du malade, la part du traitement extérieur est le plus souvent capitale, la thérapie exige une participation active du patient. Sa démarche doit être le résultat d'une détermination personnelle. Le sujet en fait « son affaire », n'en rend compte à personne. C'est sa propriété exclusive, et pour certains, au début, la seule chose qui lui appartienne vraiment. Une entreprise psychanalytique qui contiendrait un objectif de conversations de salon ou celui de faire plaisir à l'« autre », aurait peu de chances d'aboutir. Certains, enfin, ont, plus que d'autres, ce que l'on pourrait appeler le sens analytique et se trouvent à l'aise dans la dynamique impliquée. D'autres, en revanche, éprouvent de grandes difficultés. Ce constat ne comporte aucune explication rationnelle ou scientifique.

Il n'est pas rare qu'au début les motivations ne soient pas très personnelles, ni objectives – c'est-à-dire exprimant une intention droite et conforme à la réalité de l'objet –, mais elles peuvent s'épurer en cours de route, se personnaliser davantage. De toutes manières, l'inconscient se chargera de mettre les choses au point et, par les rêves en particulier, d'attirer l'attention sur les mobiles cachés de la démarche. Il appartient, en même temps, à la vigilance du psychanalyste de ne pas être dupe et d'aider, au moment opportun, à faire apparaître l'éclairage du véritable investissement.

La même question se posera en ce qui concerne la limite de cet investissement : quand convient-il d'arrêter ? Il est parfois plus difficile, en effet, d'arrêter une analyse que de la commencer. Là, comme ailleurs, il est bien hasardeux, voire imprudent, d'énoncer des principes ou d'acquérir des certitudes, et il convient, le plus souvent, de chercher la réponse dans l'information livrée par l'inconscient ou dans l'intention, enrichie par l'expérience du psychanalyste. Car le désir ou l'intuition ponctuelle du patient, exprimé parfois avec plus ou moins de force, d'arrêter là les « frais », d'affirmer avec certitude qu'il doit mettre fin à son entreprise ne sont pas, pour autant, des indications objectives.

Ces manipulations peuvent cacher un désir de fuite, une peur d'aller plus loin, une capitulation nuisible à son évolution et contraire à sa capacité de progression. De même, si certains cas demandent un suivi assez long, comme en bien des cas cliniques où un contrôle de plus en plus espacé peut s'avérer nécessaire, il y a lieu de veiller à l'« installation » de certains prolongements qui pourraient être néfastes à la prise en charge de soi-même.

CE QU'ELLE N'EST PAS

Une réponse à tous les problèmes

La complexité et l'immensité des composantes de l'être humain sont telles qu'il serait prétentieux de vouloir parvenir à la connaissance totale d'un individu.

On ne peut tout voir ni tout découvrir. Déjà, l'expérience nous montre quotidiennement que l'inconscient nous révèle rarement avec précision ce que nous avons à faire ou ne pas faire, sauf en cas d'urgence où le danger menace gravement. Il se contente de nous apporter un éclairage qui nous permette de voir et de comprendre ce qui se passe, nous laissant ensuite le soin de décider ou de prendre une initiative. Cela pourrait ressembler au cantonnier qui indique à l'automobiliste qu'il y a un effondrement de la chaussée à deux kilomètres, laissant à celui-ci le soin de décider s'il fait demi-tour, s'il emprunte tel ou tel détour ou s'il doit ajourner son voyage. Si le voyageur se trompe, l'inconscient réitère le plus souvent son information pour nous le faire comprendre, mais il serait vain d'attendre la dictée d'un devoir ou d'un comportement précis, reprenant par exemple le « tu n'as qu'à » ou « ton devoir est de... » que nous trouvons dans le discours initial de la mère ou d'un catéchisme.

Une réponse à tous les maux

« L'analyse, écrit Jung, n'est pas une "cure" effectuée une fois pour toutes, mais d'abord un réajustement plus ou moins fondamental. Il n'existe pas de modification absolue et durable. La vie demande toujours à être de nouveau reconquise.... En fin de compte, il est au plus haut point improbable qu'il puisse exister une thérapie capable d'éliminer toutes les difficultés. L'être humain a besoin de difficultés. Elles sont nécessaires à la santé[1]. »

Personne n'a jamais prétendu que la psychanalyse apportait une réponse à tous les désordres psychiques. La médecine elle-même ne parvient pas à résoudre toutes les affections d'ordre physique. Mais à la différence de celle-ci, qui se réfère à des données scientifiques, la psychanalyse travaille sur un terrain qui échappe totalement à ces données. Dans la vie psychique, les mêmes causes ne produisent pas nécessairement les mêmes effets et les mêmes effets ne sont pas nécessairement engendrés par les mêmes causes.

Si, pour le médecin, le diagnostic prend une place de première importance et s'établit le plus souvent à partir de références scientifiques servant de base à un traitement approprié, la même démarche n'est pas aussi radicale ni concluante en psychothérapie. Le diagnostic, en psychothérapie, apporte plus un éclairage intellectuel qu'il n'introduit l'application d'un traitement préalablement établi. « Il y a une croix pour les psychothérapeutes, en particulier pour ceux qui ont encore à penser que le discernement et la compréhension intellectuelle suffisent pour amener la guérison », écrit Jung.

L'action thérapeutique, par ailleurs, est composée de facteurs si variés, dont l'essentiel se situe dans la qualité du

---

1. *L'Âme et la Vie*, éd. Buchet-Chastel, p. 128-134.

psychanalyste et du patient. En psychothérapie, nombreuses sont les « méthodes », mais l'efficacité de leur application varie beaucoup selon les sujets, comme elles peuvent obtenir des résultats différents selon la personnalité du praticien.

Il est donc prudent de ne pas argumenter de la même manière pour un traitement médical que pour une psycho-thérapie ou, plus encore, une psychanalyse. Cette différence est de grande importance. La formation médicale prépare à soigner le corps mais ne fait pas, pour autant, des psychologues. Et s'il est vrai qu'un médecin, doublé naturellement d'un psychologue, sera pour le malade un meilleur praticien, il ne faut pas pour autant demander au médecin d'être un bon psychothérapeute. À vouloir charger le médecin de résoudre tous les aspects d'une somatisation, on lui demande plus que ce qu'il peut donner et on risque également de lui attribuer une capacité et une responsabilité qui ne sont pas les siennes.

Ainsi a-t-on souvent entendu dans le discours de certains professeurs que la psychanalyse ne guérit pas. C'est vrai. Personne, en effet, ne peut dire cela car le concept de guérison convient rarement à un désordre psychique, s'il s'agit d'affirmer par là qu'on a supprimé la cause. On atténue sa pression, son influence au point de permettre de vivre avec, alors que son emprise pouvait faire du sujet un « possédé ». Comment cela s'est-il passé ?... Nul ne le sait vraiment et nul ne peut dire que « ça marche à tous les coups ». On ne supprime pas une névrose comme on enlève un appendice ou une vésicule. Le chirurgien amputera une jambe, mais c'est la psychothérapeute qui pourra aider cet unijambiste à vivre avec une seule jambe. Rien ne pouvant être parfait dans la vie, ni être vécu facilement partout et toujours. La question sera toujours de chercher en soi ce qui nous empêche de vivre bien ou mieux le moment présent (relation ou événement). Là se situe la clé d'une ouverture vers un plus grand épanouissement, une meilleure intégra-tion et rien d'autre : « On ne résout pas les problèmes, disait de Gaulle, on apprend à vivre avec. »

La psychothérapie peut alors guérir du mal de vivre en aidant le patient à se rendre capable de recevoir l'événement et la réalité stressante. On a la faculté ou non d'effectuer ce travail. C'est cela la psychothérapie. Quant à ce que peut apporter la psychanalyse, c'est dans cette phrase d'une patiente que j'ai trouvé ce qui me paraît la meilleure réponse : « Je reste la même en étant autre. »

Une réponse exclusive

La psychanalyse n'est pas une panacée. Si certains ne peuvent « s'en sortir » sans elle, d'autres y parviennent. Mais il est bien difficile, sinon impossible, de pouvoir, pour chaque cas, en donner l'explication : les éléments qui y sont nécessaires échappent, le plus souvent, à la connaissance.

Les circonstances de la vie de chacun sont tout autant inconnaissables. Certains ont plus de chances que d'autres, et l'écart est immense entre les « veinards » et les malchanceux. Un événement peut avoir sur un individu un effet thérapeutique ou, hélas, destructeur, mais personne ne pourra, là non plus, le prévoir ni, souvent, l'expliquer.

Un tribunal ou une éthique

Pour des esprits empreints de manichéisme ou d'une idéologie judéo-chrétienne mal assimilée, la psychanalyse a pu apparaître comme le tribunal du passé, des parents et de la mère en particulier. Nous nous sommes efforcés de nous expliquer à ce sujet au début de cet ouvrage, sans être sûr d'avoir pu modifier une conception très ancienne et solidement ancrée. S'il arrive qu'une psychanalyse engendre une angoisse de culpabilisation morbide ou un esprit suffisant, doublé d'une manie de jugement de valeur, on peut affirmer, à coup sûr, que le sujet a fait tout sauf une analyse.

Mais une chose est de constater les limites de la condition humaine, une autre est d'en rendre le sujet coupable, sauf si coupable signifie ne pas être capable. Or, l'enfant naît d'une origine et dans un environnement limité et faillible. Il faut bien admettre que ces êtres humains ne feront pas des dieux et qu'il n'y a pas de quoi s'en sentir coupables ni en être humiliés.

Il n'est pas rare que le reproche de culpabilisation soit

utilisé comme moyen de chantage. Depuis quelques décennies, en effet, la mode est d'accuser celui qui culpabilise : celui-ci devient coupable de culpabiliser. On voit alors l'enfant accuser ses parents de le culpabiliser et les parents se culpabiliser eux-mêmes de culpabiliser leur enfant.

Le même reproche est souvent adressé aux psychanalystes. Mais si être coupable c'est être la cause inconsciente, involontaire, d'une situation mauvaise, pourquoi faudrait-il refuser de le voir et de le reconnaître ? Un « sentiment de culpabilité » non seulement ne nuit pas à l'évolution du « coupable », mais devient nécessaire pour l'aider à se mieux connaître, et à se libérer de ce qui le fait agir ainsi.

Se savoir et se sentir coupable revient à reconnaître que telle erreur est le résultat de notre faute. Mais il y a une différence entre accepter une faute et la sanctionner automatiquement par une honte ou une punition. La culpabilisation devient, dans ce cas, négative.

La psychanalyse ne pourra jamais être une philosophie, une école de pensée ou une morale, mais elle aboutit à l'absence de jugement pénal et à l'acceptation de l'autre. Elle est nécessairement fraternelle, évangélique et sans que ce soit son objectif.

SES CONDITIONS

Tout se passe entre deux êtres : le patient et le psychothérapeute, mais rien ne se fera de la même manière. Chaque entreprise psychothérapeutique ou psychanalytique est une aventure particulière qui ne se reproduira jamais de façon identique avec un autre sujet. On peut toutefois faire état des conditions nécessaires pour que cette entreprise ait les meilleures chances d'aboutir.

Dispositions personnelles

Chacun est plus ou moins capable de s'investir dans ce qui nécessite, de toute manière, une participation personnelle active. C'est pourquoi il importe tout d'abord de se présenter avec une fonction cérébrale suffisante.

Un cerveau qui fonctionne

Un cerveau abruti ou « assommé » par un traitement chimique trop fort peut rendre incapable du minimum nécessaire d'énergie et de lucidité. De même pour une névrose trop avancée, l'être humain devra préalablement retrouver un peu de clairvoyance par un recours au traitement psychiatrique.

Rappelons toutefois que pour un travail analytique en particulier, un excès d'intellectualisme ou de rationalisme constitue un obstacle sérieux à une bonne évolution.

Ce n'est pas, nous l'avons dit au début, d'une intelligence-connaissance dont le sujet a besoin, mais d'une intelligence-bon sens, la seule véritable intelligence. Chacun sait, en effet, que l'intellectuel n'est pas nécessairement intelligent et inversement. L'intelligence-bon sens, le bien sentir ou bien recevoir est impérativement requis pour une recherche psychologique profonde.

Un sentiment qui s'exprime

La psychanalyse est une expérience et non l'application d'une méthode ou l'acquisition d'une connaissance. C'est à l'intérieur que tout se passe et où tout se joue. Le discours de l'analysé ne constitue pas une argumentation ni un raisonnement.

Il vient du sentiment et exprime son expérience personnelle, la perception de ce qu'il ressent. Il ne sait pas et se méfie des évidences. Pour beaucoup cette dynamique de la relation intérieure nécessite un apprentissage qui aura d'autant plus de mal à se mettre en place qu'on aura été habitué, depuis le départ, à s'appuyer sur la logique et le rationnel.

L'activisme dans la vie du patient constitue également un obstacle sérieux à cette « vie intérieure », d'autant que ce comportement est, dans la plupart des cas, sinon toujours, le moyen utilisé pour fuir avec le plus d'efficacité la rencontre du Moi, s'assourdir devant l'interpellation du sentiment. Ceux en proie à l'activisme sont les mêmes qui ont peur du silence. Or, ici, il va falloir « s'arrêter » de temps à autre, souvent peut-être, pour entendre, percevoir, éprouver, sentir. « Chaque atome de silence étant, selon le mot de Paul Valéry, la promesse d'un fruit mûr. » Peut-être y aura-t-il, parfois, avantage à écrire, à exprimer d'une manière ou d'une autre, par le dessin, l'activité manuelle, artistique, ce que l'on ressent, la question que l'on se pose, l'image qui se présente. Il est important que cette « vie intérieure » sorte du dedans pour se projeter ainsi concrètement dans l'espace. Les artistes savent bien ce que cela veut dire.

Une patience et un courage certains

Apprendre à conquérir son autonomie, reprendre à son compte sa naissance à la vie, cela ne peut jamais se faire brusquement et rapidement. Presque toujours, il va falloir aussi construire « sur le tas », au milieu même des forces contraires et des influences dépersonnalisantes qui ont agi depuis le début. Tant il est vrai que la véritable autonomie n'est pas celle qui fuit ou détruit l'adversaire par la rupture, le forcing ou la violence, mais l'affirmation de soi au milieu des « autres », le savoir vivre avec, en restant soi. Il n'y a ni haine, ni agressivité en ce comportement, il y a de la prudence et du respect, du réalisme.

Il faut du temps et aussi du courage, cette énergie doit faire face à la déprime. La déprime, en effet, peut être comparée à une sorte de grippe psychique. On ne cesse de dire, à juste titre, que le meilleur remède à la grippe se trouve dans l'arrêt, le repos et la récupération. La grippe semble faire partie de ces affections bénéfiques qui nous obligent, malgré nous, à nous arrêter pour satisfaire au respect du rythme personnel et de sa propre hygiène. L'organisme veut imposer ainsi un discours qu'on n'a pas su entendre. On appelle habituellement cela la régulation. Il en est ainsi de la déprime qui constitue donc, elle aussi, un avertissement, une information, une invitation à s'arrêter pour « prendre le temps » de remettre en place et en ordre les choses qui ont été déplacées ou mal utilisées, peut-être même un peu détériorées. C'est l'arrêt au port pour remettre le bateau en état avant de poursuivre la navigation.

Il faudra aussi faire appel à une plus grande énergie lorsque, le long du parcours, la lassitude ou la routine approchant, on « en a marre », on « n'a plus envie », on a « l'impression de perdre son temps », de « tourner en rond », de « se faire exploiter » même, d'être désormais capable de s'en sortir tout seul, alors que tout cela n'est qu'illusion ou chantage et, en réalité, la peur d'affronter le plus dur. Très souvent, à l'occasion des séances et des rendez-vous, l'expérience montre que le manque d'envie à l'aller s'est transformé au retour par la joie d'y être allé. Car, pour l'analyse en particulier, il faut du temps, les « digestions » sont lentes et les récupérations parfois longues. Ce n'est pas du jour au lendemain qu'on devient capable de rire de soi et de ne pas se prendre vraiment au sérieux, comme d'accepter le rire des autres à notre sujet. Le parcours est ardu avant de parvenir à savoir ce que l'on aime vraiment, à saisir son projet personnel, à utiliser les moyens propres pour réaliser son objectif, en un mot, à sentir ce qui est bon pour soi.

Il y aura aussi, inévitablement, le long de la route, les « deuils » et les sacrifices, tout ce délestage qui encombrait notre propre cheminement depuis le départ, mais dont on s'était parfois si bien accommodé qu'on avait pris l'habitude de s'en nourrir, d'en vivre. On a parfois signalé qu'il pourrait y avoir danger à faire un travail qui conduit à un champ de ruines. Ce danger, en effet, existerait si un objectif constructif n'était pas maintenu en permanence, à chaque séance, dans l'accompagnement du thérapeute. Notons toutefois que ces « deuils » ou sacrifices ne sont pas comparables à ceux de l'interdit ou de l'ascèse, de la loi ou d'une recherche d'exploit, car, dans le parcours analytique on cueille le fruit ou on le laisse tomber quand il est mûr. On ne force pas, on ne se mortifie pas, on n'impose pas une exigence supérieure à ses limites actuelles et ponctuelles. Si l'heure n'est pas venue, il faut savoir attendre, ce que l'inconscient sait toujours mieux que nous et celui-ci sait toujours vous le dire.

Voilà pourquoi on ne peut jamais répondre à la question souvent posée : « Combien de temps faut-il pour une analyse ? » C'est comme si on demandait à un entrepreneur : « Combien de temps faut-il pour construire une maison ? » Cela dépend du type de maison et du rythme de la construction. Il ne peut y avoir de réponse d'ordre scientifique comparable à celle que pourra faire le médecin, assez souvent, pour préciser la durée de la maladie et du rétablissement.

On ne peut savoir, en effet, combien de temps il faut à une personne pour prendre conscience de ce qui doit être amené à la surface en vue de son épanouissement. À quelle qualité d'épanouissement voudra-t-elle ou pourra-t-elle s'arrêter ? C'est au senti et avec l'aide des rêves que le psychanalyste pourra se sortir de ce problème. Et encore peut-il se tromper en rendant le temps plus long, comme il peut se tromper et provoquer des dégâts plus ou moins graves en voulant « pousser trop vite » son patient. Mais si la route est longue et dure, le « bout du tunnel » est tellement lumineux et vivifiant ! Rien n'est meilleur dans la vie, rien ne peut être espéré de mieux que de se sentir dans « sa » peau, être soi et vivre à plein, vivre avec, vivre tout.

Comment ?

Depuis ces dernières décennies le catalogue ne cesse d'augmenter. Le choix des thérapies risque de devenir de plus en plus difficile et peut être de plus en plus douteux ou peu fiable. On peut pourtant comprendre pourquoi tel moyen, mis en œuvre par tel thérapeute, a pu être efficace avec tel patient. Mais on constatera que ce même moyen n'a obtenu aucun résultat avec tel autre ou par tel autre thérapeute.

Y a-t-il un critère pour conseiller un choix plutôt qu'un

autre ? Non. Il importe toutefois que la démarche soit entreprise avec le maximum de confiance, condition psychologique importante pour parvenir au meilleur résultat. On peut dire enfin que ce résultat dépendra de la qualité du psychothérapeute, ce qui, évidemment, est plus difficile à connaître avant de faire son choix.

Qualités du psychothérapeute

Ces qualités sont plus psychologiques qu'intellectuelles. La somme de « connaissances » que possède le psychothérapeute ne fait pas, pour autant, un bon psychothérapeute. Certes, ces connaissances intellecutelles peuvent devenir une aide et ajouter un complément de compétence, à la condition toutefois qu'elles s'incrivent dans une bonne qualité psychologique, celle du bons sens, de l'intuition et du sentir. Freud écrit à un psychiatre que « celui qui donne plus qu'il n'a est un malhonnête »[1]. Il faudrait plutôt dire « plus qu'il n'est ».

Un bon savoir sans un bon sentir ne fera jamais un bon psychanalyste ni un bon psychothérapeute. Cette structure pourrait même se transformer en arme dangereuse contre le patient, celle du trop savoir et du savoir trop sûrement. Accorder une valeur excessive à la connaissance et, à plus forte raison, une valeur exclusive, augmente l'incapacité de comprendre. On ignore trop souvent dans notre siècle de technicité, voire de technicisme, la phrase célèbre de Montaigne, qui donne la préférence à une « tête bien faite », et peut-être un cœur bien fait, qu'à une « tête bien pleine ». Le discours inaccessible de certains prophètes psychanalystes provoque un malaise et augure mal de l'esprit d'ouverture ou du crédit que l'on peut lui accorder. La condition d'un énoncé clair implique une bonne relation avec la vie intérieure.

C'est pourquoi il sera toujours difficile, comme en tous métiers de relations à l'homme, de décerne, un label de

---

1. *Introduction de la psychanalyse, op. cit.*, p. 273.

capacité ou une étiquette de valeur à un candidat praticien. De la même manière, le « bagage » d'un enseignant ou d'un travailleur social ne fait pas pour autant un pédagogue. « On naît psychologue, on ne le devient pas. »

Jung mettait ainsi en garde un jeune confrère fraîchement émoulu de l'université : « Celui qui veut connaître l'âme humaine n'apprendra à peu près rien de la psychologie expérimentale... Il faut lui conseiller d'accrocher au clou sa science exacte, de se dépouiller de son habit de savant, de dire adieu à son bureau d'étude et de marcher à travers le monde avec un cœur humain, dans la terreur des prisons, des asiles d'aliénés, des hôpitaux, de voir les bouges des faubourgs, les bordels, les tripots, les salons de la société élégante, la Bourse, les meetings, les églises, le revival et les extases des sectes, d'éprouver sur son propre corps amour et haine, les passions sous toutes les formes ; alors il reviendra chargé d'un savoir plus riche que celui que lui auraient donné des manuels épais d'un pied et il pourra être, pour les malades, un médecin, un véritable connaisseur de l'âme humaine [1]. »

Le savoir du thérapeute certes, ne doit pas être négligé mais il est beaucoup moins important que le sentir, surtout s'il a tendance à s'enfermer dans les rigueurs d'une sytématisation. La vie psychique, en effet, surtout en raison de la particularité de chaque individu, ne pourra jamais être enfermée en des systèmes.

La bonté

La bonté constitue, sans doute, une qualité de base essentielle. Le psychothérapeute doit être une présence attentive qui reçoit, qui sait écouter et non pas seulement entendre. Il doit être capable d'aimer son patient sous peine de malhonnêteté. Or, cela ne se commande pas. Il existe des incompatibilités qui interdisent tout espoir de réussite. D'où la nécessité d'un premier contact qui présente déjà une

---

1. *L'Âme et la vie, op. cit.*, p. 111.

indication, au praticien comme au patient, sur les perspectives du résultat.

Il faut que « le courant passe », ce courant qui permet au consultant de se sentir reçu et au psychothérapeute de recevoir. C'est grâce à la sensibilité du praticien que cette communication, cette communion même, va pouvoir se faire. Cette qualité nécessaire, plus innée qu'acquise, sera la chance du thérapeute dans son entreprise d'aide mais souvent aussi sa souffrance. L'apparente neutralité ou froideur de celui-ci recouvre toujours une sensibilité vive, dont les résonances sont parfois fort éprouvantes pour lui-même. Il ne peut en être autrement, sinon rien ne se passera. L'entreprise est à ce prix.

L'humilité

On sait que tout psychanalyste ne peut exercer sans avoir accompli ce travail sur lui-même. Il convient d'ajouter que ce travail n'est jamais fini, surtout quand celui-ci s'offre pour aider les autres à le faire. Un psychothérapeute qui ne répondrait pas aux mêmes exigences serait incomplet et il y a lieu de se méfier de tous ceux qui prétendent y être parvenus par une « auto-analyse ». Un aveugle ne peut conduire un autre aveugle et les aveugles semblent être nombreux au royaume de la psychothérapie.

Or, ce travail préalable est nécessaire pour acquérir l'indispensable humilité à cette aide particulière. Le praticien doit avoir appris à ne pas savoir et à ne pas généraliser, se rappelant à tout instant que chaque cas est unique et le plus souvent imprévisible.

L'expérience

Le plus important et le plus riche de son expérience s'élabore dans la pratique suivie, quotidienne, du langage de l'inconscient, la manière dont celui-ci s'exprime en particulier sur les différentes situations de la vie. On pourrait presque parler de l'ouverture à une philosophie de l'inconscient, par l'écoute de sa voix qui se fait entendre continuellement en tout être et plus spécialement par les rêves. C'est donc à partir de sa propre expérience que le psychothérapeute sera en mesure d'accueillir l'expérience de l'autre. C'est un travail où il est difficile de « bluffer », car rapidement le patient sentira si son compagnon de route a déjà accompli ou non le même parcours, s'il sait ce dont il s'agit et s'il en a accompagné beaucoup sur ce chemin. Celui qui désire être écouté, en effet, est habituellement en mesure de sentir la qualité d'écoute de l'autre ou son degré d'attention. L'expression dépend alors de ce senti, de cette présence à l'être qui parle et à l'événement qui se déroule.

Ces qualités premières sont essentielles à toute action thérapeutique parce que nécessaire à toute valeur relationnelle. Or, une psychothérapie est fonction de la qualité relationnelle au psychothérapeute car c'est authentiquement d'une relation que le patient a besoin.

Qu'est-ce que cela veut dire ? Que le psychothérapeute ne doit pas se substituer au patient pour des décisions à prendre, des choix à faire tant au niveau des idées que des actions. Il encourrait alors le risque d'un effondrement et d'une dangereuse rechute quand le traitement aura pris fin. Le remède aurait alors été pire que le mal. Le psychothérapeute, et à plus forte raison la psychanalyste, est moins un conseiller qu'un compagnon de route. Ce compagnon, dans la nuit, tient la lampe dont l'éclairage permet au patient de savoir où il met le pied et où il convient de le mettre. Il apporte la sécurité de sa présence à celui qui n'est pas habitué à marcher seul, son appui lors des trébuchements ou des peurs. Il est disponible pour tout recevoir et tout entendre afin que l'autre puisse s'exprimer totalement.

Or, pour être à l'écoute, il faut se centrer sur un seul sujet à la fois, veiller à ce qu'aucun bruit, intérieur comme extérieur, ne vienne interférer ou couvrir la voix de celui qui parle. Le psychothérapeute vit avec son patient l'expérience de sa propre route ; il cherche et découvre avec lui, il sent la joie, le souci et la souffrance de l'autre, mais n'agit jamais à sa place, n'entre jamais en scène et n'oublie jamais qu'il n'est que l'ami passager destiné à disparaître demain.

Il doit savoir enfin que quand il ne va pas bien, et

inversement, les patients qu'il reçoit s'en ressentiront. Car, dans l'aide thérapeutique, les idées et le contenu de ce que l'on est amené à dire ont moins d'importance que la manière dont on s'exprime. Et celle-ci est toujours le reflet et le résultat de ce que vit actuellement le psychothérapeute. Celui-ci est inspiré dans la mesure où il vit ce qu'il dit. À partir de là seulement il sentira ce qu'il convient de dire ou de taire. Car si un vieil adage précise que « toute vérité n'est pas bonne à dire », c'est parce que toute vérité ne peut pas toujours impunément être entendue, reçue. Tout cela, il lui faudra l'acquérir.

Ajoutons enfin que la psychanalyse gagnerait en crédit et évoluerait grâce à un travail de mise en commun des expériences de chacun, par-delà les stériles polémiques d'école qui occupent le terrain depuis l'origine.

Le matériel d'exploration

Chaque méthode dispose de ses propres moyens qui ont, le plus souvent, pour objet de faciliter, éventuellement de provoquer, l'expression du patient. Si celui-ci, en effet, transporte une souffrance, c'est toujours celle d'un blocage et d'un besoin plus ou moins intense d'expression. Tout ce qui facilitera cette expression aidera à libérer, à respirer, à agir, à créer. C'est pourquoi on trouve dans les différentes méthodes utilisées tous les matériaux d'expression connus : le dessin, la peinture, le modelage, le jeu scénique, la musique, la danse, le sport, tout ce qui permet au sentiment de se dire et de créer. Tout mode d'expression et de création peut être thérapeutique.

Mais la psychanalyse invite à une dynamique de recherche profonde par la mise en relation avec l'inconscient. Plus précisément, elle attire l'attention sur ce monde intérieur qui vit en chacun de nous, dont le plus souvent le mystère nous échappe, mais dont les manifestations permanentes nous font ressentir l'existence. Ce peut être le fameux quelque part du vocabulaire désormais quotidien.

Ce monde est inconscient et porte ce nom parce que nous ne le connaissons pas. Nous savons qu'il est là, « quelque part », nous le sentons mais sommes incapables de le maîtriser, de le disséquer dans un laboratoire. Il nous échappe et pourtant nous possède. En dépit d'énormes efforts, il est impossible de le faire taire et de nier son existence. C'est donc qu'il y a en chacun de nous une structure essentielle dont le rôle est capital et dont on ne peut faire l'économie. Quand nous sommes honnêtes, nous sentons bien que la vérité de nous-mêmes, le sens de notre vie, le tonus et le surcroît d'énergie dont nous avons besoin se trouvent dans ce « quelque part » de notre monde intérieur. C'est là aussi dans ce « quelque part » que nous éprouvons joie, tristesse, angoisse et abattements.

Les rêves

Une voix parle « quelque part », a quelque chose à nous dire sans qu'il soit possible à un instrument de la capter. Elle s'exprime par les rêves, en utilisant images et symboles. L'inconscient « parle » par images sans doute parce que les mots traduisent mal ou incomplètement la pensée et peuvent même donner lieu à une interprétation ambiguë. Ce langage, qui est celui des paraboles, des légendes, des contes et des sagas, a pour objet de révéler ce qui est bon pour l'être, ce qui est pour lui la vraie sagesse.

Nous possédons tous, par les rêves, une « onitothèque » riche et variée qui, à l'instar de la cinémathèque, utilise tous les genres : tragique, comique, fantastique, fiction, aventures, érotisme. Tout rêve est un message, l'homme l'a compris dès l'origine et ne cesse de s'interroger sur ce qui parle en lui et le contenu de son discours.

C'est par cette « voie royale », selon l'expression de Freud, que le branchement sur l'inconscient peut obtenir l'enrichissement le plus fécond. Mais, là non plus, il n'existe pas de connaissance scientifique. L'interprétation des rêves ne saurait ressembler à la cartomancie, ou à toute autre science dite occulte. Trouver l'interprétation juste d'un rêve, comme l'écrit M.L. Von Franz, « exige beaucoup d'attention, d'honnêteté et de réflexion ».

Pourquoi et en quoi les rêves sont-ils si importants dans

ce travail de la recherche et de la conquête du Moi ? La réponse est dans cette remarque simple mais pénétrante de Freud que si l'on encourage le rêveur à commenter les images de ses rêves, et à exprimer les pensées qu'elles lui suggèrent, il se trahira et révélera l'arrière-plan inconscient des troubles dont il se plaint, à la fois par ce qu'il dit et par ce qu'il omet de dire [1] ». Car on ne saurait travailler valablement un rêve sans une participation active du rêveur.

Quand on a précisé ainsi comment se fait le travail sur les rêves, on comprend tout de suite l'inanité des publications sur le sens symbolique des images ou sur l'état d'interpréter les rêves. Celles-ci n'ont qu'une valeur commerciale. Aucun rêve ne ressemble à un autre. L'image ne dit pas tout et c'est par un travail de recherche long et exigeant que l'on peut espérer découvrir une partie plus ou moins grande du message contenu dans chaque rêve. L'utilisation des rêves constitue un travail irremplaçable. Avant même le travail d'interprétation, le rêve déjà, par lui-même, est thérapeutique. « Il suffit de se remémorer un rêve, dit Élie Humbert, pour qu'il exerce une influence. »

Au long du parcours analytique, il est bon d'écrire régulièrement ses rêves. Épuiser la totalité, de leurs messages est impossible et, de ce fait, il peut s'avérer utile plus tard de revenir en arrière sur ce qui n'a pas été encore bien compris. Certains rêves, d'ailleurs, font parfois référence à des rêves antérieurs en précisant même la période ou la date.

Mais il y a ceux qui ont du mal à rêver et ceux qui déclarent ne pas rêver du tout. En réalité, tout le monde rêve, mais certains ont si bien réussi à couper la communication avec l'inconscient qu'ils ne sont plus en mesure de recueillir leurs rêves et donc de s'en souvenir. Toutefois celui qui désire réellement se mettre à l'écoute de ce discours intérieur, retrouvera cette voix et redécouvrira ses rêves. Il faudra parfois l'y aider en mettant à sa portée papier et crayon à la tête du lit, car il suffit souvent de poser le pied à terre ou même simplement de bouger dans le lit pour que tout s'évanouisse sans laisser le moindre souvenir.

---

1. Jung dans *L'Homme et ses symboles*, *op. cit.*, p. 26.

Il est, en tout cas, essentiel de désirer rêver, de créer en soi une disponibilité d'accueil au message de l'inconscient, quoi qu'il ait à nous dire. Quand on y parvient, il y a toujours une réponse. L'absence apparente de rêve, en revanche, semble bien être une indication sur la qualité de relation avec l'inconscient et donc sur la capacité à réaliser l'unité de son être.

C'est pourquoi le psychanalyste ne peut se permettre de jouer au « voyant » et doit accompagner le rêveur au rythme de sa capacité à recevoir le message de l'inconscient à travers ses rêves. En effet, « si une lumière trop vive est jetée sur le langage onirique des symboles, comme l'écrit Y. Jacobi, le rêveur risque d'en éprouver de l'angoisse et d'être conduit à la rationalisation comme mécanisme de défense, ou encore, il ne sera plus en mesure de les assimiler et risque de tomber dans une crise psychique grave [1] ».

En revanche, celui qui parvient à vivre avec ses rêves trouvera un précieux appoint à la recherche de sa vérité, du sens et de la justesse de sa vie. Les uns saisissent leurs rêves plus facilement que d'autres. On ne connaît pas de « truc », pour enregistrer régulièrement ses rêves, mais s'habituer à s'endormir sur les images du dernier rêve peut, semble-t-il, favoriser une meilleure continuité.

Les signes

Le chemin de la vie est quotidiennement parsemé de signes. Ce sont toutes ces inconnues : actes manqués, imprévus, les jours « avec », les jours « sans », les accidents, les « coups durs », les « coups de chance », les bonheurs et les poisses, les somatisations, certains deuils, en un mot toutes ces circonstances inexplicables rationnellement et scientifiquement. Elles sont imprévisibles et mystérieuses, mais sont parfois troublantes tant elles semblent porteuses d'une indication. C'est pourquoi on ne peut les occulter longtemps sans être rappelé à l'ordre par l'un ou l'autre de ces signes.

---

1. *L'Homme et ses symboles*, op. cit., p. 277.

Faire appel à la providence, au hasard, à la coïncidence, au coup du sort, chance ou malchance, au miracle même, est aussi facile que d'invoquer l'intervention d'une puissance extérieure, bonne ou mauvaise, qui récompense ou punit selon les cas, fait justice ou prophétise : « Le Bon Dieu t'a puni... Tant pis pour lui... » ou au contraire : « Il n'y a pas de justice... Si Dieu existe, il ne permettrait pas cela... Il ne méritait pas cela... » Se contenter de dire que si c'est bon, c'est le Bon Dieu ou la chance, et si c'est mauvais, c'est le diable ou la malchance, revient à fixer notre réaction dans l'aveuglement et la passivité. Si la plupart s'arrêtent à parler de coïncidence heureuse ou malheureuse, ces « coups du sort », méprisés par les rationalistes, se découvrent le plus souvent avoir un sens. Tout professionnel de la psychanalyse est en mesure d'observer cela chaque jour au contact de ses patients. Négliger ces signes entraînerait le risque prochain de succomber à un accident plus grave. Ces signes, en effet, s'avèrent très souvent porteurs de messages, d'avertissements, de mises en garde. Ils apparaissent clairement, par exemple, dans les incidents d'abord, les accidents ensuite, dont sont victimes les « gens pressés ». Cela commence par un choc malencontreux et cela se termine plus tard par une fracture ou un traumatisme plus grave.

Freud avait déjà été alerté par les oublis, les actes manqués, auxquels ses disciples ne semblent pas attacher toute la valeur et l'étendue qu'ils méritent. Les actes manqués sont souvent à considérer, en effet, comme une invitation plus ou moins pressante à une prise de conscience que nous refusons jusqu'alors, qui a du mal à passer. Pour qui est attentif à ces « ratés », il est toujours étonnant de constater que notre vie quotidienne est jalonnée en permanence de ces signes, comme si « quelque part », quelque chose voulait nous informer, nous avertir ou nous mettre en garde. Car ces oublis, actes manqués, synchronicités [1] ont quelque chose à nous dire, un cri à nous faire entendre et possèdent donc un sens. L'expérience montre que bien avisé serait celui qui demeure attentif à accueillir ces signes presque quotidiens

---

1. Concept utilisé par Jung.

destinés à nous éclairer sur un choix, une décision. Ces signes entrent dans l'arsenal des moyens de régulation.

« L'inconscient est pure nature, écrit Ariela Jaffe, collaboratrice de Jung, et comme la nature, il se montre prodigue de ses dons. Mais, laissé à lui-même, sans réaction humaine de la conscience, il peut, comme la nature, détruire ses propres dons et, tôt ou tard, les anéantir[1]. »

Parmi les nombreux exemples dont chacun peut être témoin, en voici deux pour illustrer et faire comprendre ce que contient cette observation.

Il était apparu, à l'aide de quelques rêves et de l'un d'eux en particulier, que cette femme devait cesser de consacrer du temps à des études entreprises en faculté, qu'elle avait autre chose à faire. Quelques mois après, au début de l'année universitaire, elle roule sur le boulevard périphérique, au volant de sa voiture neuve, et se dit : « C'est aujourd'hui la clôture des inscriptions en faculté. Vais-je ou non m'inscrire ?... », se souvenant alors de son rêve. Si elle décide de s'inscrire, il lui faut sortir du périphérique pour se rendre à la faculté, sinon elle poursuit son chemin pour rentrer chez elle. Au dernier moment, elle opte pour l'inscription et s'engage sur la bretelle de sortie. Après cent mètres, la voiture tombe en panne. Elle fait appel au garagiste qui constate la rupture d'une goupille fixant la pédale d'accélérateur et exprime son étonnement de voir cela pour la première fois sur une voiture neuve. La conductrice n'hésite plus. Elle rentre directement chez elle.

D'autres exemples sont plus tragiques. On a pu voir et entendre le témoignage télévisé du baron Empain sur l'expérience de ses six mois passés comme otage. Une fois relâché par ses ravisseurs, ayant d'abord fait état des trahisons inattendues de ses proches, tant dans son milieu conjugal, familial que professionnel, il déclarait avec force et conviction qu'il lui avait fallu passer par cette épreuve pour devenir un homme lucide et véritablement heureux.

En étant attentif à cette force mystérieuse qui intervient

---

1. « Le symbolisme dans l'art plastique » dans *L'Homme et ses symboles*, *op. cit.*, p. 257.

tout au long de notre route, il nous sera plus facile d'atteindre ce sentiment d'humilité qui nous rappelle que nous ne savons pas tout, mais aussi qu'une réalité « quelque part » nous accompagne en nous, pour nous protéger des erreurs qui nous guettent. L'expérience de cette réalité est, en même temps, un réconfort et une sécurité. Elle renforce l'observation qu'il existe un système de défense susceptible de nous éviter les mauvaises orientations imprévisibles et inconnaissables à notre fonction intellectuelle logique et rationnelle.

Ultimes précautions

Si la psychothérapie, bien conduite, ne comporte pas de risques et n'exige pas une décision précédée d'une longue réflexion, il convient de souligner qu'un engagement dans un travail analytique incite à quelques précautions complémentaires.

Ce n'est pas, en effet, parce que « ça a bien marché avec telle amie ou parente » qu'il pourra en être ainsi pour soi. C'est une décision à prendre progressivement avec l'aide d'un praticien qui permettra de déceler les motivations vraies de la démarche et l'opportunité de celle-ci.

QUE RESTE-T-IL POUR LES AUTRES ?

Peut-on vivre sans passer par le cabinet d'un psy ? La majorité des hommes, en tout cas, devra y pourvoir, ne serait-ce que faute de moyens. Faudrait-il en conclure que cette majorité est condamnée à vivre vaille que vaille, et à laisser à quelques privilégiés l'avantage d'une vie plus heureuse ? Après, pendant, ou sans l'analyse, chacun a besoin d'apprendre à devenir lui-même son propre psy. C'est à ceux-là que ce livre s'adresse et pour eux que nous évoquerons quelques pistes susceptibles de leur venir en aide.

L'importance d'une conviction

Tout d'abord croire en soi, savoir qu'en chacun de nous est inscrit le programme d'un être unique, pour une mission unique, et que personne ne pourra découvrir sans nous. Cette vérité est essentielle et constitue la base de tout départ dans la vie, de tout sens à cette vie.

L'aventure

La vie est donc une aventure passionnante dans la mesure où chaque jour est une recherche de notre sens : sens de notre raison d'être, de nos décisions, de notre action en fonction de notre participation à l'entreprise du monde et à la réalisation de notre Moi.

Dynamique permanente de la connaissance de soi

Pour être heureux, j'ai besoin de savoir ce que j'aime vraiment et donc de savoir qui je suis. Cela ne se fait pas par une argumentation intellectuelle ou par la révélation d'une voyance. On pourra parfois, plus ou moins justement, faire mon portrait. On ne me dira pas pour autant quelle en est assurément la cause ni ce pour quoi je suis ce que je suis.

Il faut essayer de découvrir ce qui fait notre particularité et craindre, au contraire, tout ce qui pourrait nous amener à copier les autres. La recherche du Moi ne reconnaît pas comme valeur « ce qui se fait », ni ce que « tout le monde fait ».

Apprendre à sentir

Sentir est une chose, bien sentir en est une autre. Si certains sont parvenus à étouffer le sentiment, beaucoup d'autres ont « pris le pli » de sentir à la manière d'un autre. « Bien sentir » implique un apprentissage, par lequel on aboutit à la sensation que ce que l'on décide ou ce que l'on fait « colle bien » avec ce que l'on ressent profondément.

Cette démarche, fondée sur le sentiment, est différente de celle qui se réfère à la raison. Les deux peuvent se rencontrer mais peuvent aussi parfois s'opposer. « Je sens que cela est bon. » Pourquoi la voix du sentiment a-t-elle plus de chance d'être vraie que celle de la raison ? Parce que le sentiment est propriété exclusive de l'individu, quand la raison appartient à un discours extérieur, indépendant et commun à tous. C'est pourquoi le Moi donne au sentiment priorité sur la raison et ne permet pas à celle-ci de lui dicter, seule, ce qui est bon pour lui, en un mot sa responsabilité. Sinon n'importe qui, se référant à la raison, et bientôt l'ordinateur, pourrait décider à sa place.

La difficulté sera de retrouver l'intégrité du sentiment afin de parvenir à sentir sa vérité. Il n'est pas facile de distinguer le faux sentiment du vrai après le façonnage de l'« éducation ». Un signe peut y aider : le faux sentiment s'accompagne souvent de certitudes, le vrai laisse la porte ouverte au doute, à l'erreur possible. La raison appartient à tout le monde, le sentiment est un bien personnel.

D'où l'importance d'apprendre à bien sentir. Ce devrait être la qualité première à cultiver en éducation, mais quelle révolution à faire !

L'aide de l'autre

Nous avons souligné, à plusieurs reprises, la difficulté à se connaître soi-même sans aide extérieure. Qui donc va pouvoir nous aider ? Cet avantage n'est pas réservé aux psy. Si l'on peut admettre qu'une sorte de vocation anime le psychothérapeute ou le psychanalyste, il est plus difficile de concevoir l'activité du psychologue en tant que métier.

La connaissance acquise en faculté n'apporte pas la capacité à aider les autres. Il faut y ajouter un travail sur soi-même qui, lui, n'est pas requis pour obtenir un diplôme. C'est d'ailleurs, sans doute, l'explication principale de la difficulté à vouloir établir le statut officiel du psychologue.

Je n'ai jamais pensé, pour ma part, que le titre de

psychologue puisse faire l'objet d'un métier, mais la faculté d'un homme à être psychologue ajoute à l'efficacité de son métier quel qu'il soit. On n'apprend pas à être psychologue, on l'est à l'origine et, tout au plus, on en développe ensuite les qualités. Il y a alors l'ingénieur qui est psychologue et celui qui ne l'est pas, et ainsi de tous les métiers comme de tous les hommes, magistrat, commerçant aussi bien que concierge. À travers chaque fonction il y a des techniciens plus ou moins dépourvus de psychologie et ceux qui possèdent en eux cette qualité originelle qui les rend psychologues. Ne dit-on pas de quelqu'un qu'il est ou n'est pas psychologue ? Mais l'aide psychologique ne pourra jamais, sans risques les plus graves, s'enfermer dans une technique.

MAIS OÙ SONT LES PSY ?

À vrai dire, ils sont dans les rues et au milieu de nos relations. Celui dont vous dites qu'il est « plein de bon sens » n'est pas loin d'être psychologue et de pouvoir apporter, sans le savoir le plus souvent, une aide psychologique. Notre comportement révèle toujours quelque chose de ce que nous sommes. Vous aurez vite fait de découvrir les personnes qui savent écouter, voir et parler juste, à côté des repliés, des possessifs ou des maladroits. Fuyez celui qui sait, celui qui s'en vante, pour aller vers celui qui ne sait pas mais vous « entend ». Le premier a le discours facile, le second a le langage plus mesuré. Le premier vous assomme, l'autre vous tonifie. Craignez les « conseilleurs » comme ceux qui veulent vous convaincre ou vous prendre en charge ; vous recevrez davantage de ceux qui donnent envie de se battre, d'espérer et, surtout, de vivre avec.

Il y a également des contacts qui peuvent être aussi thérapeutiques, sinon plus, que l'aide du psy professionnel. C'est celui qui vous sentira, et donc vous recevra le mieux, qui vous apportera le plus. Son contact « met à l'aise et fait du bien » généralement.

Ce qui importe ensuite, et par-dessus tout, c'est de vous

sentir libre. Il serait néfaste, en effet, de vous obliger à agir pour être conforme au discours, aux recommandations de quelqu'un, pour faire « comme » tout le monde. Toute influence qui ne nous laisse pas cette liberté vous rendra stérile et peut intensifier une fragilité névrotique. Une telle relation, inconsciemment sans doute, ne vous respecte pas. Il n'y a d'aide thérapeutique que dans le respect total de votre Moi et de ce que vous êtes, et cela il vous est possible de le sentir. Pour cela déjà, méfiez-vous comme de la peste de celui qui juge et, plus encore, de celui qui condamne.

Cherchez donc autour de vous ces psychologues, ils sont sans doute plus nombreux que vous ne le pensez et vivent encore au rythme d'une vie qui prend le temps de respirer et de sentir ce qui se passe.

Allez chercher du côté des expériences vécues qui, ajoutées à la capacité de sentir, confèrent souvent la sagesse. Ces êtres jalonnent notre route, il est bénéfique de les rencontrer et de les entendre. Vous en trouverez, en particulier, parmi ceux et celles qui achèvent le parcours de leur vie. Ce sont les psy du quotidien. Bonne route !

TABLE DES MATIÈRES

CHAPITRE 2

NAISSANCE À LA VIE
ou
LES MYSTÈRES DE L'ORIGINE
19

CHAPITRE 5

LA VIE SOCIALE
107

CHAPITRE 6

LA PROFESSION
141

CHAPITRE 7
LES LOISIRS
163

CHAPITRE 8

LE CORPS
189

CHAPITRE 9

LE QUOTIDIEN
213

DANS LA MÊME COLLECTION

PICARD (P.), *Se soigner seul sans peur.*
POISSONNET (C.M.), *L'Encyclopédie de la nutrition.*
ROIG (A.), *Guide des additifs et des polluants alimentaires.*
TREBEN (M.), *Ces plantes qui guérissent.*
 La Médecine familiale par les plantes.
VERET (P.) Dr, *La Médecine énergétique.*
 La Spasmophilie enfin vaincue.
 La Médecine cosmogénétique.
VITHOULKAS (G.), *La Science de l'homéopathie.*

Cet ouvrage a été réalisé par la
SOCIÉTÉ NOUVELLE FIRMIN-DIDOT
Mesnil-sur-l'Estrée
pour le compte des Éditions du Rocher
en octobre 1992

Édition du Rocher
28, rue Comte-Félix-Gastaldi
Monaco

Imprimé en France
Dépôt légal : novembre 1992
CNE section commerce et industrie Monaco 19023
N° d'impression : 22167